Marie-Claude B. Tremblay

# RETOUR AU FUTUR

### Roman

**PRESSES SÉLECT LTÉE**
1555 Ouest, rue de Louvain
Montréal, Qué.

Dépôt légal:
Bibliothèque Nationale du Québec
Bibliothèque Nationale du Canada
1er trimestre 1980

ISBN: 2-89132 — 194-4

*L'amour est un désir*
*Qui te fait souffrir*
*Pareil à un feu dévastant le monde*
*Dans ton coeur d'enfant*
*Devenu amant*
*Il brûle pour une chevelure blonde*
*Tu ne vis que d'espoir*
*Mais quand vient le soir*
*Tu repenses à son corps*
*En transes*
*L'amour est un désir*
*Qui te fait souffrir*
*Préfères-tu la mort*
*À la souffrance?*

# CHAPITRE I

# MAXIMILIEN EDEN

L'homme sortit de l'hôpital et releva le col de son imperméable pâle qui tachait la nuit d'encre pluvieuse. Il s'arrêta un instant dans le large escalier de ciment, pour enflammer de son briquet, serré dans ses longs doigts, le bout de la cigarette qu'il venait de placer entre ses lèvres. Il en aspira une bouffée et en rejeta avec satisfaction la fumée, puis d'un pas étiré et lent, il poursuivit sa descente avant de traverser la chaussée. Sur le terrain de stationnement, il se glissa félinement dans sa voiture et démarra en claquant la porte.

Il s'éloignait, quittant les environs de l'hôpital, passant devant les maisons endormies, côtoyant les rues désertes, les «dancing» fermés.

Comme toujours lorsqu'il terminait sa garde de nuit, le chemin du retour lui paraissait long et d'un calme ennuyant. Un brouillard léger s'insinuait maintenant dans l'atmosphère et une bruine persistante suintait, l'empêchant d'ouvrir, grande, la fenêtre de son véhicule; les essuie-glaces vibraient contre la vitre dans leur lassant mouvement continuel.

Il conduisait machinalement, tout à ses pensées, sans remarquer le paysage défiler sous ses yeux dans la noirceur trouée par ses phares, sans voir la route sinueuse devant lui.

Se satisfaisait-il vraiment de cette existence? Etre médecin, sauver des vies constituait son but depuis son plus jeune âge. Son père, lui-même chirurgien, très modeste mais d'un dévouement exemplaire, louait cette profession et avait influencé, en grande partie, le choix de ses trois fils. Alexandre, l'aîné, s'était constitué, en peu de temps, une clientèle nombreuse dans son cabinet d'omnipraticien. Il aurait aimé que Maximilien et Etienne se joignent à lui, mais l'un avait opté pour la chirurgie comme son père, l'autre faisait actuellement des recherches biochimiques en laboratoire.

Les trois frères étaient peu liés; sans doute le décès prématuré du chef de famille, dix ans plus tôt, en était-il cause. De plus, l'attitude distante et peu engageante de leur mère ne les avait nullement incités à une amitié fraternelle, laissant chacun mener sa barque à sa guise.

Maximilien vivait à présent, seul avec elle, et s'amusait de la voir sans cesse courir acheter, «en vente», les objets les plus hétéroclites qui ne servaient d'ailleurs jamais, le magasinage étant son «péché mignon», plus, une manie qui allait s'amplifiant.

En parcourant le boulevard bordé de hauts cyprès, l'homme appuya sur l'accélérateur; il connaissait bien la route qui s'étendait à cet endroit en ligne droite sur plusieurs kilomètres de distance.

Tout se déroula si rapidement qu'il eut à peine le temps de s'en rendre compte: une forme humaine apparut soudainement devant sa voiture. Il freina d'un coup brusque qui déchira le silence par le crissement des pneus; le choc suivit; le corps fut projeté dans les airs et s'abattit lourdement au sol. Encore incrédule, Maximilien immobilisa son véhicule et sortit en courant. L'être qu'il venait de heurter gisait un peu plus avant, poussé par la force brutale de l'impact. De loin, la forme inanimée semblait tordue dans une position invraisemblable et l'homme se rendit compte qu'il tremblait nerveusement. Il s'approcha, n'osant lui toucher, craignant le pire, mais d'instinct ses doigts souples palpaient cette chair affalée, ouvraient la trousse qu'il ignorait avoir prise en sortant de l'auto, posaient les gestes précis du médecin alors que, glacé, il avait l'impression d'être paralysé.

Une masse de cheveux blonds desquels giclait une traînée de sang lui apparut comme une vision fantasque; le visage de la jeune fille, presque une enfant, était maculé de boue ainsi que ses vêtements qu'il défaisait mécaniquement. En longeant du stétoscope la poitrine féminine, il entendit les battements sourds et irréguliers du coeur. «Dieu merci! Elle vivait encore». Il soupira d'aise.

Il devait maintenant se hâter de la faire conduire à l'hôpital; désemparé, il regarda autour de lui. À cette heure à la fois tardive et matinale, sur cette route secondaire inhabitée, la circulation absente ne lui laissait pas d'autre alternative que de l'emmener lui-même, sans toutefois risquer de démanteler davantage ce pauvre corps ravagé comme un pantin déficelé. Son bras gauche devait être cassé, car il se repliait lamentablement et sa jambe droite, coincée sous elle, ne présageait rien de bon. Il s'assura d'abord que la colonne vertébrale était intacte, puis déplia la jambe oedèmatisée, la plaça droite et posa des attelles; le coude brisé en exigea également. Il dut panser sommairement la plaie sur la tête, envelopper la blessée, bien serrée, dans une couverture, amener son automobile à proximité pour la glisser le plus délicatement possible sur la banquette arrière.

Il démarra en effectuant un large virage. Toutes les dix secondes, il se retournait légèrement, vérifiant si elle vivait, surveillant ses plaintes, mais aucun gémissement ne parvenait à ses lèvres pâles. Sa respiration superficielle annonçait un diaphragme comprimé, probablement dû aux côtes enfoncées. Arriverait-il à temps? Lui, un médecin qui sauvait souvent des vies, allait-il pour un instant de distraction payer le prix d'une existence? Allait-il tout perdre en quelques minutes? Sa réputation, sa situation, son avenir, pour une imprudence? Quelle folie aussi le poussait à faire de la vitesse? Qui lui ferait confiance si on apprenait? Que devait-il faire?

Il entra en trombe, mais plus calme, dans la petite salle d'urgence comme l'interne s'avançait vers lui.

— Venez m'aider Martin, j'ai une blessée grave dans mon automobile.

Le jeune homme se hâta et, ensemble, ils hissèrent l'inconsciente sur la civière.

— Avertissez immédiatement les Rayons-X que nous avons une urgence «stat» et passez-moi une feuille de rayons-X, d'électroencéphalogramme, et d'examens de routine.

Il indiquait ainsi qu'il la prenait en charge et s'adressa à la réceptionniste qui le dévisageait tandis qu'il remplissait les fiches:

— Nous complèterons sa carte plus tard; nous ignorons qui elle est. Téléphonez à la police et demandez-leur de nous signaler toute disparition qui pourrait correspondre: sexe féminin, environ dix-huit ans, blonde, un mètre soixante, yeux gris, portant un «jean» et un blouson de cuir noir.

— Oui docteur, tout de suite.

Pendant qu'on s'occupait d'elle, — les radiographies ne seraient prêtes que dans quinze à vingt minutes — il songea qu'un café très fort le retaperait et il descendit.

Il était assis depuis quelques instants seulement à une table de la cafétéria quand Victorine Barrette s'installa sans façon en face de lui. Il l'aimait bien, car elle ne tentait jamais de lier une idylle avec lui, se contentant des bribes de conversation ou des miettes d'amitié qu'il lui attribuait. Elle examinait attentivement son visage grave et soucieux et ne risqua pas même un sourire.

— Je vous croyais parti depuis plus d'une heure, dit-elle comme entrée en matière.

L'autre grimaça, ne désirant pas répondre. Qu'aurait-il d'ailleurs pu dire? «Que par son inattention, il causait un tort irréparable à une gamine! Qu'il serait peut-être responsable de sa mort! Coupable!»

Devait-il en discuter avec Hingüe ou prévenir immédiatement les policiers?

Victorine, habituée à ses brusques accès de mauvaise humeur et de solitude indépendante, buvait à petites gorgées son thé brûlant, les yeux rivés sur sa tasse.

Maximilien regarda sa montre; plus de dix minutes s'étaient écoulées. Il se leva en replaçant sa chaise, l'oeil revêche.

— Vous m'excuserez Victorine, je dois remonter.

Elle eut un signe d'approbation et un sourire compréhensif. Il ne se préoccupa plus d'elle, trop pressé de savoir à quoi s'en tenir au sujet de son accidentée.

Lorsqu'il entra dans la salle bien éclairée, Martin plaçait, en compagnie de Paul, les radiographies sur le visionneur.

— Cela ne semble pas bien beau, l'informa aussitôt Martin avec une moue qui le caractérisait. Ses cheveux trop longs lui tombaient sur les yeux et son teint blafard tranchait contre ses joues rouges.

Le médecin, plus grand et plus mince que l'interne, s'approcha et examina les radios. Elle avait effectivement plusieurs fractures: deux à la jambe droite, au tiers supérieur du tibia et du péroné, trois aux côtes gauches et le coude gauche en partie émietté. Sa blessure à la tête, heureusement, paraissait assez superficielle, mais il fallait toujours craindre que la commotion cérébrale soit plus grave que prévu.

— A-t-elle repris conscience?

— Non. J'ai fait appeler le docteur Thorvaldsen.

Martin le regardait, quêtant une approbation que Max grogna sans se retourner.

— La salle est-elle prête?

Le ton bourru ne surprit pas l'interne, ni ne le démonta; le docteur Eden répliquait souvent ainsi, de façon impersonnelle, sans lever les yeux sur son interlocuteur, tout à ses tâches.

— Oui, et la patiente également. Quelle boue! Elle a dû rouler dans une mare de vase, elle en avait partout; l'infirmière s'en décourageait!

Il tombait une pluie fine cette nuit! Les rues mouillées n'étaient pas vaseuses et la blessée reposait sur le pavé! D'où provenait cette boue qui la souillait et qu'il avait lui-même remarquée sur sa chevelure?...

Il n'eut pas le loisir de poursuivre plus avant, car Hingüe rentrait pour venir à son tour examiner les radiographies, après les avoir salués rapidement.

Sérieux, dans la cinquantaine, les tempes grisonnantes, svelte et en pleine forme physique, il ne s'accordait que le repos nécessaire et se dévouait infatigablement. Son célibat ne le rendait pas austère, mais accessible. Sa bonté et la grandeur de son art le faisaient apprécier et admirer de tous.

Pour le moment, ses murmures, ses «Hummm...» prolongés, indiquaient son désagrément; il lui déplaisait toujours de voir un blessé gravement estropié. Maximilien serra les poings, furieux contre lui-même; cette pauvre enfant pouvait demeurer infirme par sa faute!

— On a pu contacter sa famille? interrogea Hingüe.

Max sursauta; il n'avait pas songé à la douleur de ses parents, de ses amis; il ne pensait qu'à lui, égoïstement.

— Elle ne portait aucun document d'identité sur elle, pas de sac à main, pas de porte-feuille. Vous, docteur Eden, savez-vous qui elle est?

Les mains dans les poches de sa veste, les sourcils froncés, il détesta cette question de Martin, car Hingüe le regardait, une pointe de curiosité dans ses yeux bruns. Il secoua négativement la tête.

— Comment le saurais-je? répliqua-t-il brusquement. Nous avons averti la police, attendons de leurs nouvelles.

À la vérité, il avait même négligé de vérifier si son sac reposait sur les lieux de l'accident.

Hingüe le considérait encore plus bizarrement, devinant à son attitude inhabituelle, cette excitation, cette nervosité intérieure qu'il tentait vainement de lui cacher.

— Nous ne pouvons tarder, cette pauvre fille souffre. Allez donc voir si tout est en ordre, Martin. Merci Paul, dit-il à l'autre, lui signifiant son congé.

Paul Demers et Martin Régent sortirent immédiatement. Martin s'excusa du regard d'avoir, par sa simple remarque, jeté de l'huile sur le feu, sachant que, maintenant, le médecin-chef du département en neurochirurgie l'aiguillonnerait de questions embarrassantes.

— Connaîtriez-vous cette jeune personne, Max? demanda-t-il sitôt la porte fermée.

Sans se tourner vers lui, le prénommé le savait attentif au moindre de ses mouvements.

— No...on..

Le mot eut peine à franchir ses lèvres et se cassa curieusement. Hingüe releva la tête du tableau qu'il étudiait encore et fixa l'homme sans détour.

— Qu'y a-t-il? Quelque chose vous embête? Pourquoi cet interne pense-t-il que vous sauriez qui est cette fille si l'on n'a rien trouvé sur elle pour l'identifier?

Bien que plus grand que son ami et supérieur, Hingüe devant lui, il ressentait l'importance de l'homme avec tant d'intensité qu'il redevenait un petit garçon en faute.

— Je l'ai emmenée, répondit-il simplement, espérant sans y croire que son chef se satisferait, se limiterait à cette question, mais il poursuivait l'interrogatoire.

— Emmenée d'où? demandait-il insistant, inquisiteur, d'une voix autoritaire qui refusait les demi-réponses.

Maximilien hésitait, visiblement ennuyé et mal à l'aise.

— Je... Il y a eu un accident sur la route.

— Quel accident? Quelle route? Expliquez-vous, s'impatienta l'autre.

Mais l'homme, figé, ne disait rien.

— Maximilien, prononça-t-il brutalement afin de le tirer de cette torpeur envahissante, réagissez! Vous paraissez atterré; parlez...

Max soupira, retardant le moment des aveux, souleva les épaules puis parvint à articuler assez bas:

— Je l'ai renversée avec ma voiture, sur la route, en rentrant.

Il s'arrêta pile, car Hingüe pâlissait horriblement.

— Elle est apparue soudainement, se hâta-t-il d'ajouter pour se disculper un peu. Je l'ai vue au dernier instant; j'ai freiné...

— Heureusement, s'exclama le docteur Thorvaldsen courroucé, l'oeil étincelant, sinon, elle serait morte, toute déboîtée qu'elle est déjà.

À son tour, Max blêmit, puis rougit; son sang courait vite dans ses veines, brûlant sa peau. Il avait tant de remords et Hingüe en ajoutait.

— Les os du coude sont émiettés: fracture comminutive; il faudra lui mettre le plâtre plusieurs semaines, ce qui ne sera certes pas agréable pour elle, mais en plus, cette double fracture à la jambe, trois aux côtes et risquant de causer une perforation du poumon!

Il secoua la tête.

Maximilien aurait voulu recommencer cette soirée, repousser l'accident, le retirer de la réalité comme une épine du pied, mais l'incident demeurait.

— Qu'avez-vous l'intention de faire? posa son supérieur.

Il le regarda. Que désirait-il? Qu'il démissionne?

— J'irai faire ma déposition à la police dès que j'en saurai davantage sur son sort.

— Bon; mais ne faites rien sans m'en parler d'abord; attendez. Allons nous occuper de cette enfant, maintenant.

Max le suivit.

L'opération s'avéra éreintante pour Hingüe; Max l'assistait de son mieux, surveillant du coin de l'oeil, malgré lui, le souffle de vie qui gonflait le ballon, le sillage des battements du coeur, la tension artérielle...

— Elle a bien supporté l'intervention, lui glissa son compagnon pour le rassurer, voyant bien le malaise qui l'agitait.

Ils se lavaient les mains, côte à côte, avant de sortir. Hingüe avait fait du bon travail et se sentait satisfait de lui. Max, les doigts sous l'eau claire, se rongeait d'inquiétude. Hingüe lui tapota l'épaule affectueusement.

— Tâchez de vous reposer un peu mon ami; vous en avez besoin.

Il le quitta alors que Max finissait de retirer son sarreau vert, dans le vestiaire. Le jeune médecin ne pensait qu'à son accidentée et se dirigea lentement vers la petite chambre où on la gardait sous observation. L'infirmière lui sourit lorsqu'il entra voir la blessée. Celle-ci, emmitouflée presque complètement de bandelettes, ressemblait à une momie égyptienne. Son air extrêmement jeune lui fendit l'âme; combien d'années vivrait-elle estropiée par sa faute? Même ainsi couverte de bandages, elle paraissait frêle et mince. Son visage à l'ovale pur se creusait sous les tempes, faisant saillir ses pommettes, et ses lèvres s'ourlaient de façon émouvante, comme une moue d'enfant. L'homme ne pouvait en détacher le regard; sa beauté, non point classique, mais l'harmonie agréable de ses traits le bouleversait; elle avait dû faire d'innombrables conquêtes. Venait-il, par la main du destin, de la damnée fatalité, de briser une vie?

Il sortit précipitamment, sans saluer l'infirmière, ne pouvant supporter davantage la vue de ce corps meurtri.

Il revint après quelques heures de sommeil: en arrivant chez-lui, il s'était jeté sur son lit et s'était endormi aussitôt, contrairement à son attente. Sa première visite fut pour la blessée, toujours aux soins intensifs de la neurologie.

— Bonjour docteur Eden. murmura Jeanne, une grande jeune femme mince qui, visiblement, le trouvait attrayant et qui aurait volontiers engagé, avec ce jeune médecin, des rapports plus qu'amicaux. Prévenu contre les infirmières, Maximilien ne leur accordait que l'importance exigée par sa profession. Jeanne ne s'en formalisa pas et reprit sur le même ton:

— Elle a repris conscience mais paraît craintive.

J'ai tenté de la rassurer; elle demeure sur la défensive. Evidemment, après ces chocs successifs...

Le médecin grommela et s'approcha. Il prit le poignet libre pour tâter son pouls. Elle sursauta et ouvrit d'immenses yeux terrorisés tandis qu'il surveillait les secondes à sa montre. Il la lâcha, assuré que le rythme du jeune coeur se cadensait plus harmonieusement que le sien, nerveux comme il l'était, et se força à relever le regard sur celui qu'elle fixait sur lui.

— Comment vous sentez-vous?

Elle ne broncha pas, comme sourde, examinant la bouche dure, le menton volontaire de l'homme, ses courts cheveux d'un brun doux, son regard doré, lumineux...

— Quel est votre nom?

Cette fois, elle accusa la question, entrouvrant les lèvres, plissant son front lisse, cherchant, dans sa mémoire, un souvenir qui ne jaillissait pas. Elle tourna un visage hébété, affolé, vers lui.

— Ne vous inquiétez pas si vous ne vous rappelez plus; cela est fréquent après un choc comme celui que vous avez subi. Dans quelques jours, tout ira mieux.

— Qui êtes-vous? demanda-t-elle faiblement.

Il resta là, pétrifié, à la regarder sans répondre; qui était-il? Son médecin ou son bourreau? Mais Jeanne avait répondu avant qu'il ne se reprenne.

— C'est le docteur Eden.

La jeune fille ne s'occupa pas de l'infirmière et continua de fixer le médecin, appuyé à son lit.

— Pourquoi suis-je ici? Que s'est-il passé?

Cette fois encore, Maximilien hésita assez longtemps pour que Jeanne prenne la parole.

— Vous avez eu un accident; restez tranquille et tâchez de dormir.

Mais la blessée secoua la tête et roula des yeux effarés.

— Calmez-vous, murmura Maximilien en posant la main sur son front. Cette main, elle la regardait intensément, médusée.

— Mademoiselle, adressa-t-il à Jeanne, donnez-lui du sédol, un demi cc.

Lorsque Jeanne se fut éloignée, il se retourna vers la jeune fille qui semblait pétrifiée, les yeux figés sur sa main toujours posée à plat sur la tête fine, alors il la retira et elle en suivit le parcours. Max serra les dents; cette main conduisait l'automobile...

— Je ne sais plus qui je suis, marmonna la malade. Qui suis-je donc?

— Je l'ignore; cela vous reviendra avec le temps. Il vous faut être patiente, articula-t-il lentement.

— J'ai mal à la tête et puis, je me sens si... vide, si... seule, gémit-elle.

— Nous sommes là, nous vous soignerons. Je viendrai vous voir, acheva-t-il plus convaincu en s'approchant d'elle davantage.

— Non, supplia-t-elle, n'avancez plus.

L'homme s'arrêta, surpris; ses joues se creusèrent de déception, la bouche retrouva son pli amer.

— Très bien, accepta-t-il comme Jeanne revenait avec les médicaments prescrits qu'elle voulut administrer à la personne alitée.

Cette dernière jetait un coup d'oeil méfiant vers l'infirmière.

— Allons, je te donne une petite piqûre; cela va te soulager, te faire du bien.

Examinant, angoissée, les doigts qui s'avançaient, la malade cria:

— Non!...

— Voyons, insista l'infirmière impatientée. Ne faites pas l'enfant!

Le médecin remarqua le manège de la jeune amnésique: elle ne voulait pas qu'on la touche.

— Donnez-moi cela, garde Forest, proposa-t-il. Je vais essayer.

Jeanne obéit et, sur un signe du médecin, tint la cheville de la jambe saine. Maximilien se pencha vers le lit, encourageant la blessée qui les observait, avant de piquer le côté de la cuisse.

— Maintenant, vous vous reposerez et le docteur Thorvaldsen vous rendra visite demain matin.

Elle leva son regard nuageux vers lui.

— Qui est-ce?

— Le docteur Thorvaldsen est médecin-chef du département de chirurgie. Il est le meilleur des chirurgiens en orthopédie; c'est lui qui a procédé à l'opération vous concernant.

Elle haussa le cou d'un mouvement compréhensif. Maximilien se détendit un peu et sourit. Peut-être la jeune fille craignait-elle tout le monde et non pas seulement lui!

— Je reviendrai demain moi aussi. N'essayez pas de vous souvenir; cela viendra tout seul, la rassura-t-il encore avant de quitter la pièce.

Il referma la porte derrière lui. «Dommage qu'il ne puisse veiller sur elle constamment, s'assurer qu'elle se remettait bien...». Tête basse, il déambulait dans le corridor sans rien voir.

— Docteur Eden! l'arrêta une jeune secrétaire, le docteur Thorvaldsen vous attend dans son bureau.

— J'y vais immédiatement, se secoua-t-il.

D'un pas plus rapide, il se rendit chez son supérieur et frappa légèrement avant d'ouvrir.

— Bonjour Max! Entrez, disait l'autre en soulevant la tête du rapport qu'il rédigeait. Asseyez-vous.

Lorsque l'homme fut installé, il croisa les mains et le regarda.

— Avez-vous repensé à votre problème, Max?

— Je n'en ai guère eu le temps, répondit-il sans bouger.

— Hé bien! Moi, je n'ai fait que cela.

Il se leva et vint, en le contournant, se maintenir au pupitre de bois foncé.

— Dans quel guêpier vous vous êtes embourbé, mon jeune ami! soupira-t-il. Si les autorités apprennent votre mésaventure, elles peuvent exiger votre renvoi.

— Je sais.

— D'une part, nous avons avisé la police de cet accident; ils feront des recherches, exigeront que la fille porte plainte; les journaux auront vent de l'affaire et cela peut vous conduire loin...

...Je ne puis, d'autre part, vous conseiller, ni devenir complice d'un silence qui risquerait quand même de déclencher des rebondissements inattendus.

— Bien sûr, je comprends, admit Maximilien en plein désarroi.

— Toutefois, j'ai un ami policier; il est assez haut placé, influent et j'ai bon espoir qu'il tâche d'amoindrir l'affaire. Je tenais à vous en parler avant.

Le coupable respira un instant, moins embarrassé.

— Que pourrait-il faire?

— Je ne l'ai pas encore appelé, répondit Hingüe en soulevant ses épaules minces. J'ai l'intention de le rencontrer, ce soir. Comme vous reprenez le service de jour après demain et que vous serez libre cette nuit, après votre tour de garde, nous pourrions nous voir ici, demain.

— Très bien, j'avais décidé de toute façon de rendre visite à la jeune personne en question, en même temps que vous. Je serai sur place assez tôt.

Hingüe approuva longuement de la tête. Maximilien sortit un peu plus encouragé, mais toujours inquiet. Le haut-parleur clamait dans tout l'hôpital: «On demande le chirurgien de garde, à l'urgence!» «On demande...».

Il se hâta.

— Oh! C'est vous Max! Venez, commanda Hingüe en se levant.

Il parut étrange à Maximilien et les doutes le reprirent, les tourments l'envahirent à nouveau.

— J'ai vu Normand et il a pris bonne note de ce

que je lui ai dit. Vous irez le rencontrer au courant de la journée pour signer votre déposition...

Il s'arrêta, indécis; Max, l'oeil revêche, poursuivit:

— Ensuite, que se passera-t-il?

Les deux hommes se toisèrent; Hingüe se mit à arpenter la pièce, puis déclara en s'arrêtant près de Maximilien:

— Tout dépendra de la jeune fille et de sa famille... ...si elles portent plainte contre vous!

— Pourquoi ne porteraient-elles pas plainte? s'abattit Max. Je l'ai presque tuée!

— Le reste repose entre vos mains, mon ami. À vous de savoir si vous devez ou pouvez les convaincre.

— En ai-je le droit? questionna Max après un instant de silence.

— Il y va de votre avenir. Si la chose s'ébruite, votre carrière est fichue; la direction ne gardera pas, en ses murs, un médecin dont la conduite attiserait l'opinion publique. Cet accident serait estimé comme une négligence criminelle de votre part, alors que s'il s'agissait d'un simple ouvrier, les torts seraient partagés. La classe moyenne, qui est la plus nombreuse, considère que les professionnels n'ont droit à aucune faiblesse. Nous savons que nous sommes des êtres ordinaires, avec nos défauts et nos qualités, mais eux ne l'estiment pas ainsi.

— J'y réfléchirai. Comment se remettra la blessée? s'informa-t-il.

— Elle boitera probablement pour cette fois; il faudra d'autres interventions avant qu'elle ne remarche normalement. Quant au coude, je ne sais pas encore. Je crains que nous n'y puissions rien, à moins que nous lui installions une prothèse interne!...

— Pauvre enfant! soupira Maximilien. Que pouvait-elle faire sur cette route abandonnée à pareille heure? poursuivit-il sa pensée simplement, alors que Hingüe sursautait.

— C'est vrai! Je n'avais pas songé à cela; il se peut que tout ne soit pas irrémédiablement perdu.

— Que voulez-vous dire?

— Justement ce que vous venez d'énoncer: que pouvait-elle faire à pareille heure sur cette route!

— Elle devait rentrer chez-elle, je suppose.

— Vous avez eu les tests sanguins que vous avez fait analyser en laboratoire?

Et, comme il approuvait:

— Avait-elle un pourcentage d'alcool dans l'organisme?

— Non, tout était absolument normal.

Thorvaldsen souleva ses épais sourcils gris qui gardaient encore les traces d'une teinte plus foncée.

— S'est-elle jetée sous les roues de votre voiture?

— Pas du tout. Je l'ai aperçue de dos, en plein milieu de la route.

— Et pas sur la bordure?

Max réfléchit un instant.

— Elle marchait dans le chemin, il me semble, mais je n'en suis pas certain.

Il passa une main fébrile dans ses cheveux bruns.

— De toute manière, ce serait sa parole contre la mienne; je n'ai aucune chance.

Hingüe secoua la tête en un geste désespéré.

— Mon pauvre ami!

— Ne me plaignez pas; c'est elle qui se trouve en mauvaise posture.

— Pour le moment, mais plus tard!...

— Advienne que pourra!

Maximilien se leva et Hingüe quitta le rebord du bureau.

— Allons la voir.

Ils marchèrent en silence dans les couloirs, d'un même pas vif, et pénétrèrent dans une petite chambre que la pénombre habitait. On y avait installé la jeune fille, vu son meilleur état physique.

Celle-ci se redressa sensiblement en entendant leurs pas sur le parquet sans couleur et examina, sérieuse et même un peu craintive, les deux hommes en blouse blanche qui avançaient, mains dans les poches.

Hingüe s'approcha d'elle et voulut prendre le poignet qu'elle lui subtilisa dans un geste vif.

— Elle ne veut pas qu'on la touche, avisa Max, debout à l'arrière de Hingüe dont la stupeur se lisait sur son visage.

— Pourquoi? interrogea-t-il en levant les bras, surpris.

— Je l'ignore.

Thorvaldsen s'adressa à la blessée presque immobilisée sur son lit.

— Comment pouvons-nous vous soigner sans vous toucher, voyons? Je ne vous ai pas opérée avec des pinces, mais avec mes mains, tenta-t-il de la convaincre en se rapprochant. Nous ne vous voulons aucun mal, loin de là. C'est un hôpital, ici, désigna-t-il de la tête et du bras, et nous sommes médecins.

Elle continuait de le toiser sans mot dire, mais on voyait dans son petit visage mobile qu'elle se rasserénait, qu'elle était encline à leur faire confiance, mais elle hésitait visiblement.

Hingüe poursuivait:

— Il nous faut vérifier si votre coeur tient bon; si vous n'avez pas de fièvre, ni de douleurs. Nous sommes vos amis, ajouta-t-il doucement en prenant, avec délicatesse, le poignet mince entre ses doigts que le regard de la blessée avait suivis.

— Là... vous voyez; cela ne fait pas mal. C'est avec le pouls que nous comptons les pulsations du coeur, comme ceci, expliquait-il en calculant les secondes à sa montre, tandis que Maximilien l'admirait.

— Votre petit coeur bat un peu vite, mais je suppose que vous êtes encore effrayée, sourit Hingüe. Avez-vous des douleurs?

Elle le regardait.

— Aux jambes? demanda-t-il gentiment. Au bras? Au thorax? À la tête sans doute?

Mais elle ne disait rien. Hingüe se tourna vers Max et eut un geste d'impuissance.

— Avez-vous retrouvé quelques bribes de souvenirs? posa à son tour le docteur Eden.

Elle se détacha de l'homme mûr pour bivouaquer du regard vers le plus jeune et eut un lent signe de tête négatif en abaissant tristement les yeux.

— Ne vous tracassez pas avec cela surtout, coupa Hingüe. D'ici quelques jours, votre passé affluera à votre mémoire et, si vous désirez hâter les choses, nous pouvons demander à la police d'intensifier...

— Non, hurla-t-elle. Je ne veux pas. Je ne veux pas. Pas de police, non, je ne veux pas. Je ne veux pas, s'excitait-elle en tentant de se lever.

Max fut le premier à la rejoindre pour la retenir sur le lit duquel elle allait tomber.

— Calmez-vous, dit-il d'une voix autoritaire qui n'obtint aucun résultat. Nous ne ferons rien sans votre accord.

Lentement elle s'apaisa, encore essoufflée de son effervescence. Maximilien posa une main apaisante sur le front blême et tendu.

Elle secoua la tête.

— Je n'ai pas de fièvre!

Ce qui signifiait: «Enlevez votre main.» L'homme obéit, un peu contraint.

Hingüe contemplait la jeune fille, intéressé.

— Puis-je savoir pourquoi vous ne voulez pas de policiers?

— Ils... Ils ne sont pas mes amis, je crois... Il me semble qu'il ne faut pas... creusait-elle dans sa pensée sans parvenir à faire surface.

— Nous attendrons que vous vous souveniez, assura Max.

Elle accepta, satisfaite, comme les médecins la quittaient.

— Hé bien! s'exclama Thorvaldsen dès qu'ils se furent éloignés dans le large passage de l'hôpital. Tout est parfait pour l'instant. Allez voir Normand et faites pour le mieux.

Le jeune médecin passa au poste de police voir le

commissaire-adjoint, Normand Pérès, et lui donna les détails dont il se souvenait. «La jeune personne accidentée ne pouvait pour le moment se prévaloir de ses droits, n'étant pas en condition de recevoir les inspecteurs». Maximilien n'aima pas la façon dont le gros homme le regardait, avec un air de sous-entendu. Il pensait certainement que le jeune homme retenait la blessée prisonnière dans l'hôpital, afin de retarder la révélation de sa culpabilité et le prix qu'il devrait en payer.

Il rentra chez-lui, maussade. Son visage anxieux reflétait son mécontentement. Il salua à peine sa belle-soeur qui jacassait avec sa mère et alla s'asseoir dans un large fauteuil qui l'accueillait toujours cordialement.

Il n'aimait guère Suzanne; cette fille brune et mince, au teint laiteux, que son frère avait épousée, ne lui plaisait pas. Sans doute la jugeait-il ainsi, sachant qu'Alexandre n'était pas heureux avec elle et que leur fils, David, un enfant chétif, de santé fragile, représentait plus pour la femme que son propre époux.

— Nous ne voyons pas souvent Alex, ces temps-ci; il ne daigne plus rendre visite à sa famille, disait sa mère plaintivement.

— Vous le connaissez, mère, toujours accaparé par son travail, sa médecine, ses «patients», dit-elle avec une ironie non dissimulée.

Maximilien détesta le ton narquois. Ignorait-elle que le mariage avec un médecin exigeait certaines concessions?

— Et vous Max! Sacrifieriez-vous votre famille à votre profession? posa-t-elle, quêtant une approbation à ses blâmes contre son mari.

Max haussa les épaules sans répondre; il craignait par trop de débiter des insultes à ce regard mortifié par l'attitude d'un époux qu'elle refusait de comprendre et puis, il avait assez de ses problèmes personnels sans se mêler de ceux des autres. Il se leva et sortit sans s'occuper des femmes qui l'observaient.

Il monta dans sa voiture et retourna sur les lieux d'où provenait son obsession. Le sac-à-main de la jeune fille devait être là, quelque part, dans un fourré, sur le pavé, sur le gravier! Il chercha en vain. Quelqu'un avait pu le trouver: les policiers peut-être; ou bien se trompait-il d'endroit, il faisait si noir cette nuit-là! Il n'y avait rien. Ce sac l'aurait aidé à savoir qui elle était et à aviser ses parents qui s'alarmaient sûrement. Ils lanceraient certainement un avis de recherche et tout serait découvert. Il ne resterait au docteur Maximilien Eden, chirurgien, qu'à présenter sa démission et à s'expatrier suffisamment loin pour pouvoir mener une vie tranquille.

Le soir tombait lorsqu'il abandonna ses recherches. Une seule idée surnageait dans sa tête vide: voir cette fille, lui parler...

En pénétrant dans la pièce sombre, il la crut endormie, mais elle se tourna au son de ses pas feutrés; son regard luisait dans la noirceur. Max alluma la veilleuse.

— Il faut que je vous parle, débuta-t-il, harassé.

Elle remarqua le visage énergique aux traits tirés, la nervosité extrême qui faisait trembler la commissure de ses lèvres. Il était en veston et chemise-sport, il ne venait donc pas en tant que médecin...

— Qu'y a-t-il? demanda-t-elle quelque peu inquiète. Avait-il appris qui elle était? Elle craignait son passé, comme toute chose, et se tourmentait de se savoir envahie par la peur, sans raison.

Il ramassait son courage, puis bégaya:

— C'est moi!... C'est moi qui vous ai heurtée.

Elle leva, incrédule, son beau visage aux yeux immenses.

— Vraiment! réussit-elle à articuler.

L'homme se prit la tête entre les mains, voilant sa honte, ses remords et son abattement moral.

— Je n'ai pas pu vous éviter; tout s'est déroulé si vite... Je regrette infiniment, si vous saviez comme je regrette...

— Où cela s'est-il produit?

— Sur la route des Cyprès, une artère peu fréquentée et presque inhabitée, lâcha-t-il.

— Alors! Vous savez peut-être qui je suis?

Il secoua la tête en la relevant, empli de repentir, de regrets.

— Je n'en ai pas la moindre idée.

Il parlait lentement, comme à bout de force et alla s'asseoir sur la chaise que l'infirmière avait négligé de ranger.

— J'ai passé l'après-midi à chercher votre sac, des indices quelconques sur le chemin. Rien. D'où pouviez-vous venir à cette heure? s'enquit-il pour lui-même.

Elle leva au plafond des yeux songeurs, cherchant à se remémorer.

— Quelle heure était-il?

— Quatre heures vingt du matin.

— Quatre heures vingt, répéta-t-elle machinalement. Puis, passant son bras valide contre son front couvert de bandages: Je ne sais pas; je ne sais plus. Qu'allez-vous faire?

— D'abord, essayez de comprendre ceci: il me fallait faire une déposition de l'accident dans les plus brefs délais...

— Vous êtes allé à la police malgré votre promesse, s'écria-t-elle.

Il se leva et vint à elle pour l'apaiser, la prenant aux épaules pour éviter qu'elle ne se blesse, et la fixa attentivement.

— Écoutez-moi. Ne concluez pas trop vite; d'accord?

Encore haletante, elle accepta et Max la lâcha.

— Je ne pouvais m'y soustraire. Voyez-vous, lorsque vous aurez retrouvé la mémoire et votre famille du même coup, vous porterez plainte et les recherches aboutiront à moi. Je risque déjà d'être mis à la porte dès que vous lèverez un grief contre moi, mais, au moins, je ne serai pas déshonoré pour m'être tu. Vous comprenez?

Elle saisissait très bien et Maximilien en fut heureux.

— Pour l'instant, ils n'effectuent aucune recherche

vous concernant et ils ne viendront pas vous déranger. Quant à moi, pour réparer un peu les torts que je vous cause, j'aimerais que vous me promettiez d'avoir recours à moi chaque fois que vous en sentirez le besoin, n'importe quand. Promis!

— Je ne sais. Je ne vous en veux pas, docteur, et je suis contente de savoir que vous êtes franc et honnête, mais... vous déranger! Malgré l'accident, je ne pourrais pas.

— Je vous en prie, supplia-t-il de son regard doré, laissez-moi être votre ami afin d'adoucir ma propre souffrance, mes regrets sincères. Je n'ai plus de paix depuis ce moment.

Elle réfléchit longuement, scrutant le visage anxieux et tourmenté.

— Je veux bien essayer, toutefois, j'ai besoin d'indépendance, de paix, acheva-t-elle dans un demi-sourire captivant.

Puis, voyant qu'elle parlait d'elle-même:

— Serais-je sur une bonne piste?

— Peut-être, admit-il en lui prenant une main qu'elle lui retira en cassant, sur ses lèvres, son expression de satisfaction.

— Je vais rentrer maintenant, affirma Max un peu chagriné. Je suis de service de jour, tout ce mois; je reviendrai vous voir.

— Si vous y tenez, lança-t-elle, boudeuse.

Maximilien, assis dans un coin de la salle, observait la scène avec appréhension.

Hingüe, assisté d'un interne, détachait le plâtre de la jambe de l'inconnue. Elle aussi semblait préoccupée tandis que Hingüe tentait de la rassurer et badinait près d'elle.

— Tu ne pourras pas courir aujourd'hui, mais dans quelques mois, tu te présenterais aux olympiques et tu gagnerais, souriait-il en passant une main amicale et taquine dans les cheveux blonds.

Il adorait littéralement cette gamine, l'appelant tantôt «ma chatte», «mon petit», «mon ange», et nombreux autres sobriquets. Lynn (c'était le prénom qu'elle désirait porter) le lui rendait bien. Maximilien, malgré lui, jalousait cette préférence que la jeune fille dédiait visiblement à son supérieur, mais il se serait haï de le laisser voir. Il estimait tant Thorvaldsen et l'aimait comme un père.

D'ailleurs, Lynn était bien vite devenue la patiente favorite du département. Non pas qu'elle recherchait leur affection; non pas qu'elle se liait facilement, elle était souvent taciturne et ne parlait guère, mais il se dégageait d'elle, une essence qui, eut-on dit, attirait l'amitié et l'attachement. Elle était aimée, adorée, adulée et ne s'en rendait même pas compte.

— Et voilà! s'écriait Hingüe en retirant le plâtre. Montre-moi ces cicatrices, mon petit.

Il murmurait, satisfait de son oeuvre, tandis que l'interne s'effaçait.

— Peux-tu plier le genou? Oui, là, doucement. Fais une rotation de la rotule, ainsi; une flexion du pied. Ça va aussi bien qu'une jambe neuve, hein!

— Pourrais-je marcher? s'informa Lynn angoissée.

— Tu essaieras tout à l'heure, quelques pas seulement. N'oublie pas que ta jambe est inactive depuis plus de deux mois.

— Et si je boite? s'informa-t-elle, épouvantée à cette idée.

Hingüe Thorvaldsen la regarda avec sérieux.

— Tu vas sûrement boiter, mon petit ange, mais nous y remédierons dans quelques semaines, le temps de laisser cette «patte» reprendre vigueur et force.

Elle jeta un coup d'oeil vers Maximilien qui, toujours assis dans son coin, avait blêmi.

— Quant au bras, poursuivait le médecin, on retirera le plâtre dans quelque temps et nous prendrons des radiographies.

— Bien, accepta-t-elle, très bas.

Hingüe la fit lever debout. Appuyée au bras du médecin, elle fit quelques pas en grimaçant.

— La douleur s'en ira avec les exercices. Tu commenceras des séances en physiothérapie dès demain.

Il la transporta délicatement dans son fauteuil roulant, légère hirondelle tombée de son nid. Ses bras passés autour du cou de Hingüe firent se crisper les mâchoires de Maximilien.

Hingüe tapota gentiment la joue rose.

— Ne t'inquiète pas, ma toute belle; je te promets que tu remarcheras normalement.

Il lui fit un clin d'oeil complice en souriant, puis se détourna et sortit, précédé de l'interne.

Maximilien se leva pesamment et, le visage sombre, regarda Lynn qui le suivait de ses grands yeux douloureux.

Il s'approcha, se ravisa et s'en fut. Lynn le rappela alors que l'infirmière s'apprêtait à la ramener à sa chambre.

— Docteur Eden!

Il s'arrêta, se retourna vers elle, tendu, le coeur étreint par le chagrin, le remords et la torture de son indifférence.

— Je ne veux pas que vous vous fassiez du souci à cause de moi.

— Tout est ma faute, geignit-il, la mort dans l'âme.

— Qui sait? soupira-t-elle. Je désespère de retrouver la mémoire; vous et le docteur Thorvaldsen m'aviez assurée que le passé resurgirait en quelques semaines, mais je n'en sais guère plus.

— Pourtant, cette crainte des policiers doit signifier quelque chose! Peut-être vous êtes vous enfuie de chez-vous?

— Dans ce cas, mon visage apparaîtrait sur les journaux. D'ailleurs, le docteur Thorvaldsen s'est informé constamment des personnes disparues à travers tout le pays et aucune ne correspond à ma description.

— Je sais, jeta Maximilien un peu sévère.

— Il y a bien ce nom de «Lynn» qui berce dans ma tête comme un son familier, rien de plus.

— Nous pouvons demander à un détective de...

— Non, coupa-t-elle, furieuse. Un détective privé, un policier, pour moi, ce sont tous les mêmes. Je préfère rester comme je suis plutôt que d'avoir affaire à eux.

— Très bien.

Il se préparait à s'en aller quand, une fois encore, elle lui demanda:

— Croyez-vous que... j'aie pu vouloir me suicider, me jeter sous votre voiture?

— Non, je ne le pense pas.

Puis, comme elle parut se plonger dans une rêverie scabreuse, il sortit, pestant contre lui-même une fois de plus. Il ne se trouvait d'excuse, ni pour sa conduite négligente, ni, et surtout, pour l'attrait qu'elle exerçait sur lui. Il avait opéré un vieil homme d'un ulcère à l'estomac, la semaine précédente, et s'était surpris, en plein travail, à rêvasser aux yeux méfiants, aux lèvres boudeuses, aux cheveux trop blonds qui retombaient en mèches lourdes sur les épaules, et avait dû faire un effort surhumain pour chasser la douce image qui s'imposait. Il était, comme les autres, victime de ses charmes multiples.

Trois semaines plus tard, Hingüe le fit venir à son bureau au sujet de Lynn.

Maximilien, le pied appuyé contre le bord d'une basse fenêtre, regardait, par la persienne, la jeune fille qui s'exerçait infatigablement dans le petit parc attenant à l'hôpital. Le soleil l'avait brunie et ce teint hâlé lui seyait à ravir avec sa tête d'or pâle et ses prunelles qui sous un ciel clair se teintaient de bleu.

— Qu'en dites-vous Max? Ne serait-ce pas la meilleure solution?

— Oui, je suis de votre avis. Les cliniques privées ne vaudront rien pour elle. J'en parlerai à ma mère; ce ne sera sans doute pas facile, mais je compte bien y parvenir. Toutefois, que je sois médecin, ici même, me sera certes un handicap.

Hingüe le rejoignit à la fenêtre et sourit à la vue de cette petite silhouette clopinante. Elle lui était plus chère que la plus capiteuse et odorante des fleurs qu'il cultivait avec amour. Cette gamine, avec sa frimousse d'enfant gâtée et sa façon particulière de craindre l'existence à laquelle elle faisait pourtant face, l'enivrait aussi sûrement qu'un vin de son pays natal, le Danemark. Cette fragile personne représentait maintenant une immense partie de son univers.

Max remarqua la brillance de ces yeux foncés, l'illumination du visage habituellement sévère et baissa la tête, ulcéré.

— Regardez-la, Max, riait-il en la voyant. Non mais, regardez-la! Quels progrès elle a accomplis depuis ces derniers jours! Elle arrive même à ne plus trouver son bras gauche encombrant. Si seulement les os avaient repris, soupira-t-il.

Il attribua quand même une bourrade amicale sur l'épaule de Maximilien et y laissa son bras peser lourdement.

— C'est une championne, hein Max? dit-il avec ferveur. Puis il s'assombrit à nouveau: Dommage que les séances psychothérapiques n'aient rien donné!

— Est-il possible que son subconscient refuse de relier avec le passé? Qu'il s'agisse de refoulement?

— Certes. J'en parlais avec Denis Perreault et c'est même là l'hypothèse qu'il a adoptée surtout après qu'elle ait refusé catégoriquement qu'il se serve de l'hypnotisme pour l'aider.

— Elle n'a pas voulu?

— Absolument pas, rit-il, amusé même par sa détermination. Elle craignait qu'il ne découvre quelque chose avant elle et ne la réveille plus.

— Quelles idioties! bougonna le jeune médecin en reportant les yeux sur elle.

— Elle veut savoir, mais elle a peur; cela est absolument normal. Elle se fabrique des romans policiers et se prend au sérieux; elle est terriblement romanesque. Denis prétend que nous ne devons pas la brusquer; un jour ou l'autre, elle se rendra à l'évidence que sa vie n'a pu être pire ou meilleure que celle des autres et alors, tout deviendra plus aisé.

— Et s'il n'en était pas ainsi? posa-t-il, mauvais démon.

— Allons donc Max! Vous n'allez pas vous mettre à penser comme elle? se moqua-t-il. C'est une enfant, voyons; elle n'a même pas l'âge adulte.

— Peut-être, soupira l'autre.

Il regarda sa montre et se redressa.

— Vous m'excuserez Hingüe, je dois opérer dans une demi-heure; j'ai tout juste le temps de me préparer.

— Max! J'espère que ma suggestion ne vous a pas froissé? Je l'aurais prise chez-moi, mais je vis seul; les commères auraient tôt fait de salir sa réputation.

— Il est normal que je fasse ma part; après tout, c'est moi le coupable.

— Ne prenez pas cela aussi tragiquement, sinon elle se sentira mal à l'aise d'accepter votre invitation.

L'homme partit sans répondre, pendant que Hingüe le couvait du regard.

— Pauvre garçon! Cette affaire l'a vraiment atterré.

En soupirant, il regagna son coin d'observation. Sa compassion pour le jeune Eden s'estompa alors que ses yeux se posaient sur Lynn. Une tendresse incalculable transfigura son visage.

Il descendit dans ce qui était à la fois un jardin et un parc, un espace vert souligné de petits sentiers asphaltés, ombragé d'arbres gigantesques et bordé par une haie à la frondaison touffue. Ça et là, des fleurs embaumaient l'air tiède; Hingüe en saisit une rouge et s'avança, souriant, vers Lynn en lui tendant la plante vermeille.

— Ne te fatigue pas trop, mon petit chat.

Il la prit par les épaules et l'entraîna vers un banc. Quelques malades, infirmières et infirmiers déambulaient autour d'eux, sans souci des autres, devisant amicalement. Lynn tournait entre ses doigts la fleur fragile, sans en respirer l'arôme; ses traits exprimaient une certaine appréhension.

— Quand faudra-t-il que je parte? demanda-t-elle fixant la plante qu'elle tenait dans ses mains moites.

Hingüe essaya de plaisanter.

— Quelqu'un t'aurait-il donc demandé de t'en aller?

Elle ne répondit pas tout de suite.

— Ce matin, l'infirmière m'a laissé entendre que mon séjour ici touchait à sa fin.

— Tu n'as pas l'intention de passer le reste de tes jours à l'hôpital?

— Non, évidemment non. Toutefois, je ne sais vraiment pas que faire, ni où aller. Je n'ai pas un sou en poche, ni aucun ami.

— Aucun ami! En es-tu certaine, Lynn?

— Vous êtes très bon pour moi, docteur Thorvaldsen, mais vous êtes mon médecin. Dès que je franchirai les murs de cet établissement, plus rien ne vous attachera à moi.

— Mais si, mais si, dit-il en lui tapotant la main affectueusement. Je ne cesserai de m'occuper de toi que lorsque tu me le demanderas toi-même.

— Je n'oserais abuser de votre bienveillance.

— Tu n'y es pas, ma petite; ce n'est pas toi qui as besoin de moi, mais le contraire.

Elle leva la tête vers lui, plutôt curieuse que surprise ou satisfaite. Cet aveu ne la troublait pas, ni ne la réjouissait, ni ne la choquait. Elle soupira simplement; ces paroles, pour elle, ne voulaient rien dire.

— Tout s'arrangera, sois tranquille; fais-moi confiance.

Une jeune infirmière arriva près d'eux, les interrompant en s'excusant:

— Docteur, on vous demande à la salle d'urgence: un motocycliste accidenté.

— Je viens immédiatement, assura-t-il avant de se lever pour la suivre. Il se tourna vers Lynn.

— Je te verrai demain; d'ici-là, ne te tourmente pas sans raison. Je suis là, je ne t'abandonne pas.

Elle resta sans bouger, tête basse; Hingüe se retourna plusieurs fois avant d'entrer, mais elle demeurait dans cet état de prostration.

* * *

Maximilien avait proposé à sa mère de loger, temporairement, une jeune patiente de son confrère et supérieur, le docteur Thorvaldsen. Celle-ci avait refusé net.

— Pourquoi? Elle ne te dérangerait pas et même te rendrait différents services.

— Je n'ai besoin de personne et tu le sais; je ne veux pas d'étranger dans ma maison.

— Elle n'a personne et ne sait où aller! plaida-t-il sans joie.

— Pas chez-moi en tout cas. Que Hingüe Thorvaldsen la prenne avec lui, s'il y tient tellement.

— C'est impossible.

— Ici aussi. Je déteste cette jeunesse déguingandée, en hardes et paresseuse; ce ne sont que des drogués et des fauteurs de troubles.

— Ne généralise pas; la plupart ont bon coeur et ne sont pas exigeants.

Sa mère se butait, refusant même de discuter. Elle se laissait dorer par un soleil torride, installée confortablement dans une chaise longue, un court parasol voilant son visage agrémenté de lunettes de soleil; une petite table, près d'elle, supportait limonade, cigarettes, friandises et journaux.

— J'ai une dette envers elle, lança Maximilien d'un ton bref, sans expliciter davantage.

Félicia Eden releva, d'une main étudiée, ses verres teintés et accusa son fils de ses petits yeux habituellement soupçonneux, pour ensuite laisser tomber durement:

— Tu es adulte Maximilien; si tu fais des sottises, évite de m'en parler et de m'y mêler.

Tout en parlant, elle reprenait sa position précédente.

— Tu n'y es pas du tout, cria-t-il presque, alors que sa mère lui faisait signe de ne pas hausser la voix. Elle a perdu la mémoire et reste estropiée à la suite d'un accident, prononçait-il durement, plié vers elle, les deux mains sur les accoudoirs de la chaise, courroucé de son incompréhension. Un accident que j'ai causé...

Puis, comme la femme d'un certain âge se soulevait à nouveau, il haleta et jeta avec rage:

— C'est moi qui l'ai heurtée, il y a quelques semaines. Une bien jolie fille qui restera infirme par ma faute. Comprends-tu maintenant?

— Tu l'as blessée? Avec ta voiture? Quel besoin as-tu toujours de rouler si vite? Tu ne regardes jamais devant toi; tu prends les virages sur deux roues...

Max ferma les yeux. Il connaissait par coeur l'éternelle rengaine qu'elle ronchonnait autrefois à Alexandre et maintenant à lui, et qui se terminait invariablement par: «Un jour ou l'autre, tu auras un accident, je t'aurai prévenu.»

— Hé bien! Tu l'as eu ton accident; je t'avais averti.

— Oui, mais voilà que je risque ma carrière, mon avenir. Dès qu'elle portera plainte, je serai fichu.

— A-t-on idée! Comment un homme aussi lunatique peut-il être médecin!

Maximilien préféra ne pas répondre à cette boutade.

— Acceptes-tu qu'elle vienne ici quelque temps? pressa-t-il.

La femme était mécontente et se décida nerveusement.

— Oh! Emmène-la puisque tu insistes, mais je t'avertis que si elle ne se conforme pas à mes règles, je la mettrai à la porte.

— Je suis certain qu'elle te plaira.

Il déposa, sur la joue maternelle, un baiser léger, remonta dans son automobile et fila vers Lynn.

Il la retrouva dans le parc, assise à même le sol, au pied ensoleillé d'un gros arbre, examinant le manège de quelques fourmis qui entraient et sortaient de leur fourmilière.

— Ne restez pas trop longtemps sur l'herbe; vous attrapperez froid.

Elle leva la tête, tirée de sa contemplation, et mit la main en paravent pour voir la haute stature de l'homme.

— Ah! c'est vous, docteur Eden!

Il se baissa à sa hauteur, s'asseyant à son tour sur le tapis naturel et lui posa, contrarié:

— Attendiez-vous donc quelqu'un d'autre?

— Je crains toujours que le docteur Thorvaldsen me donne mon congé.

— C'est justement à ce propos que je suis ici.

Elle le regarda bien en face; dans ses yeux gris, il vit briller une lueur d'inquiétude.

— Voilà, expliqua-t-il, jouant avec un brin d'herbe, les bras appuyés sur ses genoux relevés. Comme je suis responsable de cette catastrophe et que, par ailleurs, je vis seul avec ma mère, je tiens à vous offrir l'hospitalité pour le temps que vous jugerez utile.

— Non, il n'en est pas question. Votre culpabilité n'a rien à y voir; je n'embarrasserai personne de ma présence inutile.

— Que préférez-vous? demanda-t-il, l'humeur maussade. Que nous vous réservions une petite chambre dans une clinique privée? Vous louer une pension en ville et chercher du travail, ce qui ne sera pas chose aisée dans votre état? Ou vous laisser à mon attention, histoire de me permettre de compenser pour le mal et la douleur dont je suis cause?

— Docteur Eden, commença-t-elle tranquillement, je vous ai déjà dit que je n'avais pas l'intention d'aller à la police; alors, si vous désirez m'acheter en m'offrant un toit, vous perdez inutilement votre temps.

— Si vous étiez un homme, je vous rosserais.

Maximilien blessé dans sa fierté s'était levé.

— La vérité choque, cita-t-elle, c'est un proverbe bien connu.

— Oui, et celui-ci, le connaissez-vous? «A beau mentir qui vient de loin».

Il se détourna sur ces mots acerbes et s'éloignait à grands pas.

— Que voulez-vous insinuer? cria-t-elle, froissée.

Mais il ne revenait pas. Elle prit sa béquille, la plaça sous son aisselle et tenta de le rejoindre.

— Docteur Eden, attendez un instant, ordonnait-elle furieuse.

Il fit volte-face et s'avança vers elle, le visage dur, les lèvres amincies de colère. Lynn après un sursaut se reprenait.

— Expliquez-vous! insista-t-elle le pressant de répondre.

— Vous avez refusé l'hypnose; ne serait-ce pas que vous vous rappelez tout et jouez la comédie?

Elle le dévisageait, incrédule, interloquée.

— Mais je ne sais rien! Je vous l'assure. Je crains cette science, ce sommeil cataleptique; je suis effrayée à la pensée de ce que je pourrais révéler sans en avoir conscience. C'est comme une barrière infranchissable, interdite face à mon passé. Je ne mens pas, docteur Eden, je ne mens pas!

— Très bien, je vous crois, la calma-t-il de la main. Hingüe et moi répugnons à vous confier à d'autres mains, Lynn; c'est pourquoi nous avions songé à ma demeure. Ma mère n'est pas pleinement consentante, je ne vous le cache pas; elle est habituée à vivre seule. Toutefois, vous seriez bien et nous veillerions sur vous le temps nécessaire.

— J'ai de nombreuses appréhensions concernant cette proposition.

— Si vous étiez insatisfaite de quoi que ce soit, vous m'en parleriez et j'y verrais.

— J'hésite; je comprends mal votre bienveillance.

— Ne me compliquez pas la tâche; permettez-moi de réparer un peu le mal que je vous ai fait.

— Si j'accepte, c'est bien parce que vous insistez; cependant je tiens à vous aviser que je ne compte pas rester longtemps. Dès que j'aurai un emploi, je partirai.

— Nous en reparlerons à ce moment. Allons annoncer la bonne nouvelle à Hingüe.

Deux jours plus tard, Lynn s'installait chez Maximilien. Sa mère reçut la jeune fille très froidement et lui désigna sa chambre de la main. Cet accueil peu cordial la décontenança et Max dut la pousser presque vers le fond de la maison. Il espérait que le charme de Lynn aurait raison des réticences de sa mère, mais l'atmosphère demeura tendue.

Max en service de nuit pour la semaine vit très peu l'une et l'autre. Une nuit, en rentrant chez-lui, sa voisine, une brave femme, l'aborda franchement, emmitouflée dans son peignoir douillet, les cheveux en désordre et l'air extrêmement navré.

— Je suis désolée, docteur Eden, de vous ennuyer à cette heure.

— Votre époux serait-il malade?

— Non, il ne s'agit pas de lui. Voilà trois nuits que je ne dors pas...

— Digérez-vous bien? À votre âge, l'estomac est délicat.

— Tout va normalement en ce qui me concerne, docteur. Je suis inquiète et peut-être devrais-je suivre les conseils de mon époux, mais...

— Parlez, je vous écoute.

— C'est au sujet de la jeune fille qui habite chez-vous.

— Lynn! Que se passe-t-il avec elle?

— Je ne sais pas au juste; sa fenêtre ouvre sur ma cour où donne ma propre chambre. À tout moment de la nuit, elle se plaint, crie et hurle même, parfois.

— Que dites-vous? lança-t-il tout à coup très intéressé.

— Cela dure depuis trois jours. Je sais que votre

mère se bouche les oreilles de coton, la nuit, afin de ne pas être éveillée quand vous rentrez et sans doute n'entend-t-elle pas!

— Ces cris ou hurlements se produisent-ils toujours aux mêmes heures?

— Non. Je m'assoupis, mais ces plaintes m'éveillent. Ce n'est pas pour moi que je viens; je me tourmente pour cette enfant.

— Je termine ma garde de nuit, je pourrai donc veiller sur elle les prochains jours.

— Vous ne m'en voulez pas? s'enquit-elle avant de partir.

— Non, au contraire. Merci et bonne nuit.

— Bonne nuit, docteur.

Max fit tourner la clé dans la serrure et entra. En déposant sa trousse médicale dans l'entrée, il pensait à Lynn et se dirigea vers sa chambre. Elle dormait et il ressortit en se demandant si sa voisine n'avait pas rêvé.

Endormi depuis plus d'une heure, un son indistinct le tira du sommeil. Il lui fallut quelques secondes pour identifier les plaintes de la jeune fille. Il se leva vivement en passant sa robe de chambre et poussa la porte de la pièce où dormait Lynn.

À la lueur de la veilleuse, il vit ses traits convulsés,sa tête roulant sur l'oreiller, sa bouche lançant des appels douloureux.

Il s'assit sur le rebord du lit et la toucha. Son cri d'effroi déchira l'air comme elle s'asseyait d'un brusque bond tout en cherchant à se libérer de lui.

— Lynn!... Lynn!... calmez-vous, voyons. C'est moi, Max, ne me reconnaissez-vous pas?

Son cou ploya vers l'arrière comme elle reprenait conscience de la réalité. Elle le regarda et passa les mains sur son visage, tentant d'effacer la vision cauchemardesque.

— À quoi rêviez-vous?

Elle lui lança un coup d'oeil méfiant, remarqua son inquiétude, son bouleversement et ses vêtements de nuit.

— Je vous ai réveillé, j'en suis navrée.

— Cela ne fait rien, signifia-t-il. Faites-vous souvent de ces mauvais rêves?

Elle eut un geste vague pour avouer:

— Quelquefois.

Elle poursuivit, voyant qu'il attendait la suite:

— Je... je vois des visages d'hommes penchés vers moi; ils sont terrifiants. — Elle grimaça un sourire. — Ils se rapprochent et je voudrais fuir, mais j'en suis incapable. Je me débats; mes cris m'éveillent... et vous aussi malheureusement.

Il passa outre la gentille remarque et la questionna de son habituel ton bourru de médecin autoritaire:

— Vous connaissez ces hommes?

— Je ne sais pas. Leurs traits sont grotesques, démesurés par le cauchemar; ils me haïssent visiblement et me veulent du mal; de cela, j'en suis persuadée.

— Faites-vous toujours le même rêve?

— Invariablement.

Elle voila, de ses longs cils dorés, le tumulte et l'inquiétude que contenaient ses yeux.

— Pourriez-vous me décrire ces gens?

Elle fouilla sa mémoire un instant avant de répondre:

— Dans le groupe, j'en remarque deux seulement. Le premier parce qu'il est roux, de barbe et de cheveux, et qu'il a l'air d'un pirate avec son gros anneau à l'oreille; le second parce que, le plus bizarrement du monde, il se tient un peu à l'arrière et ne montre envers moi aucune animosité. Il est brun, beau garçon...

— Et les autres?

Elle secoua la tête.

— Je ne les distingue pas bien.

— Savez-vous ce qu'ils ont contre vous?

— Je n'en ai aucune idée, dit-elle gravement.

— Mais ils vous attaquent?

— J'en ai l'impression; les craindrais-je autrement?

La logique de sa réponse fit hocher la tête à Maximilien.

— Ces rêves remontent à quand? En faisiez-vous de semblables à l'hôpital?

— Non, seulement ces derniers jours. Vous croyez qu'ils ont un rapport avec ma vie passée?

— C'est plus que probable. Je suppose que vous ne vous sentez pas en sécurité ici. Comment ma mère se comporte-t-elle avec vous?

Le subit empourprement de la jeune fille, sa façon de détourner les yeux et de retarder le moment de répondre, furent un aveu pour Maximilien.

— Je lui parlerai, jeta-t-il avec véhémence.

— Non, je vous en prie; vous risqueriez d'aggraver davantage la situation; d'autant que je reconnais être une charge pour elle et troubler l'habituelle tranquillité de son foyer.

— Ce n'est pas une raison pour vous causer des désagréments, maugréa-t-il fâché.

— Je suis une intruse ici; elle est chez-elle et j'apprécie les efforts qu'elle fournit pour m'accepter. Il faut la comprendre!

Elle le suppliait de son regard velouté et Max soupira:

— Très bien, mais dorénavant, je vous sortirai un peu; vous avez besoin de distractions. Je n'ai guère eu de temps libre cette semaine; je serai plus disponible maintenant.

— Ne négligez en rien vos malades et vos amis pour moi, docteur Eden; je m'en voudrais de vous détourner d'eux.

— Vous en faites partie et j'ai des devoirs envers vous, assura-t-il en se levant et d'un air qui n'acceptait aucune réplique. Tâchez de dormir plus calmement, le jour se lève.

Il sortit sans attendre un acquiescement. Lynn s'étendit à nouveau et éteignit la veilleuse. Elle se sentait mal à l'aise et étreinte de sombres pensées. Le jeune médecin intransigeant et froid la glaçait parfois avec ses manières brusques et sa voix dure. Elle espéra qu'il serait trop absorbé les jours prochains pour s'occuper d'elle et s'endormit en imaginant mille blessés réclamant les soins du chirurgien.

Hélas! Dès le lendemain soir, Maximilien l'entraînait hors de la maison où elle ressentait tout de même une sécurité toute relative.

Assise auprès de lui dans le vaste restaurant, elle goûtait à peine aux plats savoureux commandés par l'homme et qu'il dégustait avec une faim évidente.

— Vous n'aimez peut-être pas la langouste; pourquoi ne pas me l'avoir dit?

Ce ton de reproche fit lever les yeux nuageux. Elle avait noué ses longs cheveux blonds sous la nuque et son visage ainsi mis en évidence apparaissait dans toute la pureté de ses traits gracieux. Le teint clair resplendissait sous les lumières diffuses et Maximilien, troublé par sa beauté, repoussa son assiette en grommelant:

— Désirez-vous autre chose?

— Non merci, répondit-elle lentement, n'osant lui demander de rentrer.

Il fit venir le garçon, régla l'addition et se leva pour aider Lynn. Elle négligea la main secourable qu'il lui tendait et le précéda en claudiquant vers la sortie.

Dès qu'il se fut installé près d'elle, derrière le volant, Max mit la voiture en marche et, boudeur, ne lui accorda aucune attention.

— Je regrette, dit-elle. Je ne suis guère une compagne agréable.

— Tenez, lança-t-il soudain en stoppant. Prenez le volant.

Elle le regarda, déconcertée, mais il descendait déjà et, contournant la voiture, ouvrait la portière.

— Allez, ordonna-t-il sèchement en la tirant pour l'obliger à descendre.

— Mais... comment vais-je faire avec un seul bras?

— Vous vous débrouillerez sûrement, assura-t-il en la poussant délicatement jusqu'au siège du conducteur.

En soupirant, elle mit le contact et, malgré les premières difficultés rencontrées, elle conduisit avec une maîtrise parfaite à travers le traffic dense à cette heure de la journée. Elle se tourna légèrement vers le docteur qui surveillait la route.

— Où allons-nous?

Sans la regarder, toujours de ce ton impersonnel, il jeta:

— Hé bien! Nous savons maintenant que vous savez conduire...

Surprise, elle lâcha le volant que Max, très calme, empoigna et lui força à reprendre. Elle poursuivit son chemin en silence, mortifiée de cette étude.

— Tournez à gauche à la prochaine et puis encore à gauche deux rues plus loin.

Elle obéit sans mot dire et fila sur la route, croisant seulement quelques voitures. Ce boulevard désert se dirigeait vers l'ouest et le soleil couchant lui éclaboussait le visage de ses rayons pourpres, allumant un feu rouge dans ses prunelles.

— Arrêtez! demanda le médecin à un moment donné.

Elle s'exécuta et plaça l'automobile sur l'accotement sableux. Maximilien vint, une fois encore, ouvrir la portière pour l'aider à sortir. La tenant par son bras invalide, il l'emmena au milieu de la chaussée.

— C'est ici que ça s'est passé.

Lynn se redressa, regarda autour d'elle les hauts cyprès bordant l'avenue, les champs à perte de vue, les monts au loin. Elle secoua la tête, balayant l'air tristement.

— Cet endroit me paraît inconnu; je ne me souviens de rien.

— Je ne l'espérais pas, maugréa-t-il.

Cette phrase fut prononcée sur un ton légèrement désabusé et Lynn comprit quel drame représentait cet accident pour le jeune homme. Il restait là, comme pétrifié par ses souvenirs, le regard froncé, la bouche dure, regardant la route...

— Je ne vous ai jamais rien reproché, risqua-t-elle très bas, ignorant si ces mots le tireraient de son apathie, et sursauta lorsqu'il répondit, toujours figé:

— Votre bras et votre jambe parlent pour vous. Croyez-vous donc que je sois assez aveugle pour ne pas avoir remarqué votre embarras au restaurant? Vous êtes fière et avez gardé la tête haute, mais vous ne me dupez pas.

Lynn frissonna. Elle se rendait compte que, malgré son apparence, il demeurait attentif à tout ce qui se déroulait autour de lui. Il avait ainsi perçu sa gêne de parader aux côtés de cet homme racé que les femmes admiraient au passage, elle, avec sa patte boiteuse et son membre inerte.

— Je ne suis pas non plus idiot, reprenait-il cette fois en la dévisageant, au point d'ignorer que ces infirmités dont je suis cause, sont un blocage à votre désir de retracer le passé. Vous craignez ce que pourraient en dire vos amis, votre famille...

— Je suis peut-être seule au monde, murmura-t-elle très bas.

— Personne n'est vraiment seul au monde; vous avez certainement des compagnes, des camarades...

— Il n'y a aucun avis de recherche, n'est-ce pas? Le docteur Thorvaldsen m'aurait prévenue si quelqu'un avait signalé ma disparition; il n'y a rien.

— Avez-vous songé que vous aviez peut-être été enlevée? Vos parents, pour éviter que la police ne s'en mêle, n'oseraient porter plainte!

Elle souleva ses épaules rondes.

— Je ne sais pas. C'est possible, mais ces hommes auxquels je rêve seraient mes ravisseurs et, dans ce cas, que ferais-je ici?

— Vous auriez pu leur échapper!

— Comment expliquer que j'aie une peur affreuse des policiers?

— Simple transposition de votre pensée: ils sont votre seule chance et vous désirez leur aide. Après le choc, un transfert d'affectivité vous les fait craindre.

— Pourquoi ne serais-je pas plutôt une pauvre orpheline, élevée à la «diable» et tombée entre les mains d'individus louches?

— Vous avez de l'éducation, Lynn; vous n'êtes pas «sortie du ruisseau», pour employer certaines expressions.

— Hé bien! J'aurais pu inverser cela aussi.

— Non, pas plus que vous ne pouviez oublier que vous savez parler, écrire, respirer ou... conduire et nombre d'autres choses, répondit-il. Certains souvenirs, comme le visage de ces gens vous reviendront en mémoire progressivement.

— Et s'il n'en était pas ainsi?

— Alors il en sera autrement, mais il est impossible que vous demeuriez amnésique le reste de votre vie. Un jour ou l'autre, il se produira un «déclic».

— Que pouvais-je bien faire sur cette route?

— Là est toute la question. Quand vous saurez cela, vous n'ignorerez plus le reste.

— Je suis vraiment navrée de m'être trouvée sur votre chemin.

Il détailla les traits anxieux, les yeux assombris. S'il se fut écouté, il aurait glissé un bras autour de la taille souple et l'eut attirée à lui pour baiser ses lèvres tentantes, mais il poursuivit son inspection et elle abaissa les paupières.

Il fit noir soudainement, comme si les prunelles argentées, en se voilant, emportaient la lumière avec elles. Maximilien leva la tête vers le ciel; de douces étoiles y scintillaient, encore tremblantes.

— Rentrons.

Il se dirigea à grands pas vers la voiture, suivi de Lynn.

Ils roulèrent en silence, chacun absorbé par son propre remue-ménage intérieur. Ce fut l'homme qui rompit le calme bercé par le son régulier du moteur.

— Il y a une pièce qu'on prétend extraordinaire à l'Elysée; nous pourrions y aller demain, si cela vous intéresse.

— Je préférerais ne pas trop me mêler au public; je craindrais que quelqu'un ne finisse par me reconnaître avant que je me souvienne moi-même.

— Comme vous voudrez, répondit-il sèchement, déçu.

— J'accepterais peut-être une bière dans un endroit paisible.

Il se tourna un instant vers elle; cette fois encore, elle ne l'abusa pas. Il devinait qu'elle cherchait à amoindrir ce refus qui l'avait choqué.

— De la bière, hein! répéta-t-il curieusement.

Cette fois, ce fut elle qui le toisa.

La salle obscure s'adoucissait d'un simple éclairage; une musique vagabonde enveloppait les murmures des clients.

Coudes sur la table, Max et Lynn buvaient, à petites gorgées, la bière blonde savoureuse. Lynn ne parvenait ni à vaincre, ni à passer outre à l'attitude protectrice et austère du médecin. Elle se sentait embarrassée par sa conduite et se demandait s'il ne valait pas mieux échapper aux futures sorties éventuelles qu'il pourrait lui proposer. La meilleure solution aurait été de quitter son domicile, mais où aller? Les cliniques privées et coûteuses, avec leurs riches patients capricieux, lui répugnaient; tout compte fait, elle préférait s'accommoder de la présence de l'homme et de la malveillance manifeste de sa mère, pour quelques semaines encore.

Contrairement à son attente, Maximilien ne se montra pas envahissant au cours des jours qui suivirent. Il se contentait de l'inviter à prendre une bière à cette même brasserie tranquille qui leur permettait de se détendre.

Après ces phrases rituelles: «Rien de nouveau?» et «Avez-vous bien dormi la nuit dernière?», il se perdait dans un mutisme complet que Lynn ne tentait nullement de rompre.

Le docteur Hingüe Thorvaldsen continuait à lui rendre visite tous les deux ou trois jours. Sa bonne humeur, son ton jovial amenait le sourire aux lèvres de la jeune fille. Elle avait besoin de sa chaude affection après les heures interminables passées dans la demeure vide. Ils allaient flâner sur la promenade longeant la large rivière miroitante sous les feux du soleil ou s'abritaient à l'ombre d'un café-terrasse, bavardant de tout et de rien. Ils se quittaient, une heure ou deux plus tard, et Lynn rentrait à la maison, solitaire mais rassérénée. Lorsque la porte était barrée, cela signifiait que madame Eden s'était absentée et n'était pas de retour. Souvent, la jeune fille profitait de ces instants de tranquillité pour faire sa toilette journalière, évitant ainsi les reproches de la femme, sur la quantité d'eau chaude utilisée, l'électricité dépensée, le temps requis, les serviettes sales, etc..., etc...

Elle sortait de la douche, cet après-midi-là, en s'épongeant les cheveux, quand la porte claqua. Pestant contre la femme qui revenait habituellement beaucoup plus tard, elle se pressa de nettoyer la salle de bain. Elle empoigna ses vêtements et se glissa le plus furtivement possible hors de la pièce, laissant tomber, dans sa hâte, le chemisier jaune que Hingüe venait de lui offrir. En se penchant pour le saisir, elle attrapa malencontreusement le coin de sa serviette qui glissa comme elle se relevait. Elle tenta de la rajuster, mais son bras inerte ne lui étant d'aucun secours, elle n'y réussit pas. Elle courut vers sa chambre, à l'instant même où Maximilien arrivait de la sienne, intrigué par le bruit. Il la reçut en pleine poitrine et tous deux demeurèrent interdits.

Les mains sur la peau nue de Lynn, Maximilien la détaillait. Les yeux dorés luisaient et Lynn, se reprenant, lui échappa pour se réfugier, honteuse, dans la grande chambre familiale. Elle s'adossa à la porte un moment, craignant qu'il vienne y frapper: l'expression de l'homme n'avait rien eu de glaciale en cet instant très bref où elle se tenait dans ses bras et ce changement brusque la bouleversait.

Ce ne fut que vingt minutes plus tard qu'elle trouva le courage de sortir. Le jeune homme feuilletait un bouquin médical, bien installé au salon, dans son confortable fauteuil, et ne leva même pas la tête à son approche.

Elle se traita de «grosse bête». Sûrement, elle avait

imaginé cette flambée subite dans le regard masculin. Ce jeune médecin farouche ne devait certes pas manquer de présences féminines! Pourtant, elle devait reconnaître que jamais elle ne l'avait vu en compagnie d'aucune et, jamais non plus, il n'avait fait allusion à une seule. Pourquoi? Gardait-il secret ses rendez-vous galants, comme tout ce qui le touchait d'ailleurs? En vérité, elle ignorait pratiquement tout de lui. À la maison, il lisait presque continuellement ou s'enfermait dans sa chambre; il était comme une ombre et Lynn se souvenait maintenant que sa mère en le voyant assis à lire lui disait souvent: «Ah! Tu es là, toi!», comme si elle oubliait sa présence.

— Qu'y a-t-il? jeta-t-il soudain, la tirant de ses réflexions.

Elle se secoua, s'apercevant qu'elle l'examinait ouvertement depuis plusieurs minutes en pensant à lui.

— Rien, rien du tout, rougit-elle.

Il avait certainement deviné l'objet de sa méditation.

— Je ne serai pas disponible ce soir, l'avisa-t-il, replongeant le nez dans son livre. Je dois opérer très tôt demain matin et j'ai besoin de toute ma concentration; donc, repos!...

— Est-ce grave?

Il leva un oeil; c'était la première fois qu'elle semblait s'intéresser à son travail. Il hocha la tête.

— Tumeur cervicale.

— Oh!

— Pourquoi ce «Oh!»? demanda-t-il.

— Je trouve cela terrible.

Maximilien abaissa son volume et avoua tristement:

— Dans son cas surtout. Nous pouvons tout au plus la soulager ou retarder l'échéance; il est trop tard pour la sauver.

— Le sait-elle? demanda Lynn doucement.

— On a dû le lui dire.

Il reprit sa lecture, interrompant le dialogue qu'il

ne désirait visiblement pas poursuivre plus avant.

Lynn l'observa à la dérobée. Certains avaient beau dire que la médecine est une profession qui s'apprend comme une autre, elle n'en pensait pas moins qu'il fallait, à ces spécialistes, une dose de courage et de sang-froid peu commune, pour risquer ainsi la vie d'êtres humains en les opérant.

La jeune fille éprouva pour Maximilien une profonde admiration, sans songer à son attitude renfermée qui, hier, lui valait son indifférence et à laquelle elle attribuait maintenant une réserve digne qu'elle comprenait et acceptait. Elle n'avait jusqu'ici guère aidé l'homme à oublier cet accident qui représentait, pour lui, une terrible tragédie, repoussant toute assistance de sa part. Chaque fois qu'il lui parlait gentiment, elle lui décochait un regard susceptible, refusant sa pitié, ne lui laissant aucune chance de réparer le mal qu'il avait causé et dont il portait le poids comme un lourd fardeau.

Qu'en aurait-il été de leurs rapports si elle se fut montrée plus compréhensive? L'isolement du médecin lui apparaissait dans toute sa profondeur; même entouré, il demeurait solitaire, renfermé; seul Hingüe possédait son amitié.

Lynn découvrait Maximilien; elle eut aimé, elle aussi, voir sourire le beau visage énergique.

— Qu'avez-vous donc? questionna-t-il encore.

La tête appuyée au fauteuil, parallèle à celui du jeune homme, elle tressaillit, se rendant compte qu'elle l'observait à nouveau depuis un bon moment.

— Mais... rien, bégaya-t-elle à son adresse.

— En êtes-vous certaine? Vous me semblez nerveuse comme si vous aviez quelque chose à dire et que vous hésitiez.

— Moi? dit-elle, portant la main contre elle, feignant la surprise. Pas du tout, affirma-t-elle avec conviction.

Il la scruta profondément; elle en rougit et se détourna, agitée.

— Je ne vous ai jamais vue aussi nerveuse!...
riposta-t-il.

Puis, une pensée l'assaillit brusquement:

— Est-ce à cause de votre sortie de tout à l'heure?
souligna-t-il simplement.

Lynn n'y pensait plus et fit un effort pour se remémorer les instants précédents; comme le souvenir se glissait à sa mémoire, elle rougit davantage. Max prit cet empourprement pour un acquiescement et voulut la rassurer.

— Il n'y a pas de quoi vous troubler, jeune fille; vous ne m'attendiez visiblement pas à cette heure.

— Certes non, répondit-elle vivement; je croyais qu'il s'agissait de votre mère.

— Et pourquoi filiez-vous aussi rapidement?

— ...

— Ma mère vous défendrait-elle un minimum de soins corporels?

— Non, je... Écoutez, docteur Eden, je ne la blâme pas; oubliez cela, voulez-vous?

— Oublier quoi? Ainsi, ce serait exact, elle vous refuse la salle de bain?

— Non, s'impatienta-t-elle, elle chicane un peu, c'est tout. Je profite de son absence afin d'éviter de l'irriter. Bien sûr, elle le sait tout de même, mais elle ne dit rien.

Maximilien, suspicieux, redoutait cette demi-franchise.

— Elle ne vous mène pas une vie d'enfer, j'espère?

— Non, quelle idée!

— M'en parleriez-vous s'il en était ainsi?

La question frappa Lynn qui resta quelques secondes immobile:

— Non, finit-elle par articuler.

— J'en étais certain. Pourtant, vous êtes chez-moi, non chez-elle. Cette maison est à moi et si ma mère vous crée des ennuis, je tiens à le savoir, compris? Compris? répéta-t-il plus sévère comme elle ne disait rien.

— Peut-être, je verrai, marmonna-t-elle.

— Vous avez une tête de mule, une vraie tête d'enfant gâtée que vous devez être.

— Et si j'étais simplement charitable et timide!

Le regard qu'il posa sur elle se révéla si moqueur qu'elle en frémit et baissa son petit nez, ne pouvant le supporter.

— Pourquoi cette ironie? Croyez-vous donc que je ne puisse être réservée ou gentille? se fâcha-t-elle en quittant le salon, humiliée.

«Oh! Je le déteste», se dit-elle, irritée. Et pourtant... sa tristesse s'accentua.

Hingüe Thorvaldsen réussit tant bien que mal, les jours suivants, à la tirer de son humeur morose. Il mettait le compte de sa mélancolie sur son peu de progrès et tentait de la réconforter.

— Pauvre enfant! murmurait-il en lui tapotant le dos affectueusement. Ne t'en fais pas, ma jolie biche, tu retrouveras la mémoire. Tu peux compter sur ton vieux Hingüe pour t'aider et ne jamais t'abandonner. Tu verras, tout ira mieux bientôt...

Ces paroles apaisantes n'embaumaient pas le coeur en détresse. Lynn elle-même ignorait la raison de son chagrin. Elle ne parvenait pas à analyser ses tracas, ni le tumulte de son esprit. Il est vrai que son cauchemar était revenu la hanter. Elle ne criait plus, mais des sons rauques râclaient sa gorge et elle s'éveillait, gémissante, couverte de sueurs froides, effrayée. La vue de la petite chambre la rassurait momentanément, toutefois elle aurait apprécié le réconfort de la présence du jeune médecin, avec son assurance et sa force intérieure.

Une nuit, le rêve fut différent.

«Des bruits de voix en discussion orageuse troublèrent son jeu d'enfant. Elle quitta la pièce où elle jouait, seule; les sons coléreux se répercutaient dans l'immense maison et la petite fille s'en effrayait. Tout était flou autour d'elle, sauf le large escalier qui grimpait au premier et qu'elle emprunta, accrochée peureusement à la rampe. Elle se dirigea vers l'endroit d'où venait le bruit, passa la tête par la porte entrebaillée:

l'homme et la femme se disputaient méchamment.

Elle entra en courant et se réfugia auprès de la femme.

— Maman! Maman! Va t'en, cria-t-elle au monsieur, va t'en, tu lui fais du mal.

L'homme s'approcha, la saisit et l'emporta. Il la déposa dans une chambre d'enfant:

— Reste-là et sois sage, dit-il durement avant de refermer la porte à clef.

— Non, non, maman, criait-elle en frappant la porte et en pleurant, désespérée.»

— Maman! répétait Lynn en ouvrant les yeux sur la nuit, la gorge serrée.

Elle s'assit, émue, tremblante, essayant de se calmer sans y parvenir. Elle se leva finalement et alla frapper doucement à la porte de Max: il saurait apaiser ses craintes.

Il devait dormir car il ne répondit pas. Elle retourna dans son lit, ferma les yeux mais le rêve reprenait corps et elle les rouvrit.

Ainsi, elle habitait une grande demeure; ses parents devaient être riches. On avait dû l'enlever contre rançon et ces hommes voulaient maintenant la tuer parce qu'elle les avait vus et risquait de les reconnaître.

Le sommeil vint malgré elle. Un nouveau rêve la submergea.

«Hingüe était près d'elle et s'affaissait soudain. Elle hurlait, appelait à l'aide; personne ne venait.»

Haletante, elle s'assit à nouveau dans son lit; la pièce sombre l'effraya. Elle alluma et se décida à aller à nouveau frapper à la porte du médecin.

Il s'inquiéta sûrement, car il vint ouvrir en pantalon de pyjama.

— Qu'y a-t-il?

— J'ai peur.

Elle tremblait, le visage blême, les lèvres sèches; il se tassa et la laissa entrer, referma et la suivit dans la chambre éclairée.

Lynn remarqua le grand nombre de bouquins dans

la bibliothèque, puis se tourna vers lui.

— J'ai rêvé...

Elle lui raconta ses deux cauchemars, omettant de lui dire qu'elle était déjà venue vers lui une première fois, cette même nuit.

Ils s'étaient, l'un et l'autre, assis sur le lit. Max adossé et les genoux repliés écoutait Lynn qui s'était installée confortablement, les jambes croisées à l'indienne. dienne.

— Ai-je raison de penser qu'il s'agit bien d'un rapt?

— Je n'en serais pas surpris.

Elle baissa la tête et parla tristement:

— Je crains tellement mon passé! Si vous possédiez une drogue qui m'empêche de m'en souvenir ou me permette de retirer pour toujours ces mauvais rêves, je pourrais demeurer ainsi. Hingüe est un véritable ami et vous, vous êtes bon pour moi, soupira-t-elle.

— Vous avez sûrement plusieurs amis, même quelques amoureux et une famille aussi; vous ne pouvez abandonner tout cela volontairement parce que vous êtes effrayée!

— Et si je n'avais personne, qu'arriverait-il?

— Hé bien! Nous sommes là, Hingüe et moi.

Elle le regarda, boudeuse.

— Hingüe m'aime bien, je le sais; mais vous, tout ce que vous faites pour moi naît de vos remords.

— Non, je vous aime bien moi aussi, avoua-t-il assez bas, espérant presque qu'elle n'entende pas.

— Vraiment?

— Bien sûr.

— Vous êtes franc, mais si distant, si froid et hautain...

Il baissa les yeux, craignant par trop de s'engager dans une conversation dangereuse, quand elle lui jeta ainsi:

— Pourquoi ne souriez-vous jamais?

— Je n'ai aucune raison de sourire!

— Seriez-vous donc si malheureux?

— Ni heureux, ni malheureux, comme la plupart des gens.

— Et vous êtes toujours aussi sévère avec tout le monde, même avec votre petite amie? posa-t-elle sans avoir l'air d'attacher une grande importance à la réponse.

— Je n'ai pas de petite amie, répondit-il simplement.

— Pourtant, vous êtes beau garçon! Plusieurs doivent tenter de vous séduire! Est-ce que les femmes ne vous intéressent pas?

Cette question faillit le faire rire; il se contint et lança placidement:

— Je suis un homme tout ce qu'il y a de normal.

Elle leva sur lui un regard chargé de joie; son coeur se bousculait depuis quelques minutes et battait la chamade.

— Je crois que je pourrai dormir maintenant, dit-elle en se mettant debout.

Elle fit quelques pas vers la sortie et se retourna vivement pour le remercier, ignorant qu'il la suivait. Son mouvement rapide la jeta contre l'homme. Elle regarda son torse nu, prise d'une étrange sensation de malaise à se sentir si près de lui.

Max qui observait ses réactions la sentit frémir entre ses bras. Les yeux de ciel d'automne brillaient d'un éclat argenté; elle ne cherchait pas à fuir, semblant méduséé, paralysée à son contact. Il se pencha vers elle en la pressant davantage contre lui et prit les lèvres qui ne se dérobèrent pas.

Son geste lui apparut aussitôt dans toute sa fulgurante bassesse: ne profitait-il pas de l'état trouble de la jeune fille? N'abusait-il pas de sa confiance aveugle, de son rôle de protecteur? Il la laissa brusquement, les traits défaits, la voix cassée:

— Pardonnez-moi, Lynn. Oubliez tout cela et allez dormir.

Elle restait là, les yeux agrandis par la surprise, trop étonnée pour articuler une seule parole.

Le souffle court, faisant face à la jeune fille, il reprit:

— Je vous promets que cela ne se répètera plus.

Elle s'approcha de lui, les mains tendues:

— Oh Max! Vous ne comprenez pas; j'ai tant besoin de ne plus être seule. J'ai besoin de vous!

Quel effort surhumain il lui fallut pour se détourner des bras qui l'appelaient, des lèvres troublantes:

— Reprenez-vous Lynn. Pensez à vous: toutes ces semaines d'amnésie vous paraîtront bien légères dans quelques années et vous ne me pardonneriez pas d'avoir profité de la situation. Vous avez sans doute un compagnon qui attend votre retour, un fiancé...

— Cela m'est égal. Jamais je n'éprouverai pour un autre ce que je ressens pour vous. C'est vrai, admit-elle subitement, au début vous m'agaciez avec vos airs supérieurs, nobles et tristes; je ne pouvais pas vous supporter et je tentais de me défendre de l'intérêt que votre visage trop sérieux exerçait sur moi. Je vous en voulais de ne pas m'adorer comme les autres, de m'aider uniquement à cause de ce maudit accident et non par affection pour moi. Je vous haïssais à cause de cela, mais vous êtes si calme, si sûr de vous, si attentif aux autres... Max! Si je vous plais un peu, aidez-moi, je vous en prie.

Maximilien respirait bruyamment. Il lui était pénible de refuser ce jeune amour, mais en était-ce? Lynn ne voyait-elle pas en lui plutôt la protection qu'il représentait en tant que médecin? Ne deviendrait-il pas plutôt pour elle une espèce de complice à son tourment?

Il secoua la tête:

— Ce serait lâche de ma part de profiter de vos émois, Lynn. Vous m'êtes sympathique; vous êtes rudement jolie aussi, souligna-t-il, mais...

— Mais vous ne m'aimez pas, termina-t-elle pour lui en ployant l'échine, malheureuse.

— Je vous aime bien, mentit-il quoi qu'il lui en coûta de l'éloigner ainsi.

— Vous n'avez pas d'amour pour moi? Rien, aucune tendresse?

Il n'osa mentir une fois de plus et ne dit rien. Lynn tournait les talons lentement et partait. Elle boitait un peu plus bas que de coutume et son bras rigide lui donnait une allure lamentable. Elle se retourna soudain, cette idée l'ayant frappée:

— Serait-ce parce que je suis infirme?

— Cela n'a rien à voir, la rassura-t-il gentiment et pleinement.

Elle esquissa un pauvre sourire qui fendit le coeur de Maximilien, puis sortit. Il l'entendit se remettre au lit et s'assit à son bureau, situé dans le coin de la pièce, faisant face à la porte. Prenant sa tête entre les mains, il resta ainsi, silencieux et immobile, jusqu'au matin. Alors, il se vêtit et partit pour l'hôpital.

Dans sa chambre, Lynn venait tout juste de s'endormir.

— Je ne sais pas ce qu'a Alex depuis quelque temps; il est vraiment invivable.

Lynn, qui entrait sur ces paroles, s'aperçut que Mme Eden avait une visite et, sur la pointe des pieds, tenta de gagner sa chambre.

— Qui est-ce? demanda la visiteuse qui l'avait aperçue.

— Une lubie de mon «cher» fils. Lynn, venez ici, voulez-vous? cria-t-elle sévère.

La jeune fille ne put se dérober et entra au salon. La femme était brune et mince; son visage dédaigneux ne lui plut pas.

— Laissez-moi vous présenter ma belle-fille, Suzanne, la femme de mon fils aîné, Alexandre.

— Madame, salua Lynn gauchement.

— Elle a eu un accident et est amnésique. Max a tenu à l'emmener ici pour quelques mois, mais son départ ne saurait trop tarder maintenant, glissa-t-elle à l'intention de la jeune fille. — Vous pouvez nous laisser.

Lynn s'éclipsa comme l'autre reprenait:

— Alex est impossible, vous disais-je. Hier soir, j'ai cru qu'il allait se jeter sur moi; imaginez ma crainte! J'ai donc emmené David chez ma mère; elle l'y gardera le temps nécessaire pour qu'Alexandre retrouve son calme. Il était si en colère qu'il a osé inventer qu'il avait une maîtresse, oui, une maîtresse, répéta-t-elle devant l'air ahuri de sa belle-mère. Vous pensez bien que je ne l'ai pas cru un seul instant, même s'il prétend demander le divorce pour l'épouser. Il peut toujours courir s'il pense se libérer!

Lynn ferma la porte de sa chambre; ces propos qui ne la regardaient pas, ne l'intéressaient pas davantage. Depuis ces derniers jours, c'est-à-dire, depuis cette fameuse nuit où elle avait découvert qu'elle aimait Max, elle vivait comme une âme en peine, marchant lentement durant des heures dans les parcs. Son esprit ne chuchotait plus qu'un prénom: Maximilien.

Celui-ci l'évitait; il avait passé tous ces jours à l'hôpital, ne rentrant même pas pour dormir.

La jeune fille se demandait combien de temps, à cause d'elle, il se priverait de la tiédeur de son foyer. Madame Eden l'exhortait d'ailleurs à partir le plus rapidement possible.

Elle fit ses maigres bagages, n'emportant que les cadeaux de Hingüe et aucun des vêtements achetés par Max. Elle partirait dès que la mère du jeune homme se serait endormie.

Où irait-elle? Aucune importance. Elle trouverait bien un coin où s'installer.

La nuit venue, elle se glissa hors de la maison, suivit le petit trottoir de pierre et arriva à la rue comme une voiture débouchait devant elle.

Elle reconnut sans peine l'automobile de Max et le vit s'avancer vers elle, mécontent.

— Où alliez-vous ainsi?

— Je l'ignore; mais il faut que je parte.

Il lui arracha son pauvre sac des mains et l'obligea à s'en retourner.

— Non, je vous en prie, docteur Eden, laissez-moi. Tâchez de comprendre.

— Venez, nous nous expliquerons à l'intérieur.

Il la poussa de la main jusque dans la chambre où il la força à s'asseoir. Ayant refermé la porte, il se dressa devant elle, les bras croisés.

— Alors?

— Je n'ai rien à dire, murmura-t-elle. Vous êtes assez intelligent pour saisir le pourquoi des choses.

Maximilien marcha dans la pièce en marmonnant nerveusement:

— Que dois-je dire ou faire pour que vous restiez?

— À quoi bon insister, ma décision est prise.

Son ton ferme et las fit baisser pavillon à Maximilien.

— Au moins, attendez jusqu'à demain. Je vous trouverai un gîte. Cette nuit, vous risquez de vous faire arrêter pour vagabondage.

Cette éventualité porta fruit, Lynn n'y avait point songé et se voyait déjà derrière les barreaux.

— J'attendrai jusqu'au matin, céda-t-elle enfin.

— Que diriez-vous de sortir un peu bavarder? proposa le jeune médecin. Il est à peine onze heures.

— Si vous voulez. De toute façon, je ne dormirai pas.

Il lui prit le bras et l'entraîna. Ils roulèrent dans la nuit.

— Voulez-vous prendre un verre?

— Je n'ai pas envie de voir du monde et je n'ai pas soif non plus.

Maximilien la conduisit dans un étroit chemin de sable qui menait à une rivière bordée de rochers.

La nuit était fraîche et claire; d'innombrables étoiles brillaient dans la voûte céleste. En sautant d'une roche à l'autre, Lynn s'enroula, frissonnante, dans son gilet. Max, qui l'avait devancée, l'attendait sur la plus large pierre, les mains aux hanches, en scrutant l'eau sombre dans laquelle se reflétaient les lumières de la rive opposée.

Quand Lynn fut près de lui, il retira son veston, l'étendit sur la roche, s'y assit et invita la jeune fille à en faire autant.

— Nous venions souvent nous baigner ici autrefois; la rivière n'était pas polluée en ce temps-là.

— Vous et votre frère?

— Mes deux frères, rectifia-t-il, quoique j'étais rarement avec eux; surtout un groupe de camarades.

— Où est votre autre frère?

— Il travaille à diverses recherches dans une université.

— Ne vient-il jamais chez-vous?

— Non.

Elle s'aperçut vite que Maximilien ne tenait pas à parler de sa famille et garda le silence. Le clapotis de l'eau berçait agréablement son ouïe et son odorat était touché par cette odeur d'herbe humide, de sol mouillé...

— Là, une étoile filante, indiqua-t-elle du doigt.

— Faites un voeu, dit-il en suivant la direction du météore.

Elle tourna la tête vers lui et le considéra gravement.

— Je veux que vous m'aimiez Max. Que vous m'aimiez pour toujours.

Son expression tendue, sa prière fervente touchèrent le coeur du médecin et il ne put que murmurer:

— Je vous aime, Lynn, passionnément, tendrement, infiniment et jamais je ne cesserai de vous aimer.

— Max! Max! Est-ce vrai? gémit-elle en se jetant dans ses bras, les yeux pleins de larmes. Je t'aime, oh! comme je t'aime!

Les lèvres de l'homme couraient sur son visage, essuyant de sa bouche les larmes de bonheur, mélangeant son souffle ardent à la fraîcheur de son haleine. Elle s'accrochait à lui, craignant de le perdre à nouveau, n'osant croire que son désir se réalisait. Elle l'entraîna sur la pierre plate, l'attira contre elle, caressante, enivrante. Max ne pouvait lui résister; il la désirait follement depuis longtemps et puisqu'elle s'offrait...

* * *

Assis tout au bord du rocher, Max calmait sa nervosité en fumant. Depuis qu'il l'avait délaissée, il n'avait plus dit un mot; son visage fermé indiquait un état d'âme tourmenté qui inquiétait Lynn.

— Qu'y a-t-il? On dirait que tu m'en veux; puis-je savoir pourquoi?

Il jeta son mégot au loin, dans l'eau noire, rejeta la fumée en soupirant et se leva pour lui faire face.

— T'es-tu rendu compte d'une chose? dit-il rudement, ses yeux menaçants lançant des étincelles.

— Quoi donc?

Il hésita, soupira encore avant de reprendre, les dents serrées:

— Je ne suis pas ton premier amant...

— C'est possible; tu ne peux m'en vouloir d'un passé que j'ignore!

Il se détourna, malheureux.

— Je sais, je ne puis cependant m'empêcher de me demander qui est ou qui sont les autres.

— Est-ce si important? Pour moi, toi seul existe. Je n'ai jamais aimé que toi, chuchota-t-elle passionnément.

— Dans ce présent qui ne t'appartient qu'à moitié, oui, mais qu'adviendra-t-il de cet amour quand tu retrouveras un autre homme qui te sera cher? Tu me délaisseras et pour cause, ta vie, ton coeur sont probablement déjà liés; tu es si belle.

— Je ne veux aimer personne d'autre que toi, s'écria-t-elle affolée en se jetant contre lui. Maxime, garde-moi, protège-moi contre le sort, contre le monde.

Si je devais te perdre en retrouvant la mémoire, je prie Dieu de me laisser amnésique.

Quelle passion vibrait dans ces paroles, dans cet être émouvant de jeunesse et de grâce! Max la prit aux épaules et l'admira intensément avant de joindre ses lèvres aux siennes.

À compter de cette nuit-là, Lynn souffrit mille tourments pire que la mort. Craignant son passé, son coeur se torturait à l'idée qu'un autre puisse posséder une parcelle du sentiment puissant qu'elle vouait à Maximilien. À s'imaginer qu'en retrouvant la vie quotidienne d'avant, un amour plus intense, s'il en fut, puisse l'éloigner de son amant chéri, elle se sentait étreinte d'une frayeur incommensurable. Comme elle regretterait l'affection de l'homme, sa bonté, son intelligence, cet air de mystère et ce monde de silence dont il s'entourait. Max! Oh Max!...

Elle apprenait si peu à le connaître: il gardait pour lui ses pensées, son enfance; secrètes restaient ses occupations professionnelles; le sourire adoucissait rarement l'austère visage mâle aux traits nets, au menton carré, aux lèvres bien dessinées. L'âme de Lynn s'élevait jusqu'à lui; tout son corps se soulevait de tendresse pour l'aimé.

Maximilien, lui, demeurait tendu. Il emmenait parfois Lynn à une toute petite anse peu fréquentée où seuls les amoureux hardis se rendaient, car ils devaient, pour ce faire, utiliser un sentier marécageux. Max empruntait un chemin moins tortueux; il louait une embarcation et ramait en silence jusqu'à l'endroit où ils abritaient leur amour.

La jeune fille, couchée sur le sable doré, dans un gentil bikini rouge, offrait son corps aux rayons du soleil. Comme toujours lorsqu'elle se trouvait en présence du jeune homme, une douceur infinie l'envahissait: tous ses muscles, ses nerfs, ses sens se portaient vers lui et cependant, elle respectait ses désirs, sa volonté, son mutisme.

Assis près de l'eau claire, il suivait les mouvements

d'un groupe de menus poissons qui brillaient sous les feux de l'astre ardent, comme lui-même resplendissait sous l'amour fervent de Lynn.

Lynn! Comment croire à la profondeur de ses sentiments et pourtant, comment en douter? Il se tourna vers elle. Elle gardait les yeux clos, mais il savait qu'elle suivait le moindre de ses mouvements. Ainsi allongée, elle ressemblait à une nymphe sortie de la mer; sa peau prenait une teinte cuivrée comme celle des personnes qui ont l'habitude du soleil. Elle s'étira et lui sourit d'une façon ravissante en lui tendant la main. Il la prit et se rapprocha, se couchant sur le ventre à son côté, passant un doigt léger sur la joue veloutée.

— Tu m'aimes? souffla-t-elle avec cette expression de ravissement heureux qu'il adorait lui voir.

Il opina de la tête.

— Beaucoup? reprit-elle insatisfaite, une moue ourlant ses lèvres roses.

— Oui, beaucoup.

Le visage féminin devint grave alors qu'elle lui serrait la main avec force.

— Je ne veux pas te perdre; je t'aime tant. Que faire pour conserver notre amour intact? Pour qu'il dure toujours?

Un pli amer barra le front de Maximilien.

— Tu n'y crois pas, n'est-ce pas? questionna Lynn.

— Je le voudrais; je ne le puis pas. Appelle cela de l'intuition, du pessimisme ou du réalisme; notre liaison ne durera pas; elle ne «peut» pas durer.

— Parce que tu ne m'aimes pas suffisamment?

Il la saisit brutalement pour l'embrasser désespérément, puis la relâcha aussi brusquement.

— Non; je suis trop consistant, trop fidèle pour que la rupture vienne de moi. C'est toi, Lynn, toi seule qui rompra.

— Tu me fais tellement mal, bredouilla-t-elle, de grosses perles humectant ses joues pâlies. Je ne veux pas te quitter et je hais d'avance tout ce qui pourrait m'éloigner de toi. Maxime chéri, serre-moi fort, très fort dans tes bras, que j'oublie tout ce qui n'est pas nous, que je puisse encore goûter le bonheur de t'avoir à moi.

Il l'enlaça, empli de la même intense émotion, vibrant au son de cette même harmonie. Lynn lui appartenait, à lui seul, et il parvenait en ces minutes d'extase à effacer ses craintes, à croire à une union possible et durable, à espérer...

— Marions-nous, proposait Lynn. Ainsi, plus rien ni personne ne nous séparera.

— C'est impossible. Tu ne peux te marier ainsi, sans nom, dans l'état où tu es. Plus tard, tu risquerais de me haïr. Non, laissons au hasard le soin de nous unir ou de nous diviser.

— Je ne pourrai supporter cette attente; je n'en aurai pas la force.

— Allons-donc! Tu es solide, mon amour.

— Seulement quand tu es près de moi, murmurat-elle d'un ton enfantin.

— Je ne puis te rejoindre sans cesse; si ma mère nous surprenait...

— Tu prends prétexte de sa présence; elle ne s'éveille jamais la nuit. De plus, tu es majeur, libre et chez-toi.

— Tu as raison, je le sais, mais tu ne la connais pas bien. Tu ignores de quoi elle est capable si elle nous voit ensemble.

— Nous sortons souvent; elle ne dit rien. Elle me laisse presque tranquille depuis que tu t'occupes de moi, et puis... ajouta-t-elle convaincue, ton frère Alexandre a bien une maîtresse et elle n'en fait pas un drame.

— Qui t'a dit cela à propos d'Alex?

— J'ai entendu malgré moi sa femme y faire allusion.

— Cela ne la touche pas parce qu'ils ne vivent pas sous son toit. Elle oublie nos frasques à la condition que tout se passe loin d'elle et qu'elle n'en soit ni la spectatrice, ni même l'auditrice. Elle n'a rien dramatisé devant Suzanne, mais je suis certain qu'elle se propose de faire un sermon à son fils dès qu'elle le verra, si ce n'est déjà fait.

— Aurais-tu peur des reproches que te ferait ta mère?

— Là n'est pas la question. Elle est ma mère et je la respecte. S'il lui est désagréable d'assister à ce qu'elle appelle la «déchéance humaine», j'essaierai de le lui éviter.

— Est-ce déchéant que d'aimer? reprocha-t-elle sur un ton exaspéré.

— Non, mais il est des lois qui régissent sa vie et qu'elle espère nous voir adopter, telles la religion, le mariage de sacrifices qu'elle a vécu. Pour elle, le péché de la chair est le plus vil, le plus dégradant parce qu'à son avis, il est facile de le dominer.

— Et toi? demanda-t-elle le coeur rempli d'appréhension à la pensée qu'il pouvait être honteux de leur façon de vivre ce grand amour, qu'il puisse être torturé par le remords d'avoir cédé à une impulsion qui l'entraînait, que son élan vers une femme de moeurs libres lui donne la nausée.

— Il est vrai que j'ai des concepts moraux assez stricts, toutefois je ne pourrais souffrir d'être séparé de toi.

Elle se cala entre ses bras, s'y sentant à l'abri, émue de ce témoignage spontané.

— Je t'aime, Maxime; je voudrais tant que notre amour soit éternel.

Il caressa ses cheveux avec douceur, son joli visage bruni de soleil.

— Je t'aimerai toujours, Lynn; tu m'as été chère dès le premier instant et tu le demeureras toujours.

— Je sais bien que le mal doit venir de moi, se plaignit-elle. Oh Max! mon chéri, mon amour, empêche-moi de retourner vers mon passé; garde-moi, protège-moi.

Il la serra très fort, lui-même vaincu par cette frayeur de l'inconnu, par la douleur d'une possible séparation. Il enfouissait ses lèvres dans la blonde chevelure, en baisait le cuir chaud; ses mains glissaient sur la peau satinée. Il emprisonna sa bouche dans un tendre baiser, enivré par sa chaleur, grisé par la passion, par un désir fou et sauvage qui les submergeait et auquel ils ne pouvaient résister.

Dans l'élan qui souvent les enflammait, ils en oubliaient le monde. Ce fut dans la chambre de Max, qu'un fameux après-midi, Madame Eden les surprit en rentrant de ses courses habituelles.

Le cri qu'elle lança fit dresser les deux amants.

— Comment osez-vous? N'as-tu pas honte, Maximilien Eden? Quelle sorte de voyou es-tu donc? Et toi, espèce de petite grue, vociférait-elle blême de fureur et d'indignation, tu attises le feu! Crois-tu donc que je n'ai pas remarqué tes simagrées pour intéresser mon fils? Petite intrigante, fille des égouts que j'ai hébergée dans ma demeure et qui détruit mon sang, vipère...

— Nous nous aimons, s'écria Lynn pour tenter d'arrêter le flot de paroles injurieuses, tandis que Max dressé aux côtés de sa mère la menaçait:

— Tais-toi; je suis chez-moi ici et j'aime Lynn. Si tu ne cesses pas, je partirai avec elle.

La femme eut un rire dément qui sonna faux et cria plus fort, en pleine crise de rage:

— Tu l'aimes!... Cette infirme! Cette putain de fille facile sans moralité qui fait les yeux doux à tous les hommes, y compris à ton ami Thorvaldsen...

— Je vous en prie, madame, calmez-vous! Nous ne faisions rien de mal, supplia Lynn au bord des larmes.

— Rien de mal! clama l'autre. Vous appelez cela rien de mal! Et c'est cette fille perdue que tu prétends aimer Maximilien? Serais-tu descendu si bas, après tout ce que je t'ai enseigné, après l'éducation que tu as reçue, toi, t'afficher avec cette vulgaire traînée!...

— Maman, insista l'homme alors que Lynn éclatait en sanglots et courait vers sa chambre. Cela suffit. Je suis majeur et, quoi que je puisse faire, il ne t'appartient pas de me juger.

— Tu es bien comme ton père, rageait-elle plus encore. Sensuel, autoritaire et suffisant.

— Laisse mon père en dehors de cela; c'était un homme bon, juste et charitable; le meilleur que j'aie connu.

— C'est faux; il était comme Alexandre et comme toi maintenant. Il ne savait pas se maîtriser et ne comptait plus ses maîtresses; je le méprisais et, si tu persistes à garder cette fille, je te haïrai toi aussi.

— Je la garderai et je l'épouserai.

— Très bien, alors, c'est moi qui m'en irai. Ma place n'est pas entre vous deux. Allez au diable!

Elle s'en fut dignement et claqua la porte. Max savait qu'elle n'avait pas du tout l'intention de quitter cette maison confortable, la rente mensuelle qu'il lui versait, les amies qu'elle s'était faites... Il se dirigea vers la pièce où Lynn versait des larmes amères et la prit contre lui pour la consoler comme une enfant.

— C'est ma faute, hoquetait-elle; c'est moi qui t'ai attiré dans cette aventure. Tu avais raison; jamais je n'aurais cru qu'elle ferait une scène semblable, qu'elle me jetterait son mépris au visage si haineusement. Maxime, je crains son regard accusateur; que dois-je faire? Je t'en prie, dis-le moi.

— Rien. Tu ne feras rien du tout. Nous allons continuer comme avant. Ma mère va se calmer et bien qu'elle nous gardera rancune, elle se taira.

— Elle m'effraie; je ne veux pas demeurer sous son toit.

— Tu es chez-moi et tu n'as rien à craindre. Elle ne te fera pas de mal. Elle parle beaucoup plus qu'elle n'agit.

— Je vais essayer de me trouver du travail dès demain et je m'installerai dans un appartement où tu viendras me rejoindre.

— Attends encore un peu; il est trop tôt.

— Oh non!...

— Promets-moi d'attendre, insista-t-il, décidé.

— Si c'est ce que tu veux, mais pas longtemps.

Max lui donna un baiser sur le front et lui caressa le menton en la scrutant profondément.

— Je t'aime, dit-il avant de la quitter.

Hélàs! Lynn vit arriver Félicia Eden dans sa chambre, dès le lendemain matin. Maximilien venait de quitter la maison et Lynn, à travers ses paupières mi-closes, la regarda, accablée.

— Je sais que tu ne dors pas, dit l'autre sèchement, alors écoute-moi; écoute-moi bien...

«Je ne te laisserai pas détruire la vie de mon fils, quoi que tu espères. Ce que tu fais s'appelle du racollage; il y a des lois contre ton genre d'activité...»

— Mais madame, coupa Lynn suppliante, j'aime Maximilien et il m'aime; pourquoi ne nous laissez-vous pas tranquilles?

— Tu n'as rien à lui offrir, rien. Tu n'es personne. Ton infirmité serait un handicap à sa profession de médecin et, de plus, je te hais; tu me rappelles par trop une autre femme qui, comme toi, s'amusait à séduire les hommes! Va t'en, sinon je mets un détective à tes trousses; nous saurons bien ce que tu as à cacher dans ce passé que tu prétends ignorer.

— Je vous en prie, soyez bonne envers moi, madame. J'ai vraiment perdu la mémoire; je ne joue pas la comédie. Je veux le bonheur de Max. Vous-même ne désirez-vous pas qu'il soit heureux?

— Oui, et c'est pourquoi tu dois disparaître. Quand tu sauras tout sur ton passé, tu pourras te présenter devant lui. Peut-être es-tu déjà fiancée à un gentil garçon! Si tu es libre de toute attache et sans reproche, tu viendras et je cèderai la place, acheva-t-elle d'une voix aigre-douce déterminée.

— J'en parlerai à Maxime, proposa Lynn, incertaine de la décision à prendre.

— Non, il te retiendrait et tu le sais. Pars maintenant, à la recherche de ton passé, de toi-même. Plus tard nous verrons. À t'accrocher comme tu le fais à Maximilien, tu lui crées du tort, insinua-t-elle blessante. N'as-tu jamais songé qu'il pouvait te jouer la comédie de l'amour, qu'il ait simplement pitié de toi, qu'il craigne avant tout que tu ne portes plainte contre lui et intentes un procès pour l'accident!

— Je ne vous crois pas; il m'aime, je le sais; je le sens. C'est ma perte que vous désirez?

— Tu es égoïste, tu veux tout avoir et tu n'as rien à donner, jeta la femme sèchement.

— Et mon amour! Qu'en faites-vous?

— Bah! Que sais-tu des sentiments, des élans du coeur? Tu offres ton corps, mais ensuite, réfléchis, que restera-t-il lorsque vous serez apaisés, quand vous en aurez assez?

— Cela n'arrivera jamais, assura-t-elle outrée, tremblant à cette perspective.

— Max se fatiguera de toi. Comment comptes-tu capter son intérêt quand cela se produira? Par ton charme gracieux? ironisa-t-elle, blessant la sensibilité de la jeune fille qui ne sut que répondre.

Un silence passa.

— Si tu as besoin d'argent pour t'organiser, je puis t'en donner, reprit la mère de Max. Evidemment, tu ne pourras te payer ce qu'il y a de mieux, mais tu ne risqueras pas de dormir à la belle étoile.

— Je ne veux rien, rien. Laissez-moi seule, insista Lynn déçue, vidée.

— Je sors; ne compte pas cependant continuer à vivre ici. Je m'y opposerai formellement. Max devra choisir, toi ou moi.

Félicia Eden sortit en tirant la porte. Lynn se retourna contre son oreiller, la gorge serrée, le coeur meurtri. Une voix intérieure lui soufflait que cette femme n'avait pas entièrement tort. Qu'était-elle pour s'imposer à ce jeune médecin prometteur, pour revendiquer son amour? Il n'avait fait que suivre son propre engagement et avait cédé à une impulsion qu'il regretterait un jour.

Par contre, si elle parvenait à s'identifier, non seulement découvrirait-elle la cause de ses craintes, mais peut-être y trouverait-elle la liberté? Elle pourrait alors venir vers lui, les mains nettes de tout scrupule.

Oui, il lui fallait aller de l'avant avant de revenir vers lui. Elle se débrouillait maintenant très bien toute seule et pouvait entreprendre sans attendre des recherches la concernant. Elle trouverait bien un emploi quelque part; elle en était certaine. Elle devait partir; sa résolution était prise.

Elle s'assit sur son lit, après avoir pris un bloc et un crayon, et écrivit, sans s'arrêter, les mots qui lui venaient du coeur et d'un débordement de joie à la pensée d'un avenir empli de bonheur.

Lorsqu'elle déposa la lettre, bien en évidence sur le bureau de Maximilien, elle y ajouta une légère caresse de la main, la dernière qu'elle attribuait à son aimé avant de le rejoindre, exorcisée de ce terrifiant passé inconnu.

Elle prit ses bagages et sortit, sans aviser Félicia, sans même un signe, un mot, un bruit, silencieuse et féline comme une chatte chaussée de velours.

À deux coins de rues, elle attendit l'autobus qui ne tarda guère et y monta. Elle alla s'asseoir. Le dernier regard qu'elle lança sur le quartier tranquille lui étreignit les entrailles; une pensée fulgurante l'assaillit, pressante, dominante: jamais elle ne reverrait Maxime; jamais plus elle ne baiserait ses lèvres tendres; jamais plus ses yeux dorés ne la détailleraient, admiratifs!

Elle souleva les épaules avec un petit sourire nerveux, se traitant de pessimiste. Allons donc! Elle reverrait Maximilien et, s'il voulait encore d'elle à son retour...

L'autobus l'emporta au loin, toujours plus loin.

* * *

Rentré de son travail, Maximilien se rendit immédiatement à la chambre de Lynn. Comme elle n'y était pas, et sa mère étant absente également, il alla échanger son habit beige pour un léger pantalon de toile. Ce fut en boutonnant sa chemise qu'il aperçut l'enveloppe adressée à son nom.

Son visage blêmit alors épouvantablement. Après la scène du jour précédent, il redoutait «il ne savait quoi exactement».

Il tendait les doigts vers la missive cachetée qui paraissait brûlante tant il tardait à la saisir. Tendu, le souffle court et rapide, il décacheta l'enveloppe et en tira le feuillet rempli d'une écriture inégale et claire qu'il lut.

Son visage se déridait à mesure qu'il avançait dans sa lecture; il se calmait. En lui sourdait une résignation lancinante. Il avait l'impression que son coeur gelait sur place, que son sang cessait de circuler. Mort! Voilà comment il se sentait! Tout en lui se fermait à la chaleur, il ne revivrait qu'à son retour. Mais reviendrait-elle? Quel serait le monde, le mode de vie qu'elle trouverait?

Max s'avança dans la pièce comme un automate; rien ne l'animait plus. Il se laissa tomber sur son lit, les yeux rivés au plafond, les bras en croix, tenant dans la main tout ce qui restait de Lynn: quelques phrases et une promesse.

Les jours s'écoulaient avec une monotonie accablante; Maximilien agissait par habitude plus souvent qu'autrement. Ses traits durs ne s'adoucissaient ni devant la souffrance morale, ni devant la douleur physique. Il devenait plus intransigeant, plus hargneux à mesure que les mois glissaient les uns derrière les autres, sans apporter de nouvelles de Lynn.

Il dînait un soir avec Irène Devost: une grande et élancée jeune femme à la chevelure abondante et très noire. Il l'avait rencontrée lors d'une conférence donnée par le docteur Thorvaldsen à un groupe de jeunes gens assoiffés de connaissances. Irène avait su l'attirer par sa façon unique de parler en chantant, de ployer légèrement la tête, tel un arbuste secoué par le vent, chaque fois que son rire étudié s'égrenait comme un doux écho. Elle lui coulait des regards languissants tout en mâchonnant langoureusement son repas. Un vrai mannequin, pensait Maximilien ennuyé, tant par sa beauté plastique que par le vide de sa présence.

— On demande le docteur Eden au téléphone, répétait inlassablement un jeune chasseur.

Max lui fit signe en s'asséchant les lèvres à la serviette de table blanche.

On lui apporta l'appareil, le brancha et il prit la communication. C'était une infirmière qui le réclamait d'urgence.

— Je viens immédiatement, dit-il en terminant.

Il raccrocha l'acoustique et le groom qui attendait un peu à l'écart remporta l'appareil. Maximilien se leva en s'excusant auprès d'Irène.

— Encore! s'exclama cette dernière, teintant sa voix traînante, d'amertume. Voilà la troisième fois en deux semaines que vous me faites «faux bond»!

— Je suis médecin, répliqua l'autre sèchement. Il faudra vous y habituer si vous tenez à me revoir.

Irène s'adoucit et se leva à son tour, un sourire complaisant ourlant sa bouche rouge.

— Très bien, mon cher ami. Je me soumets à vos désirs.

Max posa l'écharpe de laine blanche sur les épaules nues d'Irène et la suivit vers la sortie. La longue robe de soie vert émeraude qu'elle portait ondoyait à chacun de ses mouvements et Max se demanda pourquoi une femme aussi séduisante et mondaine s'obstinait à rechercher sa compagnie alors qu'il ne se montrait pas tellement aimable avec elle, tout au plus courtois.

En passant devant la glace où s'était arrêtée Irène, il aperçut son reflet et comprit. Était-ce bien là l'image qu'il projetait? Il se souciait fort peu de ce qu'il appelait des détails: son allure, sa physionomie... En autant qu'il se savait bien mis, propre et convenable, il n'accordait pas d'importance à l'ensemble. La vision de lui-même que percevaient les gens le surprit.

Dans cet habit sombre et élégant, sa haute silhouette mince aux épaules arrogantes attirait certes l'attention, mais plus encore, le visage épouvantablement fermé, le regard revêche, la bouche dure et le menton relevé hargneusement comme défiant le monde entier. Oui, une femme pouvait être attirée par cet étrange garçon dont l'attitude agressive soulignait une force intérieure puissante parfaitement maîtrisée; elle pouvait désirer être dominée par lui, subjuguée par son apparence hostile.

Irène finissait de replacer une boucle rebelle qui déguisait son savant chignon et Max lui emboîta le pas.

Après l'avoir laissée chez-elle, il se hâta vers l'hôpital; on devait déjà l'attendre et le cas semblait grave.

— Enfin, vous voilà, docteur Eden! s'écria l'infirmière en le voyant sortir de l'ascenseur.

Elle venait vers lui en gesticulant.

— Le docteur Thorvaldsen a déjà commencé l'intervention et vous réclame sans arrêt depuis une demi-heure.

— Qui est le second médecin? questionna Maximilien avant de passer dans le vestiaire où il devait endosser son uniforme vert.

— Le docteur Milland est là; Martin Régent également.

— Allez prévenir Hingüe que je suis arrivé.

— Oui docteur, tout de suite.

La jeune fille disparut tandis qu'il allait se changer.

Dès qu'il entra dans la salle, Martin se dirigea vers lui et eut un geste de soulagement.

— Heureusement, vous voici docteur! Je n'ai jamais vu Hingüe Thorvaldsen aussi nerveux.

— Comment se présente le cas?

— Tentative de meurtre à mon avis. Trois balles, une dans la poitrine qui n'a atteint ni le coeur ni les poumons, mais tout juste, une seconde à l'hypocondre gauche qui n'a touché aucun organe, ayant glissé sur l'os du bassin ce qui a protégé l'intestin, et la troisième entre le cou et l'épaule qui heureusement n'a pas tranché la jugulaire gauche. Tout compte fait, elle a eu de la chance! On visait sans doute le coeur. Thorvaldsen a ouvert et tente de retirer la première balle, mais ses mains tremblent... et il refuse de laisser la place à Milland.

Maximilien se tourna vers lui, ajustant son bonnet vert, l'oeil incrédule.

— C'est vrai, docteur. Voyez-vous, il s'agit de cette jeune fille que vous aviez amenée.

— Lynn! s'exclama Max, le coeur battant.

— Oui. Je crois qu'ils étaient très unis, elle et lui. Il la considérait comme sa propre fille, vous le savez?

Bien sûr qu'il le savait; Hingüe adorait Lynn. Lynn! Revenait-elle vers lui après tant de mois? Un assassinat! On avait voulu la tuer! Pourquoi? Allait-elle mourir maintenant qu'elle était à ses côtés? Il fallait la guérir; il devait réussir à tout prix.

La table éclairée lui fit l'effet d'un tombeau. Hingüe soupira en le voyant et lui décocha un regard suppliant:

— Sauve-la Max. Sauve-la, insista-t-il.

Son subordonné lui fit un signe affirmatif; il le désirait lui-même de toute son âme et s'y employa dès que Hingüe lui céda la place.

L'opération s'avéra longue et ardue; ces morceaux de plomb pouvaient causer la mort de Lynn! Il se devait d'oublier qu'il s'agissait de sa bien-aimée, afin de garder la tête froide et l'esprit clair. Ses mains sûres, ses mouvements précis rassurèrent Hingüe dès le début.

Maximilien craignait à chaque instant que le souffle irrégulier qui gonflait le ballon s'arrêtât. Il entendait et se tournait souvent vers le cardioscope.

Ses demandes brèves se succédaient rapidement: «Pinces! Ecarteurs! Ciseaux! Bistouri! Eponges! Tampons!»

Durant deux heures, ces mots et paroles rituels se répétèrent; Lynn tenait bon. Max l'avait débarrassée de deux des balles et avait incisé une étroite entaille le long du cou. Comme l'avait dit Martin, la jugulaire n'était pas touchée mais il serait difficile de retirer le projectile; au moment de l'attentat, elle avait dû tourner la tête pour que la balle aille ainsi se loger à environ huit centimètres en haut de la clavicule.

— La fréquence cardiaque diminue, avisa une jeune infirmière.

— Tension?

— Elle est en baisse, quatre-vingt sur quarante.

Max reprit son travail et quelques secondes seulement s'écoulèrent avant que l'infirmière annonce brusquement:

— Arrêt cardiaque!

Max sursauta.

— Massage cardiaque, cria-t-il à l'intention de son supérieur.

Hingüe posa les mains sur la poitrine de Lynn. Tendu, oppressé, il n'appliqua pas toute la pression nécessaire.

Max leva la tête vers le docteur Thorvaldsen, figé comme une statue de cire, le visage blême.

— Grand dieux! vociféra Maximilien à son intention. Hingüe! Réveillez-vous.

Comme l'autre demeurait immobile, il prit d'autorité la direction des opérations et procéda au massage.

— Adrénaline! cria encore Max.

On lui apporta la seringue dont il enfonça la longue aiguille dans le coeur de Lynn avant de reprendre le massage. Enfin en dernier recours, on lui passa les électrodes afin qu'il applique un électrochoc à la jeune fille.

Le silence oppressant faisait couler une sueur lourde au front de Hingüe et lorsque le cardioscope fit à nouveau entendre les battements du coeur, il reprit ses sens et regarda Max qui venait de redonner la vie à sa chère «enfant». Il se sentait incapable de poursuivre.

— Milland! Remplacez-moi, demanda Hingüe en se retirant un peu à l'écart.

L'autre s'approcha et enfin, Maximilien put poursuivre l'intervention.

— Épongez, demanda-t-il après quelques minutes.

— Elle tient le coup, annonça l'infirmier.

Max avait enfin atteint le corps étranger et le retirait doucement afin de n'endommager aucun autre tissu.

— La voilà, dit-il en regardant la petite boule de plomb qu'il déposa sur le plateau.

L'opération se termina quelques instants plus tard.

— Recousez Milland, voulez-vous.

Il sortit, suivi de Hingüe, retira ses gants et son tablier tachés de sang, puis il se retourna d'un mouvement brusque vers l'autre.

— Que s'est-il passé? questionna-t-il durement.

Hingüe secoua la tête en passant une main moite sur son front.

— J'ai failli la tuer! s'exclama-t-il d'une voix rauque. J'ai failli la tuer!

— Allons donc! Nous étions là pour vous aider, se radoucit Max devant l'évident chagrin de Hingüe. Il s'agissait seulement de nous avertir que vous n'en aviez pas la force.

Hingüe releva la tête en la hochant:

— Oui, et c'est terrible, n'est-ce pas? Vous avez le droit d'en parler au conseil disciplinaire, vous le savez Max?

— Je n'en ferai rien; je comprends par trop vos raisons et je pense que vous vous tourmentez déjà bien assez.

— Oui. Je vais veiller sur elle jusqu'à ce que je sois certain qu'elle s'en tire.

— Inutile, je devais y aller moi-même. Vous êtes fatigué, Hingüe. Vous êtes debout depuis l'aube, allez vous reposer. Je vous préviendrai s'il se passe quelque chose de nouveau.

— Je suppose que vous avez raison. Vous serez plus en mesure de veiller sur elle que moi, Max. Je risquerais de me pétrifier sur place, une fois de plus.

L'homme parti, Max se rendit auprès de Lynn qu'on avait transportée aux soins intensifs et remercia l'infirmière qui s'éloigna un peu.

Il s'assit et le passé resurgit dans sa mémoire. Lynn était là; elle était revenue... Il ne la laisserait plus partir maintenant; il avait trop souffert de son absence.

Il ne la quitta pas de la nuit, surveillant minute après minute, sa respiration, son pouls, sa tension. Les heures lui parurent interminables, mais chaque seconde qui la gardait vivante augmentait ses chances de survie.

Au matin, il avait avalé le contenu d'au moins une douzaine de tasses de café et fait, infatigablement, les cent pas. Une pousse de barbe claire aggravait ses yeux inquisiteurs et marquait l'ourlet de sa lèvre inférieure. Il regardait, par la persienne entrouverte, les quelques travailleurs qui entraient ou sortaient de l'hôpital quand un gémissement le fit se détourner.

En trois bonds, il fut auprès du lit, penché vers le corps menu qui refaisait surface après ces longues heures. Elle ouvrit difficilement les yeux, tâchant de fixer l'être qui s'inclinait sur elle. L'image s'ajusta et le regard attendri de l'homme la rassura:

— Qui êtes-vous? demanda-t-elle avec peine, d'une voix chuchotante et cassée.

Il eut un rictus amer qui déforma ses lèvres.

— C'est moi, Max, dit-il en baissant la tête.

Elle rouvrit les yeux qu'elle refermait souvent, épuisée qu'elle était et ayant de la difficulté à stabiliser ses pensées.

— Max! répéta-t-elle faiblement. Je ne me souviens d'aucun Max.

— Je suis médecin. Vous êtes à l'hôpital. Tâchez de ne pas vous exciter, le choc a été très dur, conseilla-t-il tristement.

— Ils ne m'ont pas tuée! rit-elle doucement avant de laisser échapper un bref cri de douleur.

— Ils ont bien failli, souligna Max. Pourquoi veut-on vous tuer?

— Je suis fatiguée, se plaignit-elle sans répondre.

— Dormez, vous en avez besoin; je reste là.

Lynn sombra dans un profond sommeil réparateur. Maximilien refusait d'analyser les instants précédents: Lynn ne l'avait pas reconnu, mais les médicaments et le choc violent devaient y être pour quelque chose. Quand elle s'éveillerait à nouveau, le doute s'enfuierait, Lynn jetterait les bras autour de son cou et lui murmurerait de douces paroles.

Hingüe vint prendre la relève à neuf heures; il avait meilleure mine et s'était déjà informé de l'état de la blessée auprès de l'infirmière.

— Vous avez fait du beau travail Max; j'en suis fier et reconnaissant.

Maximilien ne releva pas les sous-entendus de cette phrase et pinça les lèvres.

— A moins de complications, elle est hors de danger et dort paisiblement.

— Vous êtes éreinté, mon cher ami, chuchotait Hingüe Thorvaldsen en étreignant fortement l'épaule musclée du jeune homme. Allez vous reposer à votre tour.

Max pivota vers Lynn. Elle sommeillerait certainement une partie de la journée et il avait besoin de se détendre.

— Très bien. Je passerai la voir au courant de l'après-midi ou de la soirée. Appelez-moi si vous notez une fièvre ou une tension anormale.

— Oui, je vous préviendrai, ne vous inquiétez pas.

Max opina de la tête et sortit lentement. Il se sentait las, terrassé; il préférait ne pas penser à ces mots qui le tourmentaient: «Je ne me souviens d'aucun Max». Il aurait voulu voir fuir le temps, être déjà revenu auprès d'elle, la prendre dans ses bras, la bercer contre lui, savoir qu'elle l'aimait toujours...

Il se coucha sur son lit, dépliant le feuillet qu'il venait de retirer de son portefeuille et relut les lignes que Lynn avait tracées si attentivement.

Le sommeil le surprit comme il terminait pour la Xième fois, la lecture de cette lettre d'adieu et d'espoir.

Alors qu'écrasé de fatigue, Maximilien filait d'un repos sans rêve, vers la fin de la journée, Lynn refaisait surface pour la seconde fois.

La nuit glissait sur la clarté, assombrissant la petite pièce où le souffle régulier de la jeune fille se rompit. Hingüe se leva, caressant du regard le doux visage au teint lumineux.

— Êtes-vous Max? questionna-t-elle, le prénom demeuré sur ses lèvres.

— Non, voyons, je suis Hingüe. Max se repose; il en a bien besoin. Comment te sens-tu?

Le tutoiement la surprit, mais elle ne scilla pas.

— Bien je pense, mais c'est à vous de me le dire; c'est bien vous le médecin? dit-elle faiblement.

Il rit, amusé, détendu de la voir si en forme après cette nuit épouvantable.

— Tu t'en tireras, assura-t-il heureux en tapotant la main pâle.

— Est-ce que... Est-ce que ma jambe est cassée? questionna-t-elle nerveusement.

— Ta jambe? s'exclama-t-il étonné. Ils t'ont visée au coeur, mon chou.

— Que racontez-vous? Visée! Ils m'ont battue et m'ont jetée en bas du camion; sans doute me croyaient-ils déjà morte, soupira-t-elle.

— Battue! Voyons Lynn, tu...

— Vous me connaissez? interrogea-t-elle, stupéfaite.

Hingüe se releva en la scrutant profondément, une pensée soudaine s'imposant à lui.

— Et toi? M'as-tu déjà vu?

— Pas que je sache.

— Quel est ton nom? demanda encore le médecin, estimant que la réponse à cette question confirmerait ses soupçons.

— Hé bien! Je puis vous le dire, mais «ils» ne devront pas savoir que je suis seulement blessée, sinon, ils reviendront.

Hingüe l'assura qu'il n'en divulguerait rien et Lynn prit une expression méfiante.

— Je m'appelle... Evelyne Baxter-Jones.

— La fille de...

— Oui, de John Baxter-Jones, confirma-t-elle avec une grimace méprisante. Vous le connaissez, bien sûr?

— Pas personnellement; j'en ai entendu parler, comme tout le monde.

— Qui donc ignorerait ce riche industriel qui fait de la politique et se permet de faire la morale aux autres? ricana-t-elle méchamment, un rictus de douleur déformant ses traits enfantins.

— On en dit beaucoup de bien.

— Bah! Laissons cela et exposez-moi dans quel état je suis, ordonna-t-elle simplement.

— Il ne faut pas t'exciter d'abord; tu as besoin de calme, expliqua-t-il, renonçant à la vouvoyer. Tu n'es pas tout à fait hors de danger, mais à moins de complications sérieuses, tu devrais être sur pied dans quelques semaines.

— Et mes côtes?

— Tes côtes!

— Oui, ils m'ont rouée à coup de bottes dans les côtes, ces salauds! gémit-elle. De plus, je croyais que ma jambe serait cassée, mais vous dites...

Elle voulut la désigner mais son bras gauche était rigide.

— Qu'ai-je au bras? Je n'arrive pas à le plier!

— Ainsi, tu ne te souviens de rien! dit-il en secouant la tête pour lui-même.

— De quoi «de rien»? sursauta-t-elle en saisissant ces mots. Je sais que ces bandits veulent me faire taire pour toujours; à quoi bon puisque je n'ai pas l'intention de parler! Seulement... ils ne me croient pas. Quant à vous, reprit-elle, lasse, il est exact que je n'ai pas souvenance de vous avoir rencontré.

— Et Maximilien?

— L'autre médecin? Je l'ai vu ce matin, pourquoi?

Que se passe-t-il à la fin? s'impatienta-t-elle. Dites-le moi, je veux savoir.

— Du calme, jeune fille, l'apaisa Hingüe. Tu es encore très faible.

— Aucune importance, chassa-t-elle de la main. Il y a trop de choses insolites pour que je puisse demeurer impassible. Vous me parlez de «viser», vous me connaissez, et l'autre me dit «C'est Max», comme si je savais qui il est. Expliquez-moi... insista-t-elle, à bout de nerfs.

Pour la tranquilliser, Hingüe décida de lui avouer la vérité.

— Sais-tu quelle date nous sommes?

— En mai, répliqua-t-elle évasivement.

— Nous sommes en avril. Près d'un an s'est écoulé depuis qu'on t'a molestée.

— Que dites-vous? Je ne vous crois pas; vous êtes de mèche avec eux, se fâcha-t-elle en tentant de se lever.

— Ne bouge pas Lynn, cria-t-il en se hâtant pour la retenir. Je ne dirai plus rien, calme-toi. Nous en reparlerons plus tard.

— Comment le pourrais-je, alors que vous me laissez entendre qu'il pourrait y avoir un béant trou de mémoire dans ma vie?

— N'oublie pas ce que je vais te dire, mon petit. Quoiqu'il arrive, je suis ton ami et je t'aiderai, n'importe quand, n'importe où. Compte sur moi en tout et pour tout.

— Je ne comprends pas. Pourquoi feriez-vous quelque chose pour moi?

— Nous en rediscuterons plus tard, quand tu iras mieux.

— Très bien, je me fie à vous. Promettez-moi de garder le silence sur ce que je viens de dire...

Hingüe hésita longtemps.

— Entendu. Toutefois Max s'apercevra que tu nous as oubliés; il t'a connue aussi, comme moi, durant un certain temps.

— Comment cela?

— À cause de ta jambe et de ton bras; c'est moi qui t'ai opérée à ce moment-là, ici, à ce même hôpital.

— Je vois. En effet, ce serait difficile de le lui cacher, à moins que je joue la comédie, chose qui me répugne et, même alors, s'il faisait référence à un souvenir commun, il me serait impossible de feindre. Je verrai ce que je dois faire ou dire quand il sera sur place, souffla-t-elle sans voix.

— Quel ogre je suis, ma pauvre petite fille! Je suis là à te tenir une grande conversation alors que tu sors à peine de la salle d'opération. Je manque à tous mes devoirs de médecin; je te laisse dormir, mon petit. Repose-toi; je veille sur toi.

Ce médecin respectable aux cheveux saupoudrés de sel lui inspirait confiance. Son allure calme et sa douceur la rassuraient. Evelyne se rendormit.

Un bruit de voix la tira du sommeil. Son ami chuchotait légèrement et le timbre assuré et bas de l'autre l'inquiéta. Dans la pénombre, elle ne distinguait que sa haute stature et le ton impersonnel. Etait-ce Max? Si oui, il serait sûrement difficile d'obtenir de lui le silence sur ce qu'elle était et sur ce qui lui arrivait; elle devait donc le tenir à l'écart le plus possible.

Une douleur lui déchira l'abdomen; sa plainte se répercuta contre les murs sombres et aussitôt les deux hommes vinrent à elle.

Le plus jeune posa son stétoscope sur ses oreilles, puis sur le coeur de Lynn. Il prit le pouls, la température, la tension, palpa doucement le ventre, examina les pansements et la laissa enfin.

— Comment vous sentez-vous? posa-t-il avec froideur.

— Mal, gémit-elle en respirant bruyamment.

— Vous êtes hors de danger; nous allons vous descendre dans une autre chambre, poursuivit-il en la faisant se retourner un peu. Ceci vous aidera à dormir, dit-il en lui administrant une dose de sédatif. Dans quelques minutes vous ne sentirez plus la douleur. Je passerai vous voir dans la matinée.

Déjà, il refermait la fiche et, sans lui accorder plus d'attention qu'à n'importe quel autre malade, il partait. Dès que la porte se fut refermée sur lui, Evelyne soupira d'aise.

— Quel ours! Heureusement que les médecins ne sont pas tous comme lui dans cet hôpital. Quel est votre nom, docteur?

— Hingüe Thorvaldsen.

— Vous êtes beaucoup plus gentil que lui. Son attitude m'ennuie terriblement, comment pourrai-je lui expliquer...

— Ne t'en fais pas; je lui ai déjà parlé, sans entrer dans les détails, bien sûr. Nous avons discuté de ton cas en termes techniques uniquement. Il a compris. Nous sommes tenus par le secret professionnel de toute façon.

— Oui, mais votre personnel?

— Eux aussi, répliqua-t-il en souriant.

— Je ne leur accorde qu'une confiance bien limitée.

Sa voix se teinta de lassitude, le sédatif faisait effet. Hingüe la quitta.

Maximilien monta dans sa voiture. Où irait-il maintenant? Il avait décommandé Irène, ayant prévu passer la soirée au chevet de Lynn, à répéter des serments, à boire à ses lèvres, à la manger des yeux; au lieu de cela, le destin le blessait cruellement. Alors qu'il s'apprêtait à ouvrir les bras au bonheur, Hingüe lui apprenait que ce second choc avait fait retrouver la mémoire à la jeune fille mais, qu'hélas, les mois de transition amnésique s'étaient probablement, irrémédiablement égarés dans son subconscient, engloutis par le temps et les épreuves.

Il perdait Lynn à nouveau et à jamais; l'univers s'écroulait autour de lui à l'instant où il croyait le saisir.

Max venait voir Lynn presque chaque jour, se limitant strictement au point de vue médical. Il la sentait nerveuse lorsqu'il arrivait. Parfois, il l'entendait rire avec Hingüe et quand sa longue silhouette s'encadrait dans la porte, le jeune visage pâlissait et se figeait d'angoisse. Que craignait-elle donc de lui? Que lui avait raconté Hingüe?

Le docteur Thorvaldsen, en dehors de son travail, passait de longues heures en compagnie de la jeune fille. Elle lui narrait ainsi que ses parents avaient divorcé alors qu'elle était encore enfant. Elle haïssait son père qui s'était remarié et dont la nouvelle épouse avait donné naissance à une demi-soeur qu'elle ignorait; quant à sa mère, elle vivait seule dans l'immense demeure de Westmount, affairée par ses toilettes et ses nombreuses sorties et n'ayant pas de temps à consacrer à sa progéniture.

Evelyne avait végété entre les murs vides de sa maison et les rues où couraient les jeunes fripons du quartier.

À treize ans, elle ne doutait plus que la vie fut un enfer semé d'embûches et décidait d'en tirer le meilleur parti possible. D'une aventure à une autre, sans cesse insatisfaite et davantage meurtrie, elle avait échoué entre les bras d'un jeune homme qui avait, pour son malheur, un frère aîné. Ce frère appartenait à la partie crasseuse de la petite pègre, celle qui accomplit les sales besognes pour quelques magnats. Adorateur faible et soumis, Hervé accepta de céder à son frère, Richard, surnommé le «rouquin», la blonde jeune fille que ce dernier convoitait. Hélas! Evelyne ne lui trouvait aucun charme; l'allure barbare et sournoise du Rouquin lui déplaisait et elle se refusa.

Progressivement, Ricky avait intégré son cadet et sa petite amie à ses occupations malhonnêtes. Ils servirent d'abord d'informateurs; Ricky, par le truchement d'Hervé, se servait de la beauté candide et du visage innocent d'Evelyne pour tirer les confidences de riches industriels, de directeurs de compagnies, de recherchistes en laboratoires. Elle s'y adonnait sans remords, sans même réfléchir aux conséquences de ses actes qui conduisaient au vol.

Jamais elle ne participa à la prise, mais on tirait grâce à elle, tous les renseignements nécessaires. Avec le temps, elle se perfectionna et il lui devint relativement aisé de s'introduire dans la vie privée des gens, de les faire parler, de saisir leurs secrets entre deux mots... L'engrenage ne la laissait libre que lorsqu'elle fuyait loin d'Hervé et de son frère. Alors, le dégoût de ses gestes la remplissait de désespoir, du mépris de soi...

Elle avait, un soir, surpris une conversation, devenant ainsi une menace pour la bande. Ricky disait: «Je n'ai pas pu l'éviter, ce salaud m'avait vu et aurait averti les «flics», j'ai dû le descendre.»

Découvrant soudain Evelyne attirée par leurs propos, le Rouquin l'avait saisie par le bras comme elle tentait de fuir.

— Où donc courais-tu comme cela? demanda-t-il durement.

— Je ne veux plus faire ce sale boulot; je pars. J'ai horreur des meurtres et des meurtriers...

Ricky la tirait par le bras et l'entraînait.

— Trop tard ma belle. J'ai toujours craint que tu changes d'idée, mais on ne quitte pas la bande ainsi.

— Tu me dégoûtes, et tes copains aussi. Laisse-moi.

— Que crois-tu? Tous les autres t'ont eue et pas moi. Tu fais la mijaurée quand il s'agit de moi, mais n'importe quel amant fait ton affaire. Crois-tu donc que je ne sois pas au courant de ta nouvelle flamme?

— Lui ou un autre, quelle importance? En autant que ce ne sera pas toi... lança-t-elle dédaigneuse.

— Espèce de vermine! Tu me paieras cela. Venez m'aider, vous autres.

Ils l'entraînèrent et, comme elle se débattait pour tenter de leur échapper, ils la rouèrent de coups, la battirent et l'abandonnèrent pour morte dans un coin éloigné.

Ils avaient dû être surpris de la retrouver vivante, un an plus tard, et, sans hésitation, avaient tenté de la faire taire pour toujours.

— Que comptes-tu faire pour leur échapper? questionna Hingüe.

Elle souleva ses fragiles épaules en signe d'impuissance.

— Ils m'ont déjà retrouvée une fois...

Elle plissa son joli petit nez avant d'ajouter:

— Il y a une chose que je ne comprends pas: il y a tant d'hôpitaux dans cette ville, comment se fait-il que je me sois retrouvée ici les deux fois? La bande travaille relativement loin d'ici; ce coin ne les intéresse pas, il n'y a pratiquement rien à tirer pour eux par ici.

— Peut-être n'as-tu pas quitté les alentours, expliqua Hingüe. L'un d'eux t'a sans doute reconnue en passant et a avisé ses complices. Tu ne t'en souviens pas, mais la police t'effrayait terriblement lorsque tu étais amnésique. Tu nous avais défendu de faire appel à eux pour retracer ton passé.

Elle eut un sourire léger:

— Comme quoi il reste toujours une parcelle de clarté au fond de soi.

Elle pencha la tête un instant, ses yeux gris emplis de tristesse.

— J'aimerais qu'il en fut ainsi pour les mois écoulés. Hélas! mon cher docteur, même si gentil que vous fussiez et êtes encore pour moi, je n'ai aucun souvenir de vous. Je n'ai même pas l'impression de vous connaître depuis toujours, termina-t-elle d'un air navré.

— Et Max? Vous est-il familier?

— Non. Avec son caractère froid et ses manières bourrues, il n'avait aucune chance que je le remarque. Ce genre d'homme me répugne.

La porte se refermant leur fit dresser la tête; Maximilien se tenait droit et les dévisageait calmement. Evelyne rougit: le médecin avait-il entendu ses dernières paroles? Si oui, il risquait de se montrer encore plus dur et intraitable. Lorsqu'il tendit la main vers elle pour saisir son poignet dans un mouvement vif, elle recula, stupéfaite de s'apercevoir qu'elle avait craint qu'il ne la frappe.

Le jeune homme surpris se redressa et fronça les sourcils.

— Qu'avez-vous? Quelque chose ne va pas? interrogea-t-il en se tournant vers Hingüe.

— Ne soyez pas trop sévère avec elle, Max; elle en a connu de pas bien drôles, vous savez.

— Justement non, je l'ignore, riposta-t-il en fixant Hingüe qui lui ravissait l'affection de sa chère Lynn.

L'autre eut un mouvement de la main, signifiant qu'il ne désirait pas poursuivre cette conversation plus avant. Il s'adressa à Evelyne, gentiment:

— Je reviendrai cet après-midi, mon petit.

Evelyne approuva de la tête, quoiqu'elle eut préféré ne pas rester seule avec Max. Lorsque Hingüe eut disparu, elle leva les yeux vers l'homme qui la scrutait de façon directe et profonde.

— Je suis venu vous signifier votre congé, lança-t-il. Encore faut-il que je sache si votre état s'améliore toujours!

Elle lui tendit son poignet, quelque peu craintive, mais comprenant qu'il n'y avait aucun moyen de l'éviter.

Maximilien se détendit: qu'elle ne puisse le souffrir, comme au début de leur aventure, l'amusait presque. Si seulement il avait pu voir dans le futur qu'elle l'aimerait follement, comme dans ce passé encore récent!

Lorsqu'il prit son crayon pour annoter la fiche de la jeune fille, il parla sans lever les yeux du cartable.

— C'est bon, vous êtes libre. Il faudra revenir me voir tous les quinze jours pendant quelque temps, ensuite, ce sera tout.

Elle le suivit du regard jusqu'à la sortie. Comme il paraissait prétentieux et sûr de lui! Heureusement, elle ne le verrait bientôt plus.

Que ferait-elle une fois dehors? Ricky surveillait sûrement les journaux dans l'espérance de son décès, mais Hingüe s'était occupé d'étouffer l'affaire avec un policier de ses amis. Retourner auprès d'Hervé lui serait fatal, d'autant que la mollesse du garçon lui déplaisait.

Elle désirait moins encore vivre auprès de sa mère en assistant à sa déchéance, profitant de ses largesses...

Elle connaissait bien un homme qui aurait tout quitté pour elle, un homme dont elle n'avait pas parlé à Hingüe, un garçon qu'elle aimait bien, mais dont la jalousie la brimait. Aussi ne pouvait-elle se résoudre à céder à ses exigences. Certes, il était un merveilleux amant, le meilleur qu'elle eut connu et, même si elle le considérait comme un ami, son affection pour lui ne dépassait pas le stade que lui même avait surpassé. La passion aveugle qu'il lui vouait lui faisait oublier tout le reste; par conséquent, il avait dû beaucoup souffrir de son absence prolongée, bien qu'il fut habitué à ses escapades fréquentes.

Elle devait rester près de l'hôpital afin de pouvoir rendre visite à son exigeant médecin et elle estimait que la simplicité chaleureuse de Hingüe lui serait un bienfait, d'autant plus qu'il lui avait parlé d'opérations pouvant lui permettre de se servir à nouveau de ses membres normalement.

Hingüe à qui elle fit ses confidences découvrit une petite pension sans grande prétention où le mobilier désuet et crasseux fit grimacer Evelyne.

— Ce n'est que pour une ou deux journées; le temps de trouver quelque chose à ta convenance.

— Non, docteur Thorvaldsen, vous êtes bien gentil, mais je ne peux me résoudre à habiter cette chambre fanée et malpropre.

— Très bien, tâchons de trouver autre chose. Je dois aller à l'hôpital pour dix-huit heures; il ne reste donc qu'une heure et demie.

— Je savais que vous comprendriez; vous êtes un amour, mon cher docteur.

— Hingüe! Appelle-moi Hingüe, Evelyne! Tu me feras plaisir, dit-il doucement en tapotant ses deux mains blanches alors qu'il conduisait sa voiture.

— Très bien alors. Hingüe! vous êtes un amour! s'exclama-t-elle avec un enthousiasme qui les fit rire tous les deux.

Ils cherchèrent un appartement, mais il y avait toujours quelque chose qui n'allait pas: trop de marches à escalader avec sa jambe raide et son peu de force; les pièces étaient sales ou cohabitées par une seconde personne; le local était un demi sous-sol et Evelyne assurait ne pouvoir y habiter, craignant d'être enfermée, souffrant de claustrophobie; si bien qu'à la fin, ils ne trouvèrent rien d'intéressant.

Assise dans l'auto, près de Hingüe qui gardait les deux mains sur le volant tout en la regardant, Evelyne se sentait épuisée.

— Hé bien! Que faisons-nous? Je te ramène à cette première chambre crasseuse ou je te dépose dans un hôtel?

Elle soupira, exténuée et impuissante.

— Je préfère l'hôtel, bien que Ricky ait plus de chances de m'y retracer.

Son ton d'abdication frappa Hingüe.

— Tu n'aurais pas dû tant te fatiguer le premier jour, tu es à bout mon petit, il te faudrait du repos. Je te proposerais bien ma maison, puisque je serai absent toute la nuit, mais je vis seul et les gens auront tôt fait de jaser, de faire certaines associations, et...

— Est-ce pour ma réputation ou pour la vôtre que vous craignez?

— Mon petit, ma réputation m'importe peu; c'est à toi que je songe.

— Personne ne s'en est jamais soucié, pas même moi. Mon cher ami, je ne vous ai pas caché quelle vie j'ai menée jusqu'ici.

— Tu accepterais donc?

— Pour cette nuit! Je crois que nulle part ailleurs je ne me sentirais autant en sécurité, et puis, je suis fourbue. Je vous en serais reconnaissante, Hingüe.

— Ce sera une joie et un honneur de te recevoir

chez-moi, ma douce enfant, et ne parle pas de reconnaissance, c'est moi qui te dois tout.

Elle secoua la tête en riant.

— Décidément Hingüe, vous êtes vraiment un être merveilleux.

* * *

D'une nuit à une semaine, le temps passa limpide, heureux; Hingüe s'apercevait que d'avoir avec lui cette remarquable jeune fille le rajeunissait, lui donnait des ailes et un immense bonheur. Rien que de la voir claudiquer en préparant le déjeûner suffisait à remplir sa journée de tendresse et d'amour. Lynn ne parlait pas de partir et Hingüe se comptait chanceux que la seule personne qu'il ait jamais adorée vive sous son toit. Jamais il n'osait la moindre familiarité avec elle; il ne se le serait pas permis.

Max le croisa, un matin, dans le couloir de l'hôpital et l'arrêta:

— Avez-vous des nouvelles de la jeune Baxter-Jones?

— D'Evelyne? Pourquoi?

— Elle avait un rendez-vous hier matin et ne s'est pas présentée.

— Elle va parfaitement bien et se remet rapidement. Elle est un peu butée et refuse de vous voir Max; il ne faut pas lui en vouloir. Je ne crois pas que vous ayez jamais été très amis tous les deux et vous avez réparé tous les torts causés en lui sauvant la vie, le reste me regarde. J'ai l'intention de lui faire subir une intervention dès qu'elle sera en mesure de la supporter.

— Elle est encore ma patiente et je tiens à la surveiller. Pouvez-vous le lui dire?

— Très bien Max, je la préviendrai, mais ne comptez pas trop sur sa présence.

Maximilien s'éloigna, déçu. Il avait escompté poursuivre la guérison de Lynn malgré elle, mais voilà que Hingüe semblait s'interposer et prendre parti.

Pourtant le docteur Thorvaldsen répéta le message de son compagnon presque mot pour mot. Evelyne souleva les épaules en continuant de mettre la table.

— Pourquoi irais-je le voir? Vous êtes médecin et je suis en pleine forme, vous me l'avez dit.

— Oui, mais c'est Max qui t'a sauvée; c'est lui qui sait si tout est correct dans ton cas. Connaissant son intégrité, je pense qu'il désire juger par lui-même; il ne peut pas se contenter de le savoir.

— Il devra s'en contenter, car je n'irai pas.

— Cela lui ferait plaisir!

— Peut-être, mais pas à moi. De plus, si vous insistez, je partirai et j'en éprouverais beaucoup de chagrin. Je suis bien ici et je crois que vous-même n'en êtes pas mécontent.

— Certes non, s'exclama Hingüe vivement. Tu sais que je suis heureux depuis que tu es là.

Evelyne s'approcha de lui et lui parla avec douceur en posant la main sur son bras.

— Je me rends bien compte de tout ce que vous faites pour moi, des embarras que je vous crée, mais je me sens tellement en sécurité près de vous! Je vous rembourserai tout, bientôt; j'ai de l'argent, mais je n'ose le retirer de crainte que la bande...

— Je n'en suis pas à un sou près; ma profession me permet de vivre très confortablement et très largement même. Ne te soucie surtout pas de me rembourser, mon petit; ta présence à mes côtés m'est beaucoup plus précieuse. Je m'aperçois comme je suis seul; je n'ai même pas de famille, aucun fils pour perpétuer mon nom, pas d'épouse pour se pencher sur mes joies et peines, sur ma vieillesse...

Il avança une main pour caresser la joue rose et duvetée; son bras retomba lourdement.

— Jamais je ne m'étais aperçu de la solitude effrayante qui m'entoure... Je ne suis qu'un vieux fou! souffla-t-il.

— Oh non! Hingüe, ne dites pas cela; vous êtes si gentil, si bon; tout le monde vous aime et vous estime...

— Oui, l'amitié, l'estime, le respect, voilà tout ce à quoi j'ai droit. Quand je mourrai, personne ne me pleurera; mes confrères diront simplement: «Dommage, c'était un bon médecin», mais je serai vite remplacé et vite oublié.

— Ne parlez pas ainsi, Hingüe, vous vous torturez et vous me faites de la peine. Je ne peux pas vous voir souffrir, je vous suis trop attachée pour cela.

Le visage qu'il tendait vers elle se peignait tant d'inquiétude et de douleur qu'elle ne pouvait rester indifférente. Elle s'approcha de lui, émue, perplexe devant ce chagrin qu'elle voyait sourdre dans l'âme de cet homme solide.

— Hingüe, je voudrais vous aider; que puis-je faire? Je n'aurais pas dû venir ici...

— Evelyne, tu m'ouvres les yeux après tant d'années, ne regrette rien. Grâce à toi, je connais d'autres espérances que la guérison de mes patients, d'autres joies que de les soigner. J'ai vécu dans une complète abnégation et je me retrouve aujourd'hui, trop âgé pour jouir de l'existence, pour me battre, pour rêver...

— Vous battre! Pourquoi? Pour qui? Pas pour moi?

— Toi aussi tu trouverais cela ridicule, n'est-ce pas?

— Pas ridicule, surprenant tout au plus, affirmat-elle gentiment.

— À cause de mon âge?

— Pas surtout pour cela, vous êtes un médecin très important, très influent. Qui suis-je, moi? Une délinquante, une voleuse — de renseignements sans doute, mais aussi coupable que les autres, plus peut-être car je viole des secrets, je trompe des gens — Hingüe, je suis une mauvaise fille, j'ai eu plus d'amants en cinq ans que vous avez eu de patients durant la même période.

— Tu exagères Lynn. Tu n'as rien à craindre de moi, je ne suis pas homme à profiter d'une situation.

— Hingüe! Vous ne comprenez rien. Si vous avez

envie de moi, dites-le et c'est tout; il n'y a ni avantage, ni situation dramatique. Voilà que vous paraissez bouleversé! Ne faites pas cette tête d'enterrement parce que je vous parle franchement.

Il se détourna afin de lui cacher son visage et, rageur, donna un bon coup de poing dans sa paume.

— Quel imbécile, je fais!

— Je ne vous suis plus, Hingüe. Peut-être suis-je sotte, mais je ne comprends pas votre attitude et vos paroles; tout cela me semble incohérent.

Il se tourna tout d'une pièce et la prit par les bras soudainement, la blessant presque à la tenir avec force.

— Je te désire, oui, c'est vrai, je l'avoue, mais plus encore, je suis amoureux de toi. Comme un collégien! ajouta-t-il, brusque, en la laissant.

— Que dois-je faire? Sortir de votre vie? questionna-t-elle doucement.

— Non, répliqua-t-il vivement, non Lynn, ne pars pas; ne pars plus jamais...

Evelyne baissa, et la tête, et les yeux. Le cercle de sa liberté se refermait autour d'elle. À vingt-et-un an, elle possédait tout et rien à la fois: l'argent, les plaisirs, les amours — l'un passionné et désordonné, l'autre tendre et émouvant —; elle tenait tout cela, sans rien retenir, coulant à pic comme un navire sabordé, jouant sa vie sur un coup de chance.

Combien de temps mettraient les autres à la retracer? Bah! Le temps n'avait pas d'importance, ils y arriveraient, Ricky ne lâchait jamais une proie.

Elle soupira et regarda Hingüe qui la dévisageait toujours, debout, immobile devant elle, les traits décomposés par l'anxiété.

— Ne pars pas, ma petite fille; je t'en conjure. Je ne pourrais plus me passer de toi.

— Je vais y réfléchir, Hingüe.

L'homme opina de la tête gravement. Croyant déjà l'avoir perdue, un grand vide se creusait en lui. Il la suivit des yeux comme elle passait la porte. Elle emportait, avec son corps frais, son abondante chevelure, ses yeux clairs, le reste de la jeunesse de Hingüe.

Vouté comme un vieillard, il se laissa choir dans le large fauteuil de velours. Il sentait qu'il ne la reverrait jamais.

Lynn avançait à pas lents, préoccupée. Elle estimait le docteur Thorvaldsen; sa générosité, sa douceur, son humilité, toutes ces qualités de coeur qu'elle n'avait jamais retrouvées en personne, il les avait. Avec lui, il s'agissait d'autre chose que d'un simple jeu, que d'un fou désir. La confiance qu'elle lui accordait valait plus que l'attrait physique sur lequel elle avait jusqu'ici basé ses rapports avec les hommes; auprès de lui, elle se sentait en sécurité et le souvenir de sa douleur à craindre son départ l'étreignait comme une immense blessure. Elle le voulait heureux comme avant; elle avait à son insu, bouleversé sa vie bien rangée, bien établie; pouvait-elle l'abandonner maintenant, après qu'il eut été pour elle, meilleur que son propre père?

Elle s'arrêta, tourna la tête vers la maison dont le lierre couvrait en partie le côté. Elle s'imagina le bouleversement de l'homme, son chagrin peut-être; et dire que rien qu'en restant là près de lui, elle pouvait lui apporter le bonheur! Jamais elle n'avait fait le bien; jamais personne n'avait estimé sa présence à tel prix!

Elle se retourna, un large sourire éclairant son visage mince, et se mit à courir en direction de la maison.

— Tiens! Vous voilà de retour docteur Thorvaldsen! s'écria une jeune infirmière au spécialiste qui marchait, visiblement heureux, dans le large couloir de l'hôpital. Vous avez fait bon voyage? Et votre femme va bien?

— Oui, merci, sourit-il plus largement encore.

Il entra dans la pièce où Max examinait, avec un autre médecin, des clichés exposés à la lumière d'un appareil.

— Hingüe! s'extasia Robert Devost en serrant fougueusement la main de l'autre, quelle mine rayonnante vous avez! Le mariage vous réussit.

Thorvaldsen répondit une boutade qui fit bien rire le médecin opulent. Maximilien se contenta de le saluer courtoisement, d'une rapide poignée de main, et retourna à ses radiographies en expliquant:

— Il s'agit d'un jeune motard! On nous l'a amené pas mal amoché; il y a gangrène dans la jambe droite. Je suis d'avis qu'il faut amputer immédiatement, il risque de perdre la vie...

Robert Devost l'interrompit d'un ton tranchant:

— De nos jours, la gangrène gazeuse se soigne et se guérit! Mon traitement n'a pas encore eu le temps de faire effet. On n'ampute pas comme cela, sans rien essayer!

— Il est déjà trop tard pour sauver sa jambe; y a-t-il un choix?

— Croyez-vous? Vivre unijambiste, ce n'est pas drôle et, de plus, la mort n'est pas imminente, nous disposons de temps.

— Une complication est toujours à prévoir et c'est le cas, ici; nous ne pouvons plus attendre. Ne comprenez-vous pas qu'il faut d'abord parer au plus urgent! rageait Maximilien.

— Justement, répliqua l'autre tout aussi vivement. Nous tentons l'impossible; je suis assuré que nous pouvons éviter de couper la jambe.

— En êtes-vous certain? Donnez-vous une assurance de cent pour cent? s'énerva Max. Chaque minute qui passe décroît ses chances.

— Le malade est-il en si mauvais état? questionna Hingüe.

Robert Devost lui répondit:

— Nous avons fait des prélèvements et l'analyse en laboratoire décèle une gangrène gazeuse. J'ai pratiqué une excision radicale et fait une enveloppe de compresses. Je lui administre de fortes doses d'antibiotiques, de l'antisérum; tous les jours, il y a irrigation de la plaie et j'ai noté une amélioration.

Max secoua la tête de rage.

— Bizarre que, pendant mon service de nuit d'hier, j'aie dû me rendre quatre fois à son chevet parce qu'il souffrait horriblement.

Il s'adressa à Hingüe sur un ton moins élevé.

— Il a une forte température, $39^C$, son état général est bas et la plaie ne semble pas se cicatriser en profondeur. On peut déceler les ravages de la gangrène au palais et une odeur fétide en caractérise l'effet foudroyant. Hingüe! Ce garçon est gravement atteint, si on ne l'ampute pas, il mourra.

— J'estime, quant à moi, coupa Devost, qu'il peut s'en tirer en poursuivant le traitement. Il est mon patient; il est entre mes mains.

— À vous de choisir, Hingüe. Tous les tests, analyses, etc... sont là devant vous, dans le dossier.

— Je tiens à voir le malade.

— Allons-y.

Lorsqu'ils se retrouvèrent dans la même pièce, une heure plus tard, Thorvaldsen déclara:

— Il semble assez mal en point, mais je considère que nous pouvons attendre encore un peu avant d'aller à l'extrême.

— Vous risquez sa vie, assura Max, ténébreux.

— Et si on lui coupait une jambe qu'on aurait pu sauver? Non, mieux vaut retarder ce moment; nous verrons comment il ira dans les prochaines heures.

— Il sera mort! tonna Max en se tournant vers Hingüe.

Jamais son supérieur ne l'avait vu aussi mécontent, les yeux flamboyant d'indignation, les lèvres serrées en une mince ligne.

— Je déplore votre attitude, Max; je crois sincèrement que Robert peut sauver la jambe. Vous êtes sans doute nerveux, fatigué.

— Je suis fatigué, oui, fatigué de voir mourir ses patients!...

Thorvaldsen fit face à Maximilien qui gardait un sang-froid choquant. Robert Devost, vert de rage, s'écria:

— Que voulez-vous insinuer?

— Je n'insinue pas; j'affirme...

— Max! l'arrêta Hingüe. Vous dépassez la mesure; vous ne pensez certes pas ce que vous dites?

— Je le pense et je l'assure, rugit-il.

— Si vous répétez ceci à la direction, il y aura enquête; comprenez-vous toute la portée de ces paroles?

— Ne vous tourmentez pas; ma lettre de démission sera sur votre bureau, demain matin.

Sans attendre, il se dirigea à grands pas vers la sortie et referma la porte bruyamment. Hingüe le suivit en l'interpellant, mais l'autre qui avançait vite ne l'écoutait pas. Il le rejoignit au vestiaire où Max troquait son sarreau blanc pour un veston de toile bleu.

— Nom d'une pipe! gémissait Hingüe Thorvaldsen. Que vous prend-il, Max?

Ce dernier le toisa avec rancoeur; il lui en voulait terriblement de lui avoir ravi Lynn, de prendre le parti de Devost...

— On ne démissionne pas comme cela; faites un rapport à la direction, mais restez.

— Non; j'ai un autre poste en vue, répliqua Max amèrement.

— Hé bien! Attendez ici le temps d'avoir une réponse; on ne part pas ainsi à l'aveuglette...

— On m'a offert le poste, renchérit le jeune homme en dévisageant son vis-à-vis, pour y lire la surprise. J'hésitais, mais les événements m'indiquent le chemin à suivre; de toute façon, j'étais tenté, je l'avoue. L'hôpital est important, la clientèle nombreuse et j'aurai sans doute la latitude d'exercer davantage et de ne pas tomber sur des idiots du genre Devost. Je plains sérieusement ce pauvre jeune homme voué à l'incompétence de ce médecin; il en souffrira, lui et bien d'autres; souvenez-vous de cela Hingüe.

— Il est très difficile de prouver l'incompétence; il y a tant de choses qui entrent en ligne de compte.

— Adieu Hingüe!... dit Max en posant une main sur l'épaule de son compagnon et en s'y appuyant un court instant.

Il partit; la porte se referma doucement. L'homme âgé abaissa les paupières; il se sentait triste. Il témoignait, à ce garçon sévère et moral, de l'estime et une affection proche du paternalisme. En un mois, il avait gagné une épouse et perdu un ami, plus, un collaborateur efficace.

Il retourna dans la petite salle éclairée où Devost l'attendait sans doute nerveusement.

Après plusieurs semaines, Hingüe désespéra de recevoir des nouvelles de Maximilien. Au début, occupé à prendre des radiographies et à prévoir les interventions nécessaires pour rendre à Evelyne la possibilité de se servir de ses membres normalement, il avait vécu trop fiévreusement pour y songer. Aujourd'hui que Lynn récupérait, par des exercices, la souplesse de sa jambe et la force de son coude, il repensait sans cesse au jeune homme. Il avait eu raison, après tout: le motard était décédé quelques jours plus tard.

— À quoi songes-tu donc? Tu sembles hors du monde, sourit Evelyne en boitillant légèrement, plus par fatigue qu'autrement.

— Je pensais à Max; je n'ai reçu aucune lettre, aucun message. Je le croyais plus attaché à moi, mais je suppose que mon affection n'était pas réciproque.

— Pourquoi te tourmenter à son propos. C'est un homme, pas un enfant. De plus, je l'ai toujours trouvé intransigeant et dur; ce genre d'être n'a pas de coeur.

— Tu te trompes, ma chérie; Max est strict, d'accord, mais nul autre que lui ne peut juger les cas avec autant de prescience et si humainement, malgré son attitude.

Elle souleva ses fragiles épaules et Hingüe l'attira à lui:

— Ma douce enfant! Mon unique joie! Comme je serais seul sans toi!

Elle se blottit dans ses bras protecteurs, d'une façon tendue qu'il ne remarquât pas. Soucieuse, elle cacha son visage afin qu'il ne vit rien. Sa démangeaison de liberté la reprenait; sachant tout ce qu'elle devait à son mari, ce désir d'aventures la torturait. Ces derniers temps, il lui arrivait souvent de rêver à son ancien ou à un nouvel amant. Les paroles échangées avec Hingüe, le jour où il l'avait demandée en mariage, revenaient à sa mémoire:

— «Je n'ai jamais été fidèle, mon ami; ne me demandez pas de vous épouser, vous seriez malheureux.

Mais Hingüe avait insisté.

— Non, mon petit, je serai l'homme le plus heureux de la terre. Je ne suis qu'un vieux bonhomme, conscient de ses faiblesses; si je ne te satisfais pas... je comprendrai.»

Elle se releva; elle aussi devait essayer de comprendre: Hingüe faisait tant de sacrifices pour elle; elle devait donc en faire autant pour lui.

— Si nous allions dîner dans un grand restaurant du centre-ville? proposait son mari. Un vrai repas de roi: vin, caviar...

— Est-ce prudent? Si on me reconnaissait?

— Tu ne peux passer ta vie enfermée dans ce quartier, voyons!

— Tu as raison.

Elle se leva pour le suivre lentement.

Le restaurant était chic; les gens les plus huppés de la ville s'y rencontraient souvent. Sur la moquette d'un doux gris-vert brillaient des fils dorés se tordant et s'entrecroisant. La pièce était vaste et d'un éclairage tamisé. Pour accéder à la grande salle, il fallait passer devant le bar où nombre de gens s'accoudaient en devisant gaiement. L'un des barmen essuyait des verres, l'autre brassait une mixture pour un client; l'atmosphère était joyeuse et la jeune femme se détendit.

Arrivés à la petite marche séparant la salle à manger de l'entrée et du bar, un placier les salua et les précéda jusqu'à une petite table à l'autre bout de la pièce; il leur remit le menu lorsqu'ils se furent assis.

— Que veux-tu manger mon petit? s'amusait Hingüe faisant suite à l'ambiance générale.

— Je ne sais trop, il y a tant de bonnes choses, dit-elle en examinant la carte.

Soudain, une ombre lui voila la lumière; elle leva la tête. À son côté se tenait un grand homme entre deux âges, à la triste moustache brune retombant de chaque côté de la bouche sensuelle. Il était un peu gras, mais avait bonne prestance. Il fixait Evelyne avec une attention soutenue, debout près d'elle, la main sur le dossier de sa chaise.

— Que voulez-vous? questionna-t-elle sèchement.

— Saluer ma fille; il me semble que tu pourrais être gentille après tant de temps.

— Et vous? L'êtes-vous? rétorqua-t-elle du tac au tac.

— Evelyne, ma petite fille, tu n'as toujours pas compris?

— Y a-t-il quelque chose à comprendre? poursuivait-elle, toujours sarcastique.

John Baxter-Jones soupira et s'aperçut enfin de la présence de l'autre homme.

— Tu veux me présenter ton ami?

— Bien sûr, dit Evelyne avec une emphase calculée. Voici Hingüe Thorvaldsen, mon mari.

Après avoir lu l'incrédulité sur le visage basané de John, elle continua:

— Hingüe est docteur en médecine, chirurgien plus précisément.

John Baxter-Jones tendit la main par-dessus la table. L'époux de sa fille était plus âgé que lui.

— Mon père; termina Evelyne en regardant, satisfaite, les deux hommes se faire face.

— Chirurgien! disait Baxter-Jones. Et vous avez épousé ma fille!

— Oui, monsieur, avoua Hingüe un peu mal à l'aise par cet examen détaillé qu'il savait à son désavantage.

— J'espère qu'elle est une bonne épouse?

— La meilleure qui soit, sourit-il à l'intention de la jeune fille.

— Bien; si vous êtes heureux, tout est parfait.

Il se tourna vers Evelyne.

— J'aimerais te voir un de ces jours; nous pourrions discuter.

— Ne m'attendez pas; je ne viendrai pas.

John secoua la tête tristement, en fixant les beaux traits féminins.

— Ma petite fille! Tu me manques beaucoup; il faudrait que nous nous expliquions.

— Inutile, il y a longtemps que j'ai tout saisi.

— J'en doute, Evelyne; j'en doute...

Sur ces mots, il se détourna et s'éloigna. Evelyne ne se retourna même pas et lança à Hingüe:

— Je le déteste.

— Parce qu'il a divorcé d'avec ta mère?

— Parce qu'il l'a abandonnée, rectifia-t-elle, sévère.

Elle reporta les yeux sur le menu, mais elle avait perdu sa gaieté. Ils mangèrent sans appétit.

Au moment de sortir, en passant devant le bar, une exclamation qu'Evelyne reconnut la fit trembler.

— Evy! L'intonation était tendre, surprise, heureuse et cassée à la fois.

L'homme qui avait aperçu la blonde et belle jeune femme dans le miroir du bar s'était levé et venait vers eux. Il était grand, mince et athlétique, aux larges épaules carrées; deux yeux pers agrémentaient son visage au nez très droit, aux pommettes hautes, au menton ferme.

Il s'approcha d'eux, ne distinguant que la fine silhouette dans la robe claire. Il lui saisit les deux mains, les serra fermement en la détaillant d'un oeil critique et satisfait.

— Evy! Depuis si longtemps...

Elle ne le laissa pas poursuivre et le fit se tourner vers Hingüe, la mort dans l'âme, le souci au fond des yeux.

— Je te présente mon mari.

L'homme eut un haut-le-corps et se tourna, le regard désorienté, vers le médecin. En le reconnaissant, il parut plus surpris encore.

— Docteur Thorvaldsen!

— Vous vous connaissez? s'enquit Evelyne, mal à l'aise.

— Le docteur Thorvaldsen a professé avec mon frère.

— Etienne? interrogea la jeune femme étonnée.

— Non, il s'agit de Max, répondit Hingüe. Maximilien Eden est le frère d'Alexandre et d'Etienne. Tu les connais depuis longtemps?

— Quelque temps, répliqua-t-elle sans voix. J'ignorais le nom de famille de Max; nous l'appelions toujours par ce diminutif, expliquait-elle aux deux hommes.

— Savez-vous où il se trouve actuellement? Il ne m'a pas donné signe de vie depuis huit mois.

— Ne lisez-vous donc pas les journaux? Il a été promu récemment chef du département de chirurgie dans un grand hôpital.

— Vraiment! J'en suis très fier; je l'ai toujours considéré comme l'un des jeunes médecins les plus prometteurs et, être nommé chef d'un département de la chirurgie d'un si important hôpital, à son âge, est le signe évident de sa réussite.

— Vous n'avez pas trop mal réussi vous-même, docteur, assura-t-il en admirant la jeune fille au teint de pêche fraîche. Comment avez-vous pu la capturer?

— Je me le demande souvent, se mit à rire Hingüe. Il se fait tard, ma chérie, il faudrait rentrer.

— Fais avancer la voiture; je te rejoins, lui sourit-elle gentiment en arrangeant le revers du veston bien mis.

— Très bien, dit-il en lui serrant les doigts affectueusement, je t'attends.

Il s'éclipsa; Alexandre prit immédiatement, d'autorité, le bras de la jeune femme et l'entraîna un peu à l'écart vers le fumoir.

— Ainsi, tu es vraiment mariée, grimaça-t-il, à ce vieil homme!

Il serrait les dents, rancunier, possessif, les traits décomposés par la jalousie.

— Quand puis-je te voir? Ce soir?

— Non, pas ce soir, il est tard et... Non, pas ce soir.

— Demain alors, je t'attendrai au même endroit que d'habitude. Presque deux ans, gémit-il douloureusement, deux ans... et toi, tu restes là, inerte...

Il l'attira contre lui pour respirer l'odeur habituelle de fleur et de printemps qui jouait dans ses cheveux.

— Evy, mon amour! Tu m'as tant manqué. Pourquoi es-tu si cruelle avec moi?

Le ton rauque et passionné faisait vibrer la jeune fille d'émotion. Une voix en elle lui interdisait de s'abandonner au désir qui troublait ses sens, mais elle ne pouvait résister à la tentation de ses bras, de ses lèvres, à son appel.

— Demain! Oui, je viendrai.

Elle s'échappa vivement, craignant presque qu'il ne la retienne.

Alexandre la regardait courir, légère comme une aile de papillon, plus séduisante, plus grisante encore devenue femme. Il retourna doucement à son tabouret et s'y assit, soulagé. Jamais Evelyne n'avait manqué à sa parole; il la verrait bientôt.

# CHAPITRE II

## ALEXANDRE EDEN

Alexandre Eden sortit lentement dans la rue; une clarté blafarde éclairait cette nuit pluvieuse et fraîche. Il alluma une cigarette en protégeant de ses mains la flamme dansante, puis aspira une bouffée avec délice en se retournant vers la maison brune accoudée à ses compagnes si semblables et si monotones. À cette heure tardive, il n'y avait aucune lumière qui éclairait les fenêtres rapprochées et plus aucune voiture n'empruntait cette sombre ruelle encombrée de vieilles bâtisses délabrées où les pauvres gens s'entassaient pitoyablement.

Il s'imagina Evelyne, telle qu'il venait de la quitter, étendue nue et merveilleuse sur des draps propres, dans sa chambre minable et puante de moisissure, ses beaux cheveux défaits, et ses lèvres délicieuses encore entrouvertes.

Il jeta son mégot, l'écrasa du pied en rejetant la fumée et se remit en route, ses pas résonnant sur le dallage humide.

Malgré la détente physique que lui procuraient ses visites nocturnes à la jeune fille, ses sourcils demeuraient froncés et il serrait les mâchoires. Ses ongles enfoncés dans les paumes de ses mains indiquaient, chez lui, un état d'émotivité extrême. En fait, depuis sa première rencontre avec Evy, plus de cinq ans auparavant, il dormait mal et ne connaissait plus la paix; même lorsqu'Evelyne disparaissait pour des périodes indéterminées, son chagrin, sa jalousie mordante ne lui laissaient aucun repos.

«Cinq années déjà! Il n'était pas encore marié à ce moment-là et profitait de ses derniers mois de célibat pour couler quelques douces journées au bord de la mer. En septembre, comme la période estivale tirait à sa fin et que les écoliers rentraient en classe, il n'y avait pratiquement personne dans le riche hôtel sis au bord de l'océan.

Afin de profiter au maximum de ces jours de repos, le médecin qui terminait une nouvelle année de pratique, se couchait et se levait tôt. Le matin, en arrivant sur la plage déserte, il courait se jeter dans la mer avec béatitude. Bientôt, il ne serait plus un homme libre, il épousait, en décembre, une amie de la famille, Suzanne Périgny, jeune fille charmante, douce et intelligente qui lui vouait une placide et tranquille affection. Il n'éprouvait pas non plus, pour elle, cette forte et puissante émotion que ses amis nommaient amour et dont Alexandre riait en badinant, n'y croyant qu'à demi et assuré d'en être immunisé.

Ce matin-là, il sourit à la vue d'un jeune gamin jouant avec son chien, un énorme berger allemand qui courait dans la mer houleuse pour ensuite se secouer vigoureusement. Non loin d'eux, en arrière, une femme était étendue à même le sol, visage contre terre et sortant visiblement de l'onde, car l'eau dégoulinait autour d'elle et le sable collait à sa peau.

Alex l'appela, mais comme elle ne bougeait pas, il la crut malade ou blessée et se pencha pour la retourner. Deux yeux immenses, d'un éclat métallique argenté, le regardaient et les lèvres pleines souriaient, découvrant deux rangées de dents très blanches. Les traits, bien que juvéniles, annonçaient la beauté prometteuse et capiteuse d'une très belle fille et le corps souple était celui d'une femme.

— Excusez-moi! Vous étiez immobile et j'ai cru que...

— Je me faisais sécher, assura-t-elle en riant.

Elle s'assit dans une pose de gamine, entourant ses genoux de ses bras graciles, regardant le ciel clair sans nuage.

Son regard pur se fixa sur Alexandre qui devint l'objet d'une inspection intéressée. Un sourire éclaira son visage à l'ovale parfait, au front lisse, au nez légèrement retroussé, aux pommettes douces. Elle se leva soudainement et se dirigea d'un pas dansant vers l'océan pour plonger dans les vagues et nager vers le large en sportive accomplie.

Alexandre debout sur place attendit qu'elle revienne, souple et gracieuse, véritable nymphe sortie des eaux, ses longs cheveux blonds collés à la peau rutilante. Elle s'arrêta juste devant lui, posa ses mains humides et froides sur ses épaules nues, faisant glisser ses paumes sur la courbe de sa poitrine musclée et s'avança pour baiser ses lèvres un court instant, l'effleurant à peine.

Elle l'abandonna tout aussi subitement et retourna vers l'hôtel tandis qu'il la suivait des yeux, ahuri et amusé.

Lorsqu'elle eut disparu, il oublia l'incident, alla se baigner et poursuivit sa journée comme si rien ne s'était passé.

Il ne la revit que le lendemain. La pluie tombait drue sur la ville; le temps sombre apportait une vague de tristesse mélancolique et Alex soupira en s'éloignant de la fenêtre. Qu'allait-il faire pour écouler cette journée monotone? Il détestait magasiner, plus encore jouer aux cartes avec les quelques vieux couples américains qui habitaient encore, avec lui, le luxueux hôtel.

Il s'était à nouveau retourné pour examiner la température quand la porte de son appartement se referma doucement. Cette jeune fille aux yeux gris y était adossée, provocante et désirable. Sous la mince robe de soie blanche, il devinait la courbe agréable du sein, de la hanche... Elle souriait en venant vers lui d'un pas nonchalant.

— Il pleut, c'est tellement ennuyant! Vous êtes le

seul jeune homme solitaire de cet hôtel, remarqua-t-elle en s'approchant jusqu'à le toucher, la tête levée vers lui.

Alexandre connaissait ce genre de jeunes filles qui ne recherchaient que de vagues aventures non durables; durant ses années de médecine, certaines clientes affichaient des symptômes identiques à ceux de cette jeune personne, alors il s'en éloigna.

Elle s'amusa de le voir fuir.

— Fidèle? posa-t-elle les yeux moqueurs.

Il secoua la tête et se sentit rougir. Pourquoi avait-il l'impression que cette diable de gamine effrontée calculait ses chances de succès et semblait assurée de sa victoire?

Elle tournait autour de lui, promenant ses mains fraîches sur la chemise, caressant le dos de l'homme qui, les bras croisés, la suivait d'un regard apparemment distrait.

— Je ne te plais pas?

Elle vint virevolter devant lui, légère, se sachant jolie et usant de son charme suave.

Il mit les mains dans ses poches, histoire de maîtriser l'envie de saisir la taille mince et flexible, de couvrir cette bouche enjoleuse. Elle avait sûrement conscience de son pouvoir de séduction et cherchait à trouver son point faible, du moins le pensait-il, mais quelle ne fut pas sa surprise de la voir soudain se diriger vers la porte en le saluant de la main.

Il ne savait trop s'il était soulagé ou déçu de son départ; après tout, il aurait bien pu se permettre une agréable aventure avant de s'engager définitivement avec Suzanne. Il n'avait connu aucune autre jeune fille, fréquentant sa fiancée depuis nombre d'années et étant promis en mariage alors qu'ils sortaient à peine de l'enfance. Il alla se calmer sous une douche froide et descendit déjeûner sans gaieté, dans la vaste salle presque déserte. Cette fois, il n'arrivait plus à chasser, ni l'image féminine, ni ce réveil brutal des sens qu'il n'avait jamais connu. Même en pensant à Suzanne comme à une épouse, il ne ressentait jamais, pour elle, cette grisante et enivrante sensation qui hantait à l'instant sa chair et que ressent tout animal mâle devant une femelle attrayante. Il tentait de s'en défaire, mais plus il y aspirait, plus le désir brûlait sa peau.

Il se promena longtemps sous l'averse dans l'espoir d'y retrouver l'accalmie de ses sens apesantis par cette sauvage bestialité qu'il croyait avoir domptée depuis l'adolescence. En revenant, il dut courir pour ne pas manquer l'ascenseur et aperçut l'objet de sa convoitise appuyé contre le mur, les mains derrière le dos et serré dans un «jean» trempé et une vareuse de cuir noir sur laquelle les gouttelettes s'étaient amoncelées.

Ses yeux verts le trahissaient, mais il ne pouvait détacher le regard du petit visage nimbé de lumière qui souriait tranquillement. Ils descendirent au même étage, le dernier, le plus luxueux, réservé aux plus riches et aux plus honorables clients.

Ils marchèrent côte à côte dans le couloir, Alexandre suivant tous ses mouvements du coin de l'oeil.

— Vous êtes seule ici? s'enquit le jeune médecin.

Le sourire s'étendit sur ses lèvres et son regard aguichant lui donnait un air railleur.

— Tout à fait seule, admit-elle.

— Je suppose que vous n'êtes même pas majeure? grogna-t-il revêche, fâché de se laisser prendre au piège.

— Même pas, affirma-t-elle sans qu'un trait de son visage ne change.

— Quel âge avez-vous? s'informa-t-il devant le minois charmant qui continuait de le toiser.

— Est-ce vraiment important? Je n'ai pas l'intention de vous traîner en cour, vous savez!

— Je l'espère bien, j'en aurais long à dire sur votre attitude. Je m'appelle...

Elle posa rapidement ses doigts minces sur la bouche au dessin harmonieux.

— Ne le dites pas, c'est tellement plus amusant.

— Vous êtes une véritable enfant, mais si charmante, ajouta-t-il en baisant le bout des doigts qu'il gardait dans sa main. Que diraient vos parents s'ils vous voyaient en ce moment?

— Vous n'êtes pas mon premier homme, si c'est ce que vous craignez, continuait-elle du même ton gouailleur.

Alex serra les dents pour avancer, retenant la petite main entre les siennes.

— Et si vous... si vous étiez ma première femme? réussit-il à articuler.

— Vraiment? Un si bel homme! Je ne vous croirais pas.

— Même si je vous l'assurais? poursuivait-il insistant et craignant avant tout de décevoir la jeune fille par son manque d'expérience.

— Aucune importance! Il y a un début à tout, à moins que vous ne soyez... enfin... que vous ne soyez pas intéressé.

— Pas du tout, c'est seulement que je suis fiancé et...

— Elle est très discrète et jalouse, c'est cela?

— Pas tout à fait, rit-il. Discrète, sans aucun doute; jalouse, non, je ne crois pas.

Il ouvrit la porte de son appartement et y poussa légèrement la jeune fille. Celle-ci se débarrassa de son veston de cuir et s'avança vers Alexandre, le regard provocant. Elle s'accrocha à son cou puissant et vigoureux alors qu'il ployait d'un bras la taille fine et saisissait la bouche avec autorité.

Leur liaison dura le temps des vacances d'Alex. Lorsqu'il partit, la blonde enfant ne demanda ni son adresse, ni aucun autre renseignement, car elle ne voulait rien savoir de lui, ni rien livrer d'elle.

Leur dernière rencontre sur la plage fut semblable à la première; elle continuait de sourire sans laisser transparaître la moindre de ses pensées. Elle courut dans la mer pour revenir ensuite se coucher sur le sable.

Alexandre la regardait, prêt au départ, vêtu de son pantalon de toile beige et d'une légère chemise blanche. Debout, triste à mourir, il voyait s'écrouler le château de sable qu'il avait édifié ces derniers jours. L'insouciance, l'indifférence de sa jeune maîtresse lui dardait le coeur, mais tout se terminait là. Elle n'avait vécu que pour lui, dans son imagination. Il se détourna, gardant d'elle la même image que lorsqu'il l'avait aperçue au premier moment, celle d'un corps magnifique et immobile tourné vers la terre.

Rentré chez-lui, l'homme se remit au travail. La vision de rêve demeurait présente en lui; jamais il n'oublierait l'adolescente. Il devint taciturne, préoccupé, son travail l'absorbait davantage et il commençait à trouver Suzanne ennuyeuse. Il la comparait malgré lui à la pétulante inconnue de la plage et son affection pour elle se fanait comme la rose éteinte par la nuit.

Il aurait périclité sans cesse, plus morose, plus désespéré, si un soir, rentrant tardivement de chez un patient où il avait été appelé d'urgence, il n'avait emprunté une petite route secondaire qu'il n'utilisait jamais.

Dans la lumière de ses phares, une chevelure inonda la nuit de clarté. La silhouette menue descendant d'une voiture-sport le fit freiner brutalement et retint son attention un moment. Elle poursuivait déjà son chemin quand Alexandre l'interpella en stationnant au bord de la route:

— Hé vous!

Elle s'approcha et il sentit qu'une explosion de joie, un feu d'artifice éclatait en lui.

— Tiens, te voilà!, dit-elle avec ce même air moqueur qui lui était coutumier.

— Tu habites ici? demanda-t-il en descendant de l'automobile et en désignant le quartier ténébreux.

— Parfois, répondit-elle amusée en faisant, des yeux, le tour de la rue lugubre pour ensuite les reposer sur l'homme.

— Tu... Tu es seule?

Elle eut ce sourire caressant des beaux jours, comprenant ce qu'il désirait et lui fit un signe de la tête, l'invitant à la suivre. Il se hâta de la prendre par les épaules et lui dit:

— Je croyais avoir rêvé lorsque je t'ai vue. Existes-tu vraiment, petite fille? Puis-je savoir ton nom, maintenant?

— Evelyne, dit-elle simplement.

— Et moi, Alexandre, ajouta-t-il en la serrant plus fort contre lui.

L'appartement parut laid, même sinistre et pauvre, au médecin habitué à la propreté sinon au luxe, mais quelle importance après tout, puisqu'il y retrouvait la jeune fille.

Il l'enlaça et elle se laissa glisser contre lui.

— Tu m'as manqué, petite, murmura-t-il en relevant une mèche épaisse.

Elle rejeta la tête en arrière dans un geste mi-moqueur, mi-sérieux en posant la main sur sa bouche.

— Il ne faut pas. Jamais.

— Je veux te garder Evy, pour toujours.

Il se pencha sur ses lèvres; elle l'évita.

— Non Alexandre, pas ainsi, pas si tu prends les commandes, pas si tu veux m'emprisonner.

— Mais chérie! Je tiens à t'épouser; tu seras ma femme, la mère de mes enfants.

Elle lui échappa avant qu'il ait pu la retenir et contourna la vieille table de bois pour s'appuyer au dossier d'une chaise chambranlante contrastant avec l'élégance de ses vêtements.

— Pas de cela. Je suis trop jeune et pas du tout intéressée. Tu es gentil, continuait-elle en marchant, comiquement, les mains derrière le dos, je t'aime bien, mais je ne désire pas me lier définitivement.

— Hé bien! Plus tard alors, dans un an?

Elle eut un signe négatif qui ne le choqua pas.

— Non, mon cher Alexandre. Tu peux venir me voir autant que tu le désires, mais je ne te réserve pas l'exclusivité...

— Evy, tais-toi, ne parle pas comme une petite...

Le mot ne franchissait pas ses lèvres.

— Comme une dévergondée?... Tu peux le dire, souriait-elle toujours, c'est ce que je suis. Tu ne me connais pas et je ne tiens pas à en savoir davantage sur toi; c'est parfait ainsi: je te plais, tu ne m'es pas antipathique; nous faisons l'amour quand bon nous semble sans avoir de compte à rendre à personne.

— Je ne suis pas d'accord, je t'aime moi; je ne peux pas accepter que tu appartiennes à d'autres...

— C'est à prendre ou à laisser, tu as le choix. Tu peux partir immédiatement si cela ne t'agrée pas.

Le ton était tranchant, les lèvres perdaient leur douceur à se pincer et les yeux se fixaient sur lui durement.

Alexandre se rendit compte qu'il perdrait tout à insister; la jeune fille ne désirait point s'engager pour le moment. Saurait-il se contenter d'être le Xième sur la liste? La pensée d'Evelyne dans les bras d'un autre le faisait déjà souffrir horriblement, mais il gardait l'espoir de l'amadouer, de vaincre sa résistance, tandis que s'il abandonnait, s'il partait, elle l'oublierait bien vite.

Il restait là, crispé, lui faisant face en silence tandis que son esprit vagabondait: il se voyait parader au bras de la magnifique fille, attirant les regards envieux de ceux qui ne possédaient pas sa chance.

Il ne se demandait pas s'il eut pu passer sa vie sans elle, la question ne se posait même pas.

Il soupira. Décidément, l'unique solution était le temps; au fil des jours, elle s'assagirait, elle apprendrait à l'aimer.

Alexandre tendit la main vers elle.

— Très bien, je n'en parlerai plus. Viens ma douce, approche-toi; viens que je t'embrasse.

Il saisit le fin poignet d'Evelyne pour l'attirer à lui fougueusement et l'étreindre avec passion.

À compter de ce jour, quand le jeune médecin quittait sa clinique, il se rendait invariablement à l'appartement dans l'espoir d'y retrouver Evelyne. Elle ne le rejoignait malheureusement pas assez souvent au gré d'Alexandre qui se morfondait à l'attendre des nuits entières, retournant la plupart du temps à l'hôpital sans l'avoir vue.

Lorsque, par hasard, elle rentrait, le coeur envahi par la jalousie, il l'abreuvait de paroles amères, lui reprochant son absence et sa façon de vivre. Elle se contentait de le regarder bien en face, sans émotion apparente, en répétant doucement ces mots qui rendaient âpre à l'homme, la passion sauvage qui le tenait sous le joug de la jeune fille:

— Je ne te retiens pas, Al.

Alexandre serrait les dents afin de vaincre le désir de broyer ce joli cou et ses poings fermés réprimaient l'envie de la saisir, de l'emmener prisonnière pour lui seul, afin de cajoler la peau dorée, satinée, le galbe de sa hanche, de son sein... Elle le torturait sans y prendre plaisir, sans même s'en apercevoir et cette indifférence tailladait ses blessures plus encore que s'il se fut agi de haine.

Pourtant, jamais elle ne repoussait ses avances, jamais elle ne se dérobait au plaisir charnel qu'ils tiraient l'un de l'autre. Quelle que fut l'heure, quelle que fut sa fatigue, elle l'accueillait gentiment, s'abandonnant à lui avec la fougue de sa jeunesse.

Alexandre n'y comprenait rien!

Un soir, qu'il tonitruait plus que de coutume, les paroles habituelles d'Evelyne ne l'ayant pas apaisé, elle avança gravement:

— Je suis libre, tu sembles l'oublier trop souvent. J'ai horreur des scènes surtout lorsqu'elles risquent de déranger le voisinage; je ne tiens pas à attirer l'attention. Maintenant, calme-toi ou pars sinon c'est moi qui sortirai. Fais ton choix, immédiatement, ajouta-t-elle sévèrement.

Alex la dévisagea, les joues creusées à contenir sa colère. Comment cette gamine pouvait-elle avoir sur lui une telle emprise? La dépassant de toute la tête, les épaules larges et puissantes, il respirait la force et la virilité tandis qu'elle était petite chose fragile qu'il pouvait facilement briser, et pourtant... il se soumettait à sa volonté; il devenait son esclave plutôt que de la perdre.

Comme il restait immobile à la fixer, les lèvres gonflées d'amertume, elle insista:

— Alors? Cesseras-tu une fois pour toutes tes jérémiades?

Il fit un pas en avant, menaçant devant ces paroles dures, mais elle ne broncha pas; aucun muscle de son joli visage ne trahit la moindre crainte. Trop contrarié pour articuler un seul mot, tremblant d'indignation, bouleversé par son attitude ferme, il tourna les talons et, ayant saisi d'un geste vif son pardessus, il claqua bruyamment la porte.

Il rentra chez-lui beaucoup plus tard, éméché par l'alcool ingurgité à la suite d'une tournée des bars les plus fréquentés de la ville.

Au boucan qu'il fit pour tenter d'escalader les marches de la vieille demeure qu'il habitait avec sa mère et son frère, Etienne, le jeune homme brun, aux cheveux naturellement ondulés, se rua à sa rencontre et le prit sous le bras pour l'aider.

— En voici une façon de revenir à la maison après des semaines de silence, reprocha Etienne à son aîné. Suzanne s'est terriblement inquiétée et maman n'a pas été dupe des téléphones de ta secrétaire nous avertissant que tu travaillais tard. Au début, elle y a cru, mais nous nous persuadons, sans nous l'avouer l'un l'autre, qu'il y a une histoire de femme là-dessous. À te voir ainsi cette nuit, mes soupçons s'en trouvent confirmés.

— Tais-toi, interrompit Alexandre agacé, tu parles trop.

Etienne l'accompagna jusqu'à sa chambre et le laissa tomber sur le lit.

— Est-ce qu'on t'éveille au matin? Tu ne seras guère en forme, reprit-il après l'affirmation de l'autre. Une bonne douche froide te rendrait tes esprits.

— T'occupe pas, l'arrêta encore Alex. Laisse-moi seul.

Etienne, moins grand et moins costaud que l'autre, secoua la tête avec rancoeur.

— Si c'est vraiment une femme qui t'a mis dans un état pareil, je te plains. Tu es pitoyable, mon cher A-lexandre.

— Vas-tu sortir, cria son frère en se redressant, hargneux.

— Bon, ne t'énerve pas; je te laisse, dit l'autre en haussant les épaules. Je ne comprends quand même pas qu'un homme de ta valeur puisse s'abaisser à ce point à cause d'une fille.

Etienne se hâta de refermer la porte avant que son aîné ait eu le temps de l'invectiver à nouveau.

Alexandre eut à peine quelques heures pour récupérer; Félicia, sa mère, vint le tirer du sommeil dans le matin blafard de novembre.

— Allons! Redresse-toi. Il était temps que tu daignes te souvenir que tu as un chez-toi, une famille et une fiancée, cingla-t-elle, mécontente.

Alexandre en s'asseyant saisit, à deux mains, sa tête lourde et douloureuse.

— Je t'en prie, maman. Laisse-moi tranquille.

— Te laisser! N'as-tu pas honte de ta conduite? As-tu donc oublié qui tu es? Tu es médecin mon garçon et je suis vraiment navrée de ta condition et de tes agissements. Disparaître ainsi, sans t'excuser auprès de ta fiancée, de ta famille.

— Ma secrétaire t'a avertie, plaida-t-il toujours assis dans ses vêtements fripés de la veille. Et puis, je suis passé certains après-midis...

— Quand je n'y étais pas pour te faire la morale, mon gars, et c'est également pour cette raison que tu n'appelais pas toi-même.

Comme il demeurait prostré, elle se tourna vers lui:

— J'espère que «tout cela» est terminé mainte-nant?

Visiblement, elle attendait une réponse qui ne venait pas. Comment pouvait-il lui dire qu'il brûlait de désir, qu'il se consumait d'amour pour une autre que celle qu'elle lui voulait pour épouse?

— Tu sais, poursuivait-elle croyant le convaincre, Suzanne a beaucoup de chagrin de ton abandon; jamais tu ne t'es montré déloyal envers elle jusqu'à présent. Elle t'aime, et je suis certaine que tu l'adores toi aussi, n'est-ce pas?

— Bien sûr, maman, lâcha-t-il, espérant obtenir la paix à laquelle il aspirait.

— Je le savais bien, mon petit, murmura-t-elle en tapotant affectueusement l'épaule ronde.

Dès qu'elle fut sortie, une terrible impression de vide, de crainte et de désespoir broya le corps tout entier de l'homme; comme si tout d'un coup, la présence d'Evy lui était vitale. Il se doucha rapidement, se vêtit et sortit en flèche, sans saluer Etienne assis à la table de la cuisine et sa mère occupée à lui verser du café bouillant. Tous deux se regardèrent avec une même inquiétude au fond des yeux.

Alex disparut dans sa voiture rapide et se rua vers le logement d'Evelyne. Il débarra, entra et fit d'un regard le tour de la pièce: rien n'avait changé et pourtant, quelque chose lui parut différent.

Evy n'était pas dans la chambre; le lit n'avait pas été défait et, pris d'une étrange sensation de panique et de présomption, il fouilla la garde-robe et les tiroirs: rien apparemment ne manquait. Il s'assit sur le lit, fatigué, et se coucha un instant sur l'oreiller où la tête blonde de la jeune fille avait souvent frôlé la sienne.

Qu'est-ce qui lui faisait croire qu'elle ne viendrait plus? Tous ses vêtements étaient là. Elle naissait en lui, cette impression étrange d'un malheur.

Il se secoua; non, il se trompait certainement. Evelyne rentrerait à la nuit et il la prendrait dans ses bras. Il retourna à l'hôpital sans certitude.

Le temps lui donna raison: Evelyne ne rentra pas. Il s'en informa auprès de la concierge qui le reçut froidement:

— Je ne me mêle pas des affaires des locataires; la

petite me paie sa chambre une année d'avance et je la laisse à sa disposition, c'est tout. Qu'elle l'habite ou pas, cela ne me regarde pas et je ne pose pas de questions.

— Ce n'est donc pas la première fois que cela lui arrive? s'informa Alexandre un peu rassuré.

— Je vous ai dit que je ne m'en souciais pas; faites-en donc autant.

La grosse femme referma la porte sur le malheureux.

La vie reprit, grise et monotone pour Alexandre. Matin et soir, il passait à l'appartement de la jeune fille. Il avait même placé un petit bout de laine dans le cadre de la porte pour savoir si quelqu'un y entrait durant la journée, mais personne n'y passait.

Lorsque décembre arriva, il s'aperçut que tous les préparatifs pour son mariage avaient été faits, par sa mère, par Suzanne et sa famille. Il ne voulait plus épouser sa compagne d'enfance. Il en fit part à sa mère lorsqu'elle lui apprit que tout était prêt.

— Que dis-tu? s'écria-t-elle démontée. Tu n'es pas fou, Alexandre, pour laisser passer une si belle occasion? Tu t'es fiancé à elle, tu vas te marier. La famille de Suzanne est liée à la nôtre depuis des années et il a toujours été entendu que vous renforceriez ces liens par le mariage. Tu ne te déroberas pas, entends-tu? Le père de Suzanne est très influent; il peut briser ta carrière si tu le défies.

— Quelle importance! ricana-t-il.

— Et de quoi vivras-tu? Tu iras t'enterrer en province où il n'y aura que quelques malades pauvres et, même alors, il pourrait te nuire; il te harcèlerait. Réfléchis, tu ne peux faire cela à nos amis.

— S'ils sont vraiment nos amis, ils comprendront.

Elle secoua la tête.

— N'y compte pas. J'ai toujours désiré que tu épouses Suzanne. Elle t'aime depuis longtemps et tu l'estimais, toi aussi, dernièrement.

— J'ai de l'affection pour elle; l'amour, c'est autre chose.

— Que sais-tu de l'amour, toi? se monta-t-elle. Tu es comme ton père; tu te laisses mener par les sens; car c'est bien ainsi que tu passes tes nuits, n'est-ce pas?

Il la toisa sans baisser les yeux.

— Je ne me trompe pas, reprit-elle, hargneuse, le regard flamboyant de dégoût. Je t'ai pourtant élevé chrétiennement, loin du vice et du péché et voilà ce que tu es devenu: une épave.

— Tu exagères comme toujours, lança-t-il négligemment.

— Tais-toi, cria-t-elle nerveuse. Tu épouseras Suzanne, sinon... tu m'entends bien, Alexandre Eden, sinon c'est moi qui demanderai à son père de te jeter sur la paille.

Il leva la tête, surpris, incrédule devant l'air ulcéré de sa mère.

— Tu ferais cela?

Elle se mit à rire méchamment.

— Je te ramènerai dans le droit chemin.

— Tu le ferais? répéta-t-il.

— N'en doute pas un seul instant.

— Même si je n'aime pas Suzanne? Même si ce mariage est voué à l'échec?

— Il réussira, crois-moi. Quand vous aurez des enfants... Tu verras Alex, tu me remercieras, plus tard.

— Non maman, jamais. Je préfère encore travailler n'importe où que de céder à cet infâme chantage.

Il allait partir quand elle lui jeta:

— Prends garde, Alex! Si jamais je sais quelle est cette traînée qui te rend fou, je lui ferai un mauvais parti.

Il revint vers elle.

— Que veux-tu dire?

— Tout le monde a quelque chose à cacher dans sa vie ou dans celle de sa famille; je saurai lui faire payer cher ce qu'elle a fait de toi.

— Tu me dégoûtes, maman, grimaça-t-il, sincère.

Cette fois, il partit à pas vifs. Un seul endroit lui rendrait la sérénité: le petit logis d'Evelyne.

Il y monta lentement, se répétant les paroles de sa mère, déçu par la découverte de sa froideur.

Soudain, il aperçut sur le sol, le petit bout de laine blanche:

— Evelyne! Evy! s'écria-t-il, le coeur fou de joie.

Il entra en hâte, se dirigeant vers la chambre où il demeura cloué sur place devant le spectacle qui s'offrait à ses yeux; son être se déchira; ses tempes bourdonnèrent; il n'entendait plus que l'écho des battements de son coeur: Evelyne vautrée sur le lit en compagnie d'un autre! Tous deux le regardaient et le jeune homme questionna Evelyne:

— Qui est-ce?

Elle eut un sourire amusé pour répondre:

— Un adorateur qui tient à l'exclusivité.

Comme Alex restait là, debout, lacéré, à les examiner, elle se leva et vint à lui, moqueuse. Il leva la main et la gifla violemment.

— Espèce de petite putain, jeta-t-il, mortellement pâle, horriblement déçu.

— Hé là! cria le garçon en se ruant sur lui. Décampe, tu vois bien que tu n'es pas le bienvenu.

Al lui coula un regard méprisant, désabusé, qui exprimait bien sa souffrance et son désappointement. Evy se relevait, du sang sur les lèvres, et tamponnait sa bouche rieuse, semblant encore s'amuser de sa douleur.

Il sortit, lançant sur le plancher usé, la clé du logement et, meurtri, rentra chez-lui.

C'est ainsi qu'il épousa Suzanne deux semaines plus tard, à la grande joie de sa mère.

Après un court voyage de noces, ils s'installèrent dans un luxueux appartement meublé, Suzanne habituée qu'elle était à l'élégance.

Si Alexandre n'avait été si empreint de sa cuisante déception d'amour, il se serait vite aperçu que sa femme évitait autant que possible les rapports sexuels, n'y participant pas, mais les subissant. Hélas! Alexandre ne parvenait pas à oublier Evelyne et se complaisait dans de sombres pensées.

Ce ne fut qu'un mois après son mariage, pour satisfaire un besoin purement physiologique, que l'homme, en voulant prendre sa femme qui tentait de le rappeler à l'ordre, se rendit compte de sa froideur.

— Non Alexandre, l'arrêta-t-elle brutalement, hystérique, ne fais pas cela.

Il se redressa et examina le visage sombre dégoûté, effrayé.

— Nous sommes mariés, riposta-t-il fiévreusement.

Il se retourna sur elle et elle cria presque:

— Laisse-moi Alex; ne me force pas.

Il refusait de l'écouter; sa chair réclamait un apaisement.

— Lâche-moi, hurla-t-elle. J'ai horreur de ces contacts physiques.

Cette fois, il se releva, lentement.

— Qu'as-tu dit?

Elle se mit à pleurer en soubresauts.

— Alex, gémit-elle, je t'aime. Je t'aime tant...

— Qu'as-tu dit? insista-t-il.

Elle se jeta à son cou, toujours larmoyante.

— Je ne peux pas; c'est plus fort que moi. J'éprouve de la répulsion à l'idée de... Elle ne parvenait même pas à prononcer les mots. C'est dégradant, avilissant, écoeurant même, se libérait-elle.

— Pourquoi m'as-tu épousé? l'interrogea-t-il, découragé.

— Mais... je t'aime voyons, quelle idée!

— Tu m'aimes, dis-tu, mais tu ne peux me souffrir.

— Tu ne comprends pas, se lamenta-t-elle en se serrant contre lui.

Il détacha les bras de sa femme et la repoussa.

— Tu m'aimes idéalement, d'une façon toute théorique basée sur l'entente morale et non physique, c'est cela?

Elle eut un signe affirmatif en essuyant son nez à un mouchoir de soie.

— Je n'y peux rien; j'ai cru que cela changerait, mais chaque fois que tu me touches... j'en frémis, j'en ai des nausées.

— Fais-toi soigner, ma petite, s'écria-t-il en se levant pour s'habiller. Va voir un psychiatre; tu es malade.

— Alex, ne me dis pas de méchancetés; je sais que je te déçois. Essaie de me comprendre.

Il la regarda pauvrement; il ne ressentait rien pour elle, ni amitié, ni pitié. Il se retourna et sortit.

En déambulant longuement dans les rues de la ville, Alexandre se questionnait: «S'il n'éprouvait rien pour Suzanne, quels étaient donc ses sentiments envers Evelyne? Son nom seul évoquait le trouble en son âme; sa vieille blessure ne se cicatrisait pas et il devait s'avouer qu'elle hantait sans cesse son esprit.»

Ses pas l'avaient conduit jusque sous ses fenêtres, bon gré, mal gré. Il n'y avait pas d'éclairage; il s'appuya au réverbère et resta là, pensif et plus calme que jamais.

Une petite voiture-sport, ancien modèle et bruyante, vint stationner devant la porte de l'immeuble, environ une heure plus tard. Evelyne se pencha vers son compagnon pour l'embrasser, passa par-dessus la portière et entra. L'automobile fit un large virage et retourna par où elle était venue.

Alexandre se dirigea vers la porte et suivit la jeune fille à bonne distance dans les escaliers. Il l'entendit sortir ses clefs et refermer la porte derrière elle.

Il frappa et se tint droit, immobile sur le palier; comment le recevrait-elle?

Elle ouvrit, le regarda ironiquement et se détourna, laissant la porte ouverte. Il entra un peu timidement, sans savoir pourquoi; peut-être parce qu'il se sentait perdant de lui revenir, qu'il s'humiliait.

Elle mettait de l'eau dans la bouilloire, l'installait sur la cuisinière, sortait des napperons, deux tasses, le sucrier, le lait. Il restait là, hésitant, son col de paletot toujours relevé, prêt à repartir.

— Hé bien! Assieds-toi. Tu n'es pas venu pour me battre aujourd'hui, j'espère!

Elle souriait de toutes ses dents blanches qui accentuaient l'éclat doré de sa peau.

— Non, murmura-t-il faiblement en l'examinant, attendri.

Elle s'approcha et leva les yeux sur lui en avouant, lascive et chuchotante:

— Il n'y a pas un homme qui fasse l'amour aussi bien que toi.

Il la regarda durement.

— C'est pour cela, seulement pour cela que tu ne me rejettes pas? Tu n'as même pas un peu d'amitié pour moi?

Elle eut un chaud sourire qui fit resplendir son regard clair.

— Tu sais que je t'aime bien, Al; tu n'en as jamais douté, sinon tu ne serais pas venu.

Il l'empoigna rapidement pour la serrer étroitement contre lui, savourant la tiédeur de son corps.

— Si tu m'avais aimé, vraiment aimé, d'un amour égal au mien, il n'y aurait eu aucun problème.

— Je ne t'ai jamais menti, Al. Je t'aime bien, comme un ami, au plus, comme un amant favori, c'est tout.

— De toute façon, je suis marié maintenant, soupira-t-il en la délaissant pour aller s'asseoir pesamment.

— Je ne t'aurais pas épousé, je te l'avais dit. Tu es toujours le bienvenu, célibataire, marié ou veuf, et quand bien même tu me trouverais avec d'autres hommes, tu restes le seul à posséder cette clé.

Elle lui tendait la pièce de cuivre et il leva ses yeux changeants sur le visage agréable.

— Pourquoi? Pourquoi moi?

À son tour, elle perdit son sourire et, comme la bouilloire sifflait, elle alla verser l'eau bouillante dans les tasses.

Alex se leva, retira son manteau et s'approcha. Il se sentait plus près d'Evelyne que jamais, comme si en ce moment, et cela, parce qu'elle ne risquait plus de jouer sa liberté, lui étant marié, elle se montrait dans sa plus pure vérité. Il la regardait préparer les cafés, tandis qu'il attendait sa réponse, anxieusement.

Elle but une gorgée du chaud liquide en silence, puis lui sourit à nouveau, franchement.

— Pourquoi toi! C'est très simple; tu es le seul homme bien que je fréquente.

— Ce qui signifie? demanda-t-il, les sourcils froncés.

— Ce que tu crois, et c'est pourquoi je te mets en garde: avec moi, tu peux t'attendre à tout, sauf à te mêler à mes histoires. Donc, ne me pose jamais de questions et tu ne me forceras pas à te mentir, à moins que tu préfères ne plus venir! Ta femme...

Il secoua la tête.

— Ne parlons pas d'elle; elle ne m'est rien.

Evy leva un oeil curieux qui ne lui échappa pas.

— Tu te demandes pourquoi je l'ai épousée?

— Oh! Tu sais, cela ne me regarde pas.

— Au contraire. C'est ce fameux soir, quand je t'ai surprise ici avec... ce garçon que j'ai abdiqué au souhait de ma mère.

— Un homme de ton âge, médecin par surcroît, céder à sa mère! Tu me surprends, Al.

— C'est une plus longue histoire que ce qu'il t'en semble et je n'ai pas le goût d'en parler.

— Parfait! affirma-t-elle, satisfaite. Nous sommes d'accord au moins sur ce point: gardons le silence sur nos existences extérieures et vivons ensemble les instants présents.

Elle délaissa son breuvage pour venir s'asseoir sur les genoux d'Alexandre et l'embrasser avec ferveur.

L'homme se grisa de ces tendres effusions; il en oublia sa rancoeur, ses désillusions, sa femme, tout ce qui n'était pas la pétulante jeune fille.

Bien sûr, tous ses problèmes ne s'en trouvèrent pas résolus, mais du moins, Alexandre parvint-il à retrouver une certaine sérénité. Il délaissa son épouse qui ne s'en plaignit pas et ne douta pas un seul instant de sa fidélité. Elle lui annonça quelques semaines plus tard qu'elle allait être mère. Il accueillit la nouvelle froidement et elle maugréa:

— On dirait que cela ne te fait pas plaisir.

— Bien sûr, j'en suis heureux, dit-il simplement. Je dois partir, je rentrerai tard, ne m'attends pas.

Il allait sortir comme elle courut à lui.

— Tu ne m'embrasses pas?

Il lui donna un baiser négligent sur le front.

— Bonne journée! dit-il en partant.

Il allait être père et rien, en lui, ne se réjouissait de cet événement. Ç'aurait été différent si l'enfant eut été d'Evy! Quelle joie l'aurait inondé à l'idée d'un petit être né de ses amours avec elle! D'un petit garçon, d'une petite fille blonde aux longs cheveux, aux yeux gris... Comment serait l'enfant de Suzanne?

Malheureusement, la grossesse de sa femme s'avéra difficile. Elle dut garder le lit dès le troisième mois et éviter tout effort, de crainte de perdre le bébé. Alexandre engagea une dame d'un certain âge pour l'assister dans les travaux ménagers et pour veiller sur elle.

Il voyait Evelyne chaque fois qu'il le pouvait, s'habituant à ses absences aussi subites qu'inexplicables, absences qui duraient parfois des mois.

L'enfant, un petit garçon, naquit prématurément et fut placé en couveuse. Maigre et de santé précaire, on craignit pour sa vie, mais le bébé s'agrippa et lorsqu'on le remit entre les mains de sa mère, cette dernière ne vécut plus que pour et par lui, défendant la faiblesse de David contre ce qu'elle appelait l'autorité «défoulante» de son père. Alexandre n'apprenait pas à aimer son fils, trop chétif, pleurnichard et couvé par Suzanne qui succombait à tous ses caprices.

— Ce n'est pas ainsi que tu en feras un homme, reprochait-il durement. Laisse-le se débrouiller tout seul, il t'a déjà soumise à ses moindres désirs.

— Il est malade, répliquait-elle amère.

— Il y a de quoi; il refuse toute nourriture solide et toi, tu acceptes de le faire vivre au lait!

— C'est très bon pour la santé.

— Pour un nouveau-né, pas pour un gosse de quinze mois. Il est blême, il n'a aucune couleur et pour cause. Apprends-lui à manger comme il faut.

— Il rejette la nourriture, cela lui donne des hauts-le-coeur.

— Attends qu'il ait vraiment faim; tu verras s'il ne l'avalera pas...

— Je n'attendrai pas qu'il meure d'inanition, hurla-t-elle, furieuse. Tu n'as jamais été heureux de sa naissance; tu es un être égoïste qui ne vit que pour lui. Ta femme et ton fils passent après tes malades, tes «chers» patients, avoue-le.

— Tu fais une «lavette» de ton fils en le traitant mollement; moi, je désire en faire un homme.

— Comme toi, je suppose?

— Pourquoi pas?

— David ne vivra pas que pour lui, il m'aimera; il ne délaissera pas sa mère comme tu le fais avec la tienne; jamais tu ne vas la voir...

Alex serra les mâchoires. Sa mère: il l'avait déjà trop vue. Elle avait vendu sa vieille demeure et habitait maintenant avec son autre fils, Maximilien, dans un quartier, en banlieue de la grande ville. La seule personne qui comptait pour lui était Evelyne et, malheureusement, elle était absente depuis quatre mois. Il ressentait sa solitude comme une blessure à vif et se jetait à corps perdu dans le travail, doublant ainsi sa clientèle durant la dernière année.

— Très bien, céda-t-il. Fais ce que tu crois bon pour lui, mais n'oublie pas qu'on ne peut vivre sain plus de huit ans en n'absorbant que des liquides.

Suzanne abaissa les paupières comme Alex s'éloignait et se retourna vers David assis sagement dans un parc et triturant la suce de sa bouteille de lait. Son époux avait raison, il faudrait désormais nourrir convenablement le petit garçon, fut-il mécontent. Il s'habituerait.

Etienne travaillait au service d'un grand laboratoire où nombre de chimistes et de biologistes s'occupaient de recherches scientifiques et médicales. Comme sa mère vivait maintenant en banlieue avec Maximilien, il avait emménagé dans un quatre pièces très sobre où l'une des deux chambres lui servait de laboratoire pour ses recherches personnelles. Son plus grand plaisir était l'acquisition récente d'une petite voiture neuve qu'il conduisait à vive allure dans la grande ville. Il adorait aussi les vêtements seyants et sortait, un jour de congé, de chez son tailleur, avec sa vivacité coutumière, lorsqu'il buta par inadvertance dans une jeune fille occupée à allumer une cigarette, debout sur le trottoir. Le choc lui fit perdre, et l'équilibre, et le talon de sa chaussure, alors que la cigarette roulait sur le pavé.

Etienne s'arrêta, désolé, s'excusant de sa maladresse, et invita la jeune fille à monter dans sa voiture pour la conduire chez un cordonnier. Elle accepta et il l'aida à s'asseoir près de lui.

— Je suis vraiment maladroit et inexcusable, mademoiselle; je ne sais que dire pour me faire pardonner.

— C'est ma faute, sourit-elle, aimable. Quelle idée ridicule de m'arrêter au beau milieu du trottoir pour fumer.

— Vous fumez beaucoup? s'enquit Etienne, amusé.

— Trop, beaucoup trop, rit-elle très à l'aise.

Etienne la trouva magnifique. Il ne perdait pas son temps habituellement à courir la gent féminine, mais ne détestait pas regarder de jolies jambes et un minois agréable.

Le cordonnier se fit un peu prier pour accepter de réparer immédiatement la chaussure, mais les yeux charmeurs de la demoiselle eurent raison de sa réticence. De retour dans l'automobile, les jeunes gens se présentèrent.

— Je m'appelle Etienne Eden; je suis bio-chimiste.

— Oh! s'écria-t-elle, vous êtes un savant, alors!

Etienne se divertissait beaucoup en compagnie de cette jeune fille.

— Savant! C'est beaucoup dire; nous faisons des recherches en laboratoire.

— Ces gens m'impressionnent énormément, ainsi que les médecins, parce qu'ils savent tant de choses.

— Et vous, que faites-vous? Quel est votre nom?

— Vivianne Jones, lança-t-elle d'un trait. Je suis étudiante en lettres à l'Université et me destine au journalisme.

— Vraiment! Avec votre allure et vos longs cheveux blonds, je vous croyais mannequin ou vedette de cinéma.

Elle rit de bon gré, découvrant deux rangées de dents blanches et saines que l'homme apprécia. Désormais, il était subjugué; il se sentait heureux comme jamais dans le passé. Ce bonheur lui venait de Vivianne et il ne désirait pas y mettre un terme maintenant.

— Accepteriez-vous de dîner avec moi, pour me prouver que vous ne m'en voulez pas pour la chaussure, ajouta-t-il devant son hésitation.'

— Cela ne dérangera-t-il pas vos plans; vous devez être très occupé, dans votre profession?

— Il faut bien que nous vivions aussi, se défendit-il en riant.

Elle eut un sourire charmant qui fit resplendir l'éclat de ses prunelles grises.

Ce fut la première de plusieurs rencontres. Etienne ne se lassait pas d'entendre le rire bien modulé de Vivianne qui semblait boire ses paroles. Il l'emmena visiter son laboratoire, la présenta à tous ses amis, l'entraîna dans des soirées agitées. Il ne contenait pas sa joie d'avoir trouvé une perle rare d'une si grande beauté, d'un si bel éclat.

Un soir qu'ils mangeaient dans un petit restaurant du centre-ville, Etienne aperçut Alexandre qui dînait seul dans un coin:

— Mon frère est ici, je vais le chercher; cela ne t'ennuie pas?

Il sortit de table avant d'entendre sa réponse hésitante et revint avec l'autre, à travers les tables.

— Voici Vivianne Jones; mon frère Alexandre, présenta fièrement Etienne.

Elle lui sourit gentiment et tendit une main qu'il serra machinalement.

— Je suis très heureuse de vous connaître, dit-elle.

— Moi de même, marmonna-t-il entre ses dents.

Il aurait volontiers étranglé ce cou fragile entre ses mains puissantes. Elle continuait à le considérer narquoisement, son teint frais lumineux et ses lèvres veloutées mis en valeur par l'éclairage. Alexandre demeurait rivé sur place, inconscient des secondes qui s'écoulaient.

Etienne brisa l'enchantement en lui tapant sur l'épaule.

— Ne t'avais-je pas dit qu'elle était ravissante, séduisante, renchérit-il aussitôt en la couvant d'un regard admiratif.

Alex réussit à esquisser un sourire qui ressemblait à une grimace, tandis que Vivianne riait de l'emphase de son compagnon.

— Tu exagères, Etienne.

— Il a raison, posa Alexandre gravement. Vous êtes une très belle femme, mademoiselle.

— Merci, minauda-t-elle en lui décochant un coup d'oeil rieur.

Al se tira de cette torpeur qui l'avait gagné et tenta de se montrer aimable.

— Je dois vous quitter tout de suite, malheureusement. Je suis déjà en retard; j'ai un rendez-vous important.

— Dommage! s'écria Etienne. J'avais espéré que tu prendrais ce repas avec nous.

— Une prochaine fois, si tu le veux bien.

Il s'en allait, mais non sans saluer une dernière fois, la jeune fille qui lui souriait, espiègle.

— J'espère vous revoir bientôt, mademoiselle... Jones, n'est-ce pas? C'est bien votre nom?

Elle approuva sans sourciller, sans changer cette expression un peu moqueuse qui le secouait. Il aurait volontiers crié: «Menteuse! Mens-tu à Etienne ou à moi-même? Quelle est donc ta véritable nature?»

Il la fixa plusieurs secondes, puis se redressa et s'en fut dans la direction opposée, sans se retourner.

Etienne leur versa à boire.

— Je crois que tu as fait une très grande impression sur Alex.

— «Grande» est bien le mot juste, rit-elle.

— Cette insistance à te regarder fixement, jeta-t-il amer.

— Il pense peut-être que je ne suis pas une fille pour toi.

— Je lui ai dit que je croyais être amoureux de toi, précisa-t-il avec chaleur en lui prenant la main.

— Tiens! Je l'ignorais, s'amusa-t-elle.

— Tu le sais maintenant, dit-il, en portant à ses lèvres la main brune pour en baiser la paume dans un geste délicat et émouvant.

Elle se remit à rire en lui retirant ses doigts.

— Nous nous connaissons depuis trois semaines seulement!

— C'est suffisant. Si tu m'aimes...

Elle l'interrompit brusquement, gardant toujours cet air doux sur son visage.

— Je ne t'aime pas, mon petit Etienne. Tu es gentil, attentionné, divertissant, mais je ne t'aime pas.

— Tu apprendras à me connaître, avec le temps, à m'apprécier, à m'aimer... Nous nous marierons! Tu seras heureuse; tu auras tout ce que tu désires.

— Au contraire, tu me retirerais le seul bien qui est

précieux à mes yeux: ma liberté; ma chère et totale liberté.

Etienne la regarda, abattu. Il se sentait frustré d'être repoussé; il aimait pour la première fois, mais il ne désespéra pas.

— Un jour peut-être?

Elle lui sourit gaiement, ne voulant pas retenir cette demande en mariage sans aucun intérêt.

— Un jour très lointain, alors.

Etienne se contenta de cette demi-promesse qui n'en était pas une. Il se montrerait patient, prévenant et si aimable qu'elle s'attacherait forcément à lui.

\* \* \*

Alexandre monta, quatre à quatre, les marches qui menaient chez Evelyne et ouvrit avec sa clef.

Du bruit venait de la salle de bain; il s'y dirigea fermement.

— Entre, je t'attendais.

Evelyne, nue sous la douche, faisait mousser un shampoing dans sa longue chevelure. Alex la regardait sans rien dire, adorable Néréide au corps ondulant sous le giclement de l'eau.

— Je savais que tu viendrais... avoua-t-elle, souriante.

— Comment aurais-je pu ne pas venir? lui reprocha-t-il. Je veux des explications, Vivianne Jones, rugit-il.

Elle se rinça les cheveux sans répondre, s'enveloppa la tête dans une serviette éponge et pria Al de lui donner l'autre, derrière lui. Il la lui tendit et elle se sécha.

— Que signifient toutes ces simagrées avec Etienne? Es-tu réellement amoureuse de lui?

— Toujours jaloux à ce que je vois! se moqua-t-elle doucement en posant les serviettes humides à sécher.

Tandis qu'elle brossait ses cheveux, il l'admirait: ces courbes bien proportionnées étaient tentantes. Il aurait pu avancer la main et la toucher...

— Tu ne m'as pas répondu. Qu'attends-tu d'Etienne?

— ...

— Pourquoi le fréquentes-tu?

— Je t'ai déjà demandé de ne pas me poser de questions sur mes activités.

— Tes activités! Qu'essaies-tu de me faire croire? Que votre rencontre n'était pas fortuite? Etienne est mon frère; je ne veux pas que tu t'amuses à ses dépens.

— N'est-il pas en âge de se défendre?

— Pas si tu te sers de tes charmes pour le convaincre de t'aider dans tes occupations louches.

— Ne te mêle pas de cela, répliqua-t-elle.

Alexandre se raidit, serra les mâchoires et s'apprêtait à repartir, lorsqu'elle poursuivit:

— Est-ce que je m'habille ou es-tu venu pour cela aussi?

Il la dévisagea gravement tandis qu'elle mettait un peu d'ordre autour d'elle. Il restait là, indécis, tenté, mais incertain. Elle le regarda de biais en riant:

— Hé bien! C'est parfait. Puisque mon sortilège n'agit plus sur toi...

Elle mit une petite blouse rosée et se tourna pour qu'il la boutonne, mais il n'en fit rien. Il la saisit par la taille et baisa farouchement la naissance de son cou, de ses épaules; il la retourna et effaça ce sourire vainqueur d'un baiser.

Rassasiés, ils demeuraient étendus l'un près de l'autre.

Alexandre se tourmentait:

— Etienne est-il déjà venu ici?

— Quelle importance! soupira la jeune fille.

Il se pencha au-dessus d'elle.

— Je «veux» savoir, insista-t-il. Je ne tiens pas à te partager avec lui, ce serait insensé. Il te faudra faire un choix, lui ou moi. Il répéta en martelant ses mots: Lui ou moi?

Elle le contempla ainsi: les sourcils froncés, ses

yeux verts bouillant d'indignation, une frange de ses cheveux bruns glissant sur son front.

— Etienne n'est jamais venu ici; il ignore même cet endroit.

— Ailleurs alors? Lui as-tu appartenu?

— Non, non et non, répéta-t-elle courroucée. Nous sommes bons amis, c'est tout.

— Pour l'instant, mais plus tard? Etienne est un beau garçon, il doit certainement te plaire.

— Justement non. C'est un gentil garçon et je préfère les hommes.

Elle se leva et enfila un déshabillé vaporeux.

— Les hommes! Oui, parlons-en...

Il fit le tour du lit et la prit aux poignets en serrant.

— Combien d'hommes? Les as-tu seulement comptés?

Elle le toisa durement.

— Tu as tort de le prendre ainsi, Al. Je serais désolée que tu m'obliges, par tes façons d'agir, à rompre avec toi.

— Rompre! répéta-t-il malheureux.

Il baissa la tête et s'éloigna d'elle, le coeur lourd.

— Je n'ai que toi, Evy. Je sais que je ne te suis pas indispensable, mais pour moi, tu es tout.

Le ton poignant toucha la jeune femme qui s'écria, serrant les poings avec force:

— Ne me parle pas ainsi; je ne veux pas prendre tant d'importance dans ta vie.

Il se rapprocha promptement, la prit par les coudes: jamais elle n'avait réagi aussi sensiblement à ses paroles.

— Ma petite Evelyne, tu tiens déjà toute la place dans ma vie, dans mon coeur.

Elle s'affaissa, comme privée d'air, entre les bras mâles qui la soutinrent.

— Evy! Qu'as-tu?

Elle secoua la tête lentement sans lever les yeux:

— Tu ne pourras jamais être heureux si tu bases ton destin sur moi, jamais.

— Même si je t'aime?

— Je sais que tu m'aimes, qu'Etienne m'aime, que Tony m'aime, que Ricky m'aime et d'autres du reste; mais moi, moi, dit-elle gravement, je ne vous aime pas, aucun de vous. Je vous perdrais tous et n'en éprouverais nul chagrin, nulle émotion.

— Même... moi? demanda Alexandre, mortifié.

Elle leva vers lui un regard clair et franc:

— Oui, même toi.

Elle fit quelques pas pour se détacher de lui, lisant la souffrance sur le visage navré qui gardait la trace d'un certain scepticisme, et c'est pourquoi elle ajouta, sans le regarder:

— J'aime être dans tes bras, mais lorsque je suis loin de toi, un autre ferait aussi bien l'affaire. Tu ne me manques pas, pas du tout.

Sa voix devenait plus brusque, plus saccadée et elle le scrutait maintenant d'un oeil farouche.

— Je ne pense même pas à toi, ni à aucun autre d'ailleurs. Je ne connais que la haine, l'indifférence, et je ne te hais pas, Al.

— Tu as bien un peu d'affection pour moi? Ne m'as-tu pas dit que j'étais ton amant favori?

— Oui, c'est vrai. Je t'aime bien, du moins, en autant que j'en sois capable; aussi brutale et méchante que je puisse te paraître, je t'aime comme un objet familier que l'on retrouve avec plaisir!

Alexandre se mit à rire, nullement vexé, car il y croyait plus ou moins; l'attitude d'Evelyne lui semblait trop pleine d'emphase.

— On a parlé longtemps de la femme-objet; nous voici maintenant à l'ère de l'homme-objet.

Elle souleva les épaules, impuissante à le convaincre.

— Très bien! Puisque tu te complais dans ce rôle, je n'ajouterai rien de plus.

Il l'enlaça étroitement, plus heureux que jamais; satisfait d'il ne savait quoi.

— Je t'aime; je suis près de toi; tu ne me repousses

pas; il me suffit de savoir que tu m'aimes bien. En ce qui me concerne, je suis prêt à demander le divorce, quand tu le voudras, pour t'épouser.

Elle sourit à son tour.

— Tu es incorrigible! Quelle patience d'ange il te faut avec moi, mon pauvre Al!

— Oui, et désormais, je ne serai plus jaloux. Puisque tu n'aimes personne plus que moi, puisque je suis «ton objet familier et plaisant», quelle torture m'infligerais-je à craindre de te perdre? Lorsque tu aimeras, alors, je pourrai m'inquiéter et pleurer sur mon sort, mais pas maintenant, ma douce, pas maintenant.

Il se pencha sur les lèvres fraîches pour y goûter un plaisir sensuel plus puissant que jamais.

Hélas! Ces belles paroles et ces promesses furent de courte durée! Alexandre fut plusieurs jours sans voir Evelyne et souffrit le martyre. Derrière chaque homme, il voyait un amant possible. Et si jamais elle aimait, qu'en serait-il de lui? Il se sentait devenir fou et l'alcool ne lui apportait guère de paix.

Un soir, il rencontra au bar du «Blummel», son frère Etienne, un verre à la main.

— Que fais-tu là? lui demanda Alexandre croyant que l'autre attendait Evelyne.

Etienne, déjà passablement éméché, leva un verre à moitié-vide.

— Tu le vois; je me soûle.

Alex s'assit près de lui, sur un tabouret de cuir, commanda, puis examina son cadet dans la glace du bar.

— Qu'est-ce qui ne va pas? Tes amours ou tes recherches?

Etienne hésita avant de répondre. Il scruta son aîné à son tour:

— Il s'agit de Vivianne. Elle me laisse tomber pour sortir avec mes compagnons de travail. Depuis plusieurs jours, je n'ai même pas pu la voir seul à seule un instant. Oh! Elle est toujours gaie et charmante avec moi, mais je vois bien qu'elle cherche à m'éviter.

Alex se risqua à l'interrompre.

— Ce n'est sans doute pas une fille pour toi; si elle a des aventures...

— Des aventures? Vivianne! Tu te trompes. Elle se donne des allures de femme libre, mais c'est une petite fille craintive qui cherche à se mettre à l'abri de l'amour et du mariage.

Il soupira.

— Si seulement je pouvais lui parler! Dès qu'elle a su que je croyais l'aimer, elle s'est écartée; si je parvenais à la rassurer, elle me reviendrait.

Il se tourna vers Al qui lorgnait le fond de son verre en brassant l'alcool lentement.

— Qu'en penses-tu, toi? Quelle impression t'a-t'elle laissée? J'ai bien remarquée la façon dont tu la regardais quand je te l'ai présentée.

Alex haussa les épaules sans quitter des yeux le jeu du liquide dans son verre, pour ensuite en avaler le contenu d'un trait, le reposer et en commander un second, tandis qu'Etienne l'observait, perplexe.

— Tu as encore des problèmes avec Suzanne? demanda-t-il.

— Suzanne! répéta Alex sans y porter intérêt. Non, sourit-il, désabusé.

— Une autre femme? devina Etienne compréhensif.

Alex eut un signe affirmatif avant d'avaler son second cognac.

Etienne ne pouvait plus détacher le regard du visage austère et tourmenté de son frère. Il était persuadé que celui-ci avait épousé Suzanne par amour et la découverte qu'il venait de faire le rendait morose.

— Est-ce que tu l'aimes? interrogea-t-il, curieux mais surtout surpris de constater qu'il n'avait jamais deviné ou compris Alexandre. Ses frères étaient des étrangers pour lui, autant Alex que Maximilien.

— Qui? Suzanne?

— Cette femme; celle pour qui tu es ici ce soir; tu

l'aimes? Est-ce parce que tu es déjà marié que tu parais malheureux?

Al eut un rire cassé qui résonna aux oreilles d'Etienne.

— Non, je suis comme toi, repoussé. Elle ne m'aime pas...

— Les femmes! s'exclama le plus jeune. Elles ne valent pas les tracas qu'on se fait pour elles.

Alexandre se tourna vers lui et trancha sur un ton passionné:

— Certaines femmes, oui.

Etienne demeura songeur; Vivianne lui plaisait, mais... la flamme intense qu'il lisait dans les yeux de son aîné, l'émotion enthousiaste qui faisait vibrer sa voix, le portaient à réfléchir. Cet amour vibrant, presque fou qu'Alex vivait, était loin de la douceur et du plaisir qu'il ressentait à être avec la jeune fille blonde. Certes, son adorable candeur, ses rondeurs juvéniles et son allure l'avaient conquis, mais la puissance de son affection égalait-elle cette passion sauvage, animale? Il ne souhaitait pas que son coeur batte à se rompre, qu'il se comprime de douleur; il ne désirait pas vivre un si grand et intense amour qui menait souvent au désespoir, car Alexandre se désespérait, il en était conscient.

Il terminait à présent un troisième verre et commandait à nouveau.

— Et Suzanne dans tout cela? essaya de raisonner Etienne.

— Elle a David; il lui suffit. Nous faisons chambre à part depuis deux ans, soit un mois après notre mariage.

Etienne n'en revenait pas de cet aveu.

— Alors! Cette autre femme, elle est ta... «maîtresse»?

Son aîné le regarda franchement sans détour.

— Oui; je l'ai connue avant d'épouser Suzanne.

— Et c'est pour cela que ça n'a pas marché avec elle?

— Non, non. Suzanne est une femme froide,

frigide si tu préfères; elle répugne à tout contact physique. L'autre est exactement le contraire; elle a un tempérament ardent, au point qu'elle a plusieurs amants. Voilà, tu sais tout.

— Que comptes-tu faire?

La question amusa Alexandre plus encore qu'elle ne l'étonna. Il se détendit et rit de la stupéfaction qu'il provoquait chez Etienne.

— Rien. Je continue simplement.

— Tu acceptes de vivre comme cela?

— Absolument pas, mais il le faut. Je ne peux me passer d'elle, admit-il sans honte.

— Et elle? Ne tient-elle vraiment pas à toi?

Il secoua la tête. Il en disait plus qu'il n'aurait voulu, mais il tenait en même temps à mettre son frère en garde contre le pouvoir de certaines filles, dont Evelyne.

— Pas plus à moi qu'à un autre. C'est pourquoi je ne puis me défendre.

— Laisse-la tomber; il y a tant d'autres femmes...

— Pas comme celle-là, possédant beauté, intelligence, chaleur, jeunesse.

— Hé bien! Vivianne aussi a tout cela; tu vois que ta jeune amie n'est pas la seule à...

— Pourrais-tu, saurais-tu te défaire de Vivianne? La laisserais-tu tomber, comme tu le dis, si tu apprenais qu'elle n'est pas la délicieuse fille qu'elle prétend être, si elle avait de nombreux amants?

Etienne pencha la tête et frissonna. Son sentiment pour la jeune fille se précisait, le survoltant, le terrifiant presque. Il grimaça.

— Si elle était ainsi, je me forcerais à l'oublier; je ne saurais la partager, ce serait me ridiculiser; non, je ne saurais pas, termina-t-il très bas.

— C'est difficile, tu as raison, mais on s'habitue.

Il avait parlé avec hargne, les traits décomposés. L'alcool lui donnait un timbre de voix impressionnant et un regard farouche comme il en avait souvent vu à Maximilien.

Il se levait de son siège quand Etienne le rappela:

— Où vas-tu maintenant?

Alexandre se retourna pour lui faire face de toute sa hauteur:

— Chez-elle, marmonna-t-il. Elle est peut-être rentrée.

Il paraissait un peu gêné de se montrer aussi faible, mais il sourit bravement, un drôle de petit sourire qui le vieillissait:

— Elle est toute ma vie!

Il sortit, le dos plus courbé qu'à l'ordinaire. Etienne ressassait ces derniers moments; il y décelait un trouble qui se traduisait sur lui en un malaise saisissant. Le dernier cognac d'Alexandre était à demi consommé.

Etienne repoussa son gin à l'eau, dégoûté. Il se refusait d'appartenir à la catégorie des «esclaves», de ces «soumis» à leurs passions: l'alcool, les femmes, la drogue; lui, il voulait être différent, fort, invincible, savoir vaincre ses faiblesses.

Il décida, sur le champ, qu'amoureux ou non, il ne courrait pas derrière Vivianne, qu'il ne s'abaisserait pas à quémander un amour qu'elle ne semblait pas disposée à lui donner. Si elle venait vers lui, il lui ouvrirait les bras, sinon...

Sans le savoir, Alexandre avait atteint son but.

Alexandre renvoyait, après visite, une patiente de son cabinet d'omnipraticien. Sa secrétaire se glissa à l'intérieur comme la femme sortait:

— Excusez-moi, docteur, il y a là un jeune homme qui insiste pour vous voir immédiatement; il dit être votre frère, Etienne Eden et... enfin, il me paraît excessivement nerveux.

— Très bien, je vais le recevoir; faites-le passer dans le grand bureau.

— Oui, tout de suite, monsieur.

Alex passa dans la pièce plus vaste et éclairée contigüe à celle où il recevait les malades et vit arriver Etienne visiblement excité.

— Alexandre! Je te dérange, je le sais, mais il fallait que je te vois tout de suite.

— Que se passe-t-il?

— Je ne sais plus ce que je dois faire!

— Assieds-toi pour commencer et calme-toi; on jurerait que tu t'es assis sur des chardons.

— Sur une bombe atomique serait plus juste, assura son cadet, refusant d'un geste de la main, le siège que lui offrait l'autre. Edgar Pores vient d'être mis à la porte du laboratoire.

— C'est un de tes amis!

— Oui, non, c'est-à-dire que je n'ai jamais eu vraiment d'amitié pour lui, surtout depuis qu'il fréquentait Vivianne...

Alexandre leva un sourcil, soudain fort intéressé.

— Voilà le «hic»! Elle lui a joué un sale tour, du moins, je le crois et cela s'est retourné contre elle.

— Qu'a-t-elle fait exactement? s'informa Alex tendu, mais tâchant de paraître calme et détaché. Et pourquoi viens-tu vers moi?

Etienne s'avança afin de parler bas sans qu'on puisse l'entendre de l'extérieur.

— Il y a eu un vol au labo; plusieurs livres de divers produits chimiques ont disparu: des drogues, de la mescaline...

— Et alors! le pressa Alexandre curieux de connaître le rôle qu'Evelyne jouait dans cette affaire.

— Il n'y a que quatre personnes à posséder la clef de l'armoire à pharmacie: le patron, la secrétaire, l'assistant-chef et Edgar qui est notre supérieur, un genre de superviseur. Les autres sont hors d'atteinte; seul Edgar pouvait être suspecté et chassé. Je suis convaincu que Vivianne est mêlée à tout cela.

— Tu exagères vraiment! répliqua Alex sur un ton dur. Il se reprit voyant une lueur de stupéfaction indignée chez Etienne. Vos fameux produits sont-ils si importants?

— Non, assura Etienne en réfléchissant. Tout au plus peuvent-ils les vendre à un autre laboratoire ou à des détaillants de drogue qui en feront la redistribution.

— Il n'y a là qu'une affaire de gros sous; pourquoi crois-tu qu'Ev... que Vivianne y serait mêlée? Parce qu'elle est sortie quelquefois avec ce type? Elle a sans doute fréquenté plusieurs de tes copains, pas seulement celui-là!

— Tu as raison; je n'ai que des présomptions; aucune preuve, souffla-t-il.

— T'a-t-elle déjà questionné au sujet de vos recherches? Des produits utilisés? As-tu eu vent de quelque mauvaise action de sa part qui te conduise à ces doutes?

Il eut un rictus, se tordant les mains sans cesse.

— Qu'elle sorte avec Edgar me semble être une preuve déjà accablante. Tu ne l'as pas vu! Il est petit, maigre, à moitié chauve, portant lunettes et...le vrai type du pauvre célibataire laissé pour compte, quoi!

— Elle en a peut-être eu pitié?

— Allons donc! Quand on est jeune, jolie, libre et qu'on a tous les succès, on ne choisit pas le pire, sauf si on a des buts précis.

— Et c'est ce qu'elle a fait?

— Pratiquement; elle a négligé Carol qui est le «Don Juan» de la bande des recherchistes, et même François, le charmeur, qui soit dit en passant lui en veut toujours, tout cela, uniquement pour sortir avec Edgar.

— Ils n'étaient peut-être pas son genre d'homme!

— Certes pas plus qu'Edgar! rugit Etienne.

— Mais qu'attends-tu de moi? posa Alexandre qui se demandait où son frère voulait en venir.

Etienne sourcilla mal à l'aise.

— Bien voilà... commença-t-il triturant toujours nerveusement ses jointures, les policiers sont venus faire enquête et...

— Tu l'as vendue? s'inquiéta Alex.

— Non, assura-t-il. Ils m'ont interrogé à son sujet; mais je n'ai rien dit qui puisse lui nuire.

— Alors!...

— François a dirigé leurs recherches vers elle pour se venger de sa déconfiture et... ils l'ont emmenée au poste.

— Que veux-tu y faire? lança Alexandre d'un ton bourru en soulevant les épaules. Si elle est innocente, elle n'a rien à craindre.

— L'est-elle? murmura Etienne pour lui-même. J'en doute.

Le son métallique frappa l'ouïe d'Alexandre. Quelque chose sonnait faux dans tout cela. Il examina carrément Etienne qui soutenait son regard, presque haineux.

— Tu vas me dire ce qui se passe exactement, ordonna-t-il.

— Très bien, accepta l'autre, dévisageant toujours Alex qui lui faisait face, franchement, les mains aux hanches. La police a pu recueillir certains renseignements sur... Vivianne. Tu ne devines pas lesquels?

Alexandre le toisait tranquillement, hautain et calme. Comme il ne disait rien, Etienne compléta:

— Evelyne Baxter-Jones! Tu la connais, n'est-ce pas? Elle est la fille unique du riche et célèbre industriel John Baxter-Jones. Tu savais tout cela; c'est pourquoi tu faisais cette tête lorsque je te l'ai présentée! Pourquoi ne me l'as-tu pas dit?

— Cela aurait-il changé quelque chose? D'ailleurs, j'ignorais son nom de famille et qu'elle était fortunée.

— Mais tu la connais? insista Etienne, méchant.

— Oui, si tant est qu'on puisse la connaître.

— Et tu l'aimes, n'est-ce pas? demanda-t-il sourdement avant de reprendre, voyant Alex le regarder sérieusement sans sciller: sais-tu ce qu'on dit d'elle?

— Que dit-on? s'informa l'autre poussé par la simple curiosité.

— Qu'elle fait partie du monde interlope, de la pègre... Les policiers l'ont amenée au poste pour interrogatoire et moins d'une heure plus tard, elle était libre;

son avocat est très prompt, très vif et... très bien payé, je suppose. De toute façon, Edgar écopera, qu'elle soit fautive ou non.

— Tu n'as aucune preuve de sa culpabilité, énonça Alexandre.

— En as-tu toi prouvant son innocence? répliqua l'autre ironiquement. Et c'est pour cette fille que tu te damnes!...

Il secoua la tête tandis qu'Alexandre abaissait les yeux un court instant.

— En ce qui me concerne, disait Etienne, je ne voudrais d'elle pour rien au monde; jolie poupée sans cervelle, elle ne m'intéresse pas.

— Tu la condamnes ainsi, sans savoir, sans la connaître?

— En sais-tu donc davantage?

Alexandre baissa la tête et mit les mains dans ses poches. Il ignorait tout d'elle; il l'adorait, cela seul suffisait pour lui pardonner toute sottise, pour oublier tout blâme.

— Tu vois! Tu n'as aucun courage en ce qui la concerne; tu ne lui en veux même pas de te tromper...

— Tais-toi, demanda Alex simplement. Je l'aime, c'est vrai. Rien d'autre ne compte, rien, dit-il avec émotion. La perdre serait la fin de tout; je ne veux même pas y penser. Bien sûr que je suis jaloux, assura-t-il fermement à l'intention d'Etienne, elle me le reproche assez souvent, mais au moins, elle est là.

— Elle n'est sûrement pas toujours disponible, ironisa son cadet laconiquement.

— Non, mais elle revient «toujours», que ce soit dans un jour, une semaine, un mois ou un an; il me suffit de savoir que je la reverrai.

— Tu n'es pas très exigeant, mon pauvre Alex. Avec moi, elle aurait marché droit ou...

— Elle t'aurait quitté, coupa-t-il. Elle tient à sa liberté.

— Oui, c'est ce qu'elle m'a dit. Je ne parviens pas à

te comprendre, s'exclamait-il en secouant la tête, une fille qui fait passer ses plaisirs avant ses amis.

— Si tu t'es déplacé et me déranges pour me dire cela, c'était vraiment inutile.

— Non! hurla-t-il. Elle te demande. Edgar a voulu la faire parler; il s'est fâché et lui a fait un mauvais parti.

— Quoi! Pourquoi ne l'as-tu pas dit tout de suite?

— Elle ne risque rien; souffrir un peu lui mettra peut-être du plomb dans la tête.

Alexandre retirait déjà sa veste blanche et endossait son veston.

— Ne te presse pas tant, elle n'a pratiquement rien.

— Mais encore?

— Il l'a un peu sonnée, avoua-t-il nonchalemment.

Alexandre se tourna, le dardant d'un regard pointu, féroce.

— Il l'a battue et vous l'avez laissé faire?

— Personne n'y était qu'Edgar et elle, expliqua-t-il embarrassé. Comme par hasard, je la cherchais pour lui dire ma façon de penser quand j'ai constaté qu'il l'avait trouvée avant moi. Il a fui, hébété en me voyant arriver et j'ai glissé Vivianne, ébranlée, dans mon véhicule. Elle m'a demandé de la conduire au coin de la 13e avenue et, comme j'ai refusé prétextant que je l'emmenais chez un médecin quoi qu'elle dise, elle a demandé que je te prévienne. C'est alors que j'ai commencé à comprendre...

Alex serra les mâchoires.

— Où est-elle maintenant?

— Toujours dans la voiture.

— Tu crois? J'ai plutôt l'impression qu'elle aura mis les voiles dès que tu es sorti de l'auto.

Etienne se rembrunit et s'élança vers la porte qui donnait directement sur l'extérieur; son frère le suivait lentement en inspectant tous les mouvements de son cadet. Il se penchait, ouvrait la portière, constatait l'évidente absence d'Evelyne et se retournait, furieux.

— Elle s'est bien jouée de moi, mais je la retrouverai.

Alexandre courut à lui.

— Inutile, je la verrai ce soir et t'en donnerai des nouvelles.

Ils se dévisagèrent; un instant lourd d'animosité les opposa et Etienne lâcha finalement, venimeux:

— Je te souhaite bien du plaisir, mon cher Alex, et j'espère qu'elle ne souffrira pas trop des brutalités d'Edgar!

Sur ces paroles fiéleuses, il monta dans son automobile et en claqua la portière d'un geste vif. L'autre le regarda s'éloigner dans un nuage de poussière et de crissement de pneus. Il s'en retourna vers ses patients, tourmenté, et ne put chasser de ses pensées l'image de la trop charmante Evelyne couverte de meurtrissures.

Il se força, ce même soir, à monter normalement, calmement les escaliers menant à l'étage de la jeune fille. Il aurait aimé courir, entrer en trombe dans la petite cuisine bien rangée et entamer un questionnaire qui aurait fait rugir Evelyne, mais il se contenait, sachant bien que cette hâte n'aurait mené à rien de bon.

Il pénétra lentement dans la pièce et fut surpris de n'y voir aucun éclairage. Evelyne devait forcément être là.

— Evy! appela-t-il doucement. Evy!...

Il refermait la porte et marchait vers la chambre. Dans l'obscurité, il distingua une forme allongée sous les couvertures. Il alluma la veilleuse et s'assit sur le rebord du lit.

Evelyne ne bougeait pas; Alexandre, de la main, prit le menton délicatement et l'obligea à se retourner. Elle gémit à ce contact et il adoucit encore sa prise pour la tourner vers lui; la vue de ce visage tuméfié aux lèvres fendues et gonflées, aux yeux pochés et tachés de coups bleuâtres, de ce beau visage qu'il aimait tant, l'imprégna jusqu'au coeur d'une douloureuse affliction.

— Oh Evy! murmura-t-il la gorge nouée d'un sanglot retenu.

Elle ouvrit la bouche pour parler, mais la douleur l'en empêcha. Il sortit de sa trousse médicale quelques flacons, une boîte de gazes, et entreprit de désinfecter les plaies sous le muet abandon de la jeune fille. Ensuite, il la regarda avec tendresse et caressa, du bout des doigts, les traits fins décomposés par l'enflure.

— Mon pauvre petit! Pourquoi s'en prendre à toi?

Elle secoua la tête lentement et réussit à articuler dans un souffle:

— Il...

Elle se reprit:

— Il... a raison.

— Raison! s'étonna placidement Alexandre. Tu veux dire que tu as pris ces stupéfiants, ces produits?

— Pas moi.

— Tes amis! Ceux avec lesquels on prétend que tu entretiens certaines relations! La pègre! C'est bien cela, n'est-ce pas?

Elle le considéra gravement un moment avant d'articuler:

— C'est mauvais pour ta réputation d'être vu en ma compagnie, ces temps-ci. Va t'en, Al; laisse-moi.

— Dans cet état? Pas question; je reste, assura-t-il fermement.

Elle se détourna en geignant et il la rassura:

— Cela m'est égal, mon petit.

Posant la main sur sa hanche, il acheva sur un ton passionné:

— Je t'aime; je veux te garder quoiqu'il advienne, qui que tu sois. Tu fais partie de moi; tu vis en moi; tu es continuellement présente dans ma pensée. Evy!...

Il se pencha sur sa propre main et s'appuya contre elle de la tête.

— Evy! Partons ensemble, n'importe où. Allons refaire notre vie ailleurs, juste toi et moi. Oublions tout le reste; partons chérie, partons, supplia-t-il.

Evelyne se tourna vers lui sans joie. Il lisait dans son regard de la pitié et aussi de la détresse.

— Je ne peux pas, Al. Je sais que je suis folle de refuser, que tu ferais un compagnon exemplaire, unique, mais c'est impossible.

— Pourquoi? Ton affection pour moi a bien évolué depuis que nous nous connaissons; qui sait? Tu pourrais bien parvenir à m'aimer, avec le temps.

Elle secoua la tête, navrée.

— Tu ne comprends pas, Alexandre; tu ne comprends pas.

L'appellation de son prénom complet lui parut comme un soufflet. Il se releva, serra les dents pour maîtriser le tremblement de ses lèvres tandis qu'elle poursuivait toujours lentement et à voix basse:

— Je t'aime bien; je te l'ai répété tant de fois, mais je ne t'aime pas. Je ne «désire» pas vivre avec toi continuellement. J'ignore ce à quoi j'aspire, peut-être à rien, mais certainement pas à me lier définitivement. Essaie de me comprendre si tu le peux, sinon...

— Sinon, je puis m'en aller et ne jamais reparaître, termina-t-il mélancoliquement.

Il ne reçut pas de réponse, il la savait affirmative une fois de plus. Il se leva à regret et fit quelques pas.

— Essaies-tu, toi, de me comprendre? Tu n'ignores pas que je suis prêt à tous les sacrifices pour toi, à combler tes moindres caprices, qu'il m'est pénible de penser que tu peux me rejeter définitivement sans en éprouver le moindre regret. Je suis trop attaché à toi; je suis faible devant la douleur que m'infligerait ta perte.

— Nous sommes bien ainsi; nous pouvons nous voir quand nous le voulons; pourquoi changer?

— Pourquoi! Parce que si toi tu peux me voir quand tu le veux, il n'en est pas de même pour moi. Tu disparais des semaines entières, sans m'en aviser, sans t'en excuser, comme si je...

Il ne poursuivit pas; l'évidence le fit vaciller.

— Où vas-tu pendant tout ce temps? demanda-t-il faiblement en s'asseyant dans un large fauteuil et en s'y adossant, les yeux clos. Tu es riche, Etienne me l'a dit. Pourquoi gardes-tu cet appartement qui ressemble à un taudis? Tu n'as jamais voulu que je t'installe, que je t'entretienne, tu refuses même mon amour. Tes parents sont fortunés, tu es belle, intelligente; tu as tout en main pour être heureuse, mais tu préfères jouer au «voleur» avec une bande de vauriens et te vautrer dans le lit de n'importe qui, pourquoi? Pourquoi, Evy? reposa-t-il en se levant pour revenir vers le lit à nouveau et y appuyer les mains, tâchant de découvrir, à travers les yeux pâles d'Evelyne, l'âme qu'elle lui voilait. Mais il n'y vit rien, rien qu'un mur gris hermétiquement clos qui le fixait froidement.

— As-tu éprouvé un chagrin d'amour? Quelque chose qui t'a retiré ton essence humaine, la chaleur de ton coeur? Raconte-moi, peut-être ensuite parviendrais-tu à vivre en harmonie avec toi-même et avec les autres.

Elle eut un ricanement qui le choqua.

— Je suis bien comme je suis; voilà la vérité. Je ne recherche rien, rien d'autre que de faire ce qu'il me plaît au moment où je le veux, sans attache, sans chaîne à ma cheville. Je suis mes instincts comme un animal, sans trop me poser de questions et j'aime vivre ainsi; c'est tout. Cela répond-il à toutes tes questions?

Il recula et essuya son front du revers de la main.

— Combien de temps en sera-t-il ainsi?

— Tant que j'en ressentirai le besoin; toute ma vie s'il le faut.

Elle se livra à haute voix, comme pour elle-même:

— Il y a une force qui me pousse à agir, malgré moi, comme si je tendais vers un but unique, ultime, vers le fond d'un abîme d'où je déboucherais sur le soleil, les étoiles, sur un univers de fin du monde, sans joie, sans peine, libre et extasiée d'une paix intérieure profonde.

— C'est de la mort dont tu parles, la tira Alexandre de sa rêverie.

— La mort! répéta-t-elle surprise. Tu crois que c'est ainsi?

Il souleva les épaules, mécontent de voir une lueur briller dans son regard.

— C'est possible; de la façon dont tu vis, tu y parviendras sûrement. Un jour ou l'autre, tu te feras descendre, soit par des types du genre d'Edgar, soit par la police, ou même par tes copains de la pègre.

— Je ne veux pas mourir, Al. Tu ne me crois pas? ajouta-t-elle en voyant le doute s'inscrire sur son visage aux traits nets et réguliers. Ne peut-on pas atteindre la sérénité d'une autre façon?

— Epouse-moi; tu l'auras ta «sérénité», conclut-il.

— Non; j'aurais l'impression de manquer quelque chose, de ne pas avoir terminé mon chemin, de m'être arrêtée avant... Je dois continuer; si tu dois être mon unique solution, je te reviendrai.

— Et quand le sauras-tu?

— Je suis certaine que le moment venu, je le saurai; je ne tendrai plus que vers mon but; rien d'autre ne comptera.

— J'espère voir ce jour, et j'espère aussi être celui qui t'apportera le bonheur.

Elle eut un petit sourire qui accrut l'impression d'enflure sur son visage boursouflé.

— Oui, ce serait peut-être bien, admit-elle.

Alexandre lui serra la main avec force. Ce devait être les derniers et les plus merveilleux jours qu'il passait avec elle avant de la retrouver, presque deux ans plus tard, mariée à Hingüe Thorvaldsen.»

☆

Alexandre touchait le fond du désespoir. Il la rencontrait lorsqu'elle pouvait échapper à son époux alors au travail et se grisait de baisers, de sa chaude présence.

— Tu es heureuse avec Hingüe? As-tu trouvé ce à quoi tu aspirais?

Elle secoua la tête et rejeta la fumée de sa cigarette.

— Alors, tu regrettes ton mariage?

— Pas du tout. Comme autrefois, mon petit Al, je crois qu'il fallait que cela soit fait.

— Tu as mûri, Evy. Tu es plus belle et plus désirable encore. Tu as toujours du tempérament, mais tu parais plus sûre de toi, plus sereine, peut-être!

— Oh non! J'ai d'horribles remords de tromper Hingüe, dit-elle en se levant du fauteuil pour prendre son manteau et écraser sa cigarette.

Elle eut une crispation de la lèvre et reprit pourtant avec franchise:

— Il n'a pas l'habitude et il n'est plus très jeune.

— De sorte qu'un jeune et vigoureux amant fait ton affaire, poursuivit Alexandre laconiquement. Je suis jaloux à l'idée que c'est lui qui dort auprès de toi la nuit, à ma place, comme autrefois, tu t'en souviens, souffla-t-il dans son cou en l'embrassant.

— Il serait temps que je rentre, le repoussa-t-elle doucement mais fermement.

—Alex serra les mâchoires selon son habitude et recula, boudeur.

— Très bien, allons-y.

Il écrasa mon mégot dans le cendrier et empoigna son paletot. Elle regardait la pièce, soucieuse.

— Il serait préférable de ne plus nous rencontrer ici; «ils» connaissent cet endroit et pourraient me retracer.

— Je t'avais déjà prévenue qu'ils risquaient de te tuer; tu ne m'écoutes jamais, se plaignit-il.

Ils descendirent et prirent place dans la grosse voiture d'Alexandre.

— Tu n'as toujours aucune souvenance des faits qui se sont déroulés durant ton amnésie? demanda-t-il à brûle-pourpoint.

— Hingüe dit que je ne m'en souviendrai probablement jamais.

— Et cela ne t'ennuie pas? posa-t-il bourru.

— Un peu bien sûr, mais pas suffisamment pour m'en tracasser comme tu le fais.

— Je ne pourrais souffrir d'ignorer la plus brève période de mon existence; comment fais-tu?

— Hingüe m'a raconté tout ce qu'il y a eu; pourquoi m'en soucierais-je?

— Il t'a suivie tout le temps? railla-t-il.

— Non, puisque je ne suis restée près de lui que quelques mois.

— Et le reste du temps?

— Qu'importe, répliqua-t-elle ennuyée.

— Mais si tu t'étais mariée! Si tu avais été amoureuse?

— Le mariage ne saurait être valide s'il a été effectué sous un faux nom et puis, ce soi-disant mari me rechercherait! Non, je suis certaine qu'il ne s'est rien passé d'extraordinaire, autrement, je le sentirais....

— Oh! Puisque tu le prends ainsi, très bien. Après tout, cela te regarde.

Il conduisit en silence le reste du chemin et déposa la jeune femme dans une rue voisine de sa maison afin que personne ne la vit descendre de son véhicule.

En arrivant devant chez-elle, elle vit de la lumière aux fenêtres; Hingüe devait être rentré! Comment se faisait-il qu'il termine plus tôt que prévu? Elle courut un peu sur le dallage et entra, essoufflée.

— Hingüe, appela-t-elle; mais on ne répondit pas.

Elle se rendit au salon d'où provenait la source lumineuse. La petite lampe éclairait confusément les contours de la pièce. Elle s'approcha du divan en appelant encore et resta stupéfaite, effrayée devant le sourire qu'on lui dédiait.

— Bonjour Madame Thorvaldsen, riait Richard, couché sur le divan, et dont les cheveux roux flamboyaient.

Il dirigeait vers elle la pointe de son révolver et, en se levant, lui fit signe de contourner le meuble, ce qu'elle fit, pour enfin apercevoir Carl qui venait du couloir et Hanner poussant la porte du petit bureau.

— Que me voulez-vous? demanda-t-elle d'une petite voix.

— Tu ne le sais pas, ma toute belle, reprenait Ricky en s'approchant dangereusement et en faisant glisser son arme sous la chevelure soyeuse d'Evelyne qui frissonna.

— Que craignez-vous de moi? Si j'avais voulu vous

vendre, ce serait déjà fait; je n'aurais pas attendu que vous réapparaissiez.

— Tu avais bien trop peur, et puis... nous t'avons déjà ratée deux fois, sourit-il, malfaisant.

— Que gagnerez-vous à me descendre? De toute façon, j'ai déposé, chez un notaire, une lettre citant vos exploits. On l'ouvrira si je meurs de mort violente. Richard la toisa. Bluffait-elle? Non, elle n'en avait pas l'air, et ne semblait pas le craindre. Elle parlait calmement et il fit un pas de plus vers elle.

— Tu sais que tu m'as toujours plu, ma belle. Si tu voulais, on pourrait faire la paix.

— Et je payerais de ma personne, je suppose?

— Ce ne serait pas un si grand sacrifice; après tout, je ne suis pas si vilain garçon.

— Non, Ricky. Pour les affaires, cela allait, mais tu me déplais souverainement en tant qu'homme. Jamais je n'irai avec toi, cracha-t-elle.

Il la fixa d'un oeil sadique et elle crut qu'il allait la frapper. Finalement, il se détourna.

— Tu as tort, ma beauté; je suis venu te chercher. Tu vas... disparaître simplement. Nous te garderons vivante et prisonnière; ce sera moins embarrassant qu'un cadavre et surtout, surtout... beaucoup plus amusant, ricana-t-il en jouant avec son révolver.

Evelyne se sentit perdue. Que pouvait-elle faire pour lui échapper?

On entendit le bruit d'une automobile, d'une portière qui claque, de pas résonnant sur le gravier. Hanner, qui surveillait derrière la tenture, annonça:

— Quelqu'un vient.

— Sans doute ton mari, ma petite; il aurait mieux valu qu'il n'arrive pas. Ce sera dommage pour lui.

— Non, s'écria-t-elle en se jetant devant Ricky. Tu ne peux faire cela; laisse-le tranquille. Je t'en supplie; je te suivrai comme tu le désires.

— Trop tard, jeta-t-il violemment en la repoussant, brutal.

Hingüe entrait; Evelyne se releva en criant:

— N'entre pas; va-t-en Hingüe, va-t'en. Va chercher la police.

Mais l'homme arrivait, alarmé par les supplications de sa femme.

— Que voulez-vous? Qui êtes-vous? somma-t-il.

— Assieds-toi, pépère, dicta Richard en le poussant de son révolver dans les côtes.

Hingüe obéit en cherchant Evelyne des yeux.

— Hé bien! Tu les aimes âgés tes hommes, beauté; tu me déçois horriblement.

Le médecin voulut se lever mais Ricky lui enfonça son poing dans l'estomac et il s'affaissa en gémissant sur le canapé.

— Et mou avec cela!

Il fit de la langue un petit bruit sec, désapprobateur.

— Laisse-le Rik; il ne parlera pas.

— Tu peux en être certaine, ricana-t-il en montrant son gros calibre, les morts ne parlent pas.

— Ne fais pas cela; tu le regretteras.

— Voilà qu'elle menace maintenant! Tu n'es pas en très bonne position pour agir ainsi; tu ferais mieux de la boucler.

Comme il se retournait vers son mari, menaçant, elle se rua sur le jeune homme qui perdit l'équilibre sous la surprise. Hingüe, à son tour, s'élança sur les deux combattants; un coup partit dans le combat, les deux autres voyous, immobiles, attendaient.

Evelyne et Hingüe se relevèrent à genoux; Ricky expirait, une balle en pleine gorge. Hanner leva son pistolet, visa Hingüe et tira, l'atteignant à l'estomac. Le médecin s'écroula; Evelyne cria, saisit l'arme de Ricky et tira trois coups dans la direction de Hanner qui tomba sur le sol. Carl avait filé sans demander son reste quand Evelyne terrifiée, angoissée, le chercha du regard. Ricky et Hanner ne bougaient plus; Hingüe respirait difficilement, le visage convulsé.

— Hingüe, gémit Evelyne dans un cri poignant.

— Tu vas bien, mon petit? s'informa-t-il, souffrant visiblement.

— Oui, oui, pleurait-elle, mais toi, toi?

— Appelle la police et l'ambulance, veux-tu, ma douce enfant?

— Oui, bien sûr, tout de suite.

Elle essuya ses larmes du revers de la main et courut au téléphone. Elle signala, entendant vaguement des gens frapper à la porte.

Les policiers la trouvèrent agenouillée près de Hingüe, supportant sa tête sur ses genoux repliés et lui tenant la main.

— Que s'est-il passé? demanda un inspecteur qui arriva peu après.

Comme elle semblait perdue, absente, il lui toucha l'épaule. Lentement, elle leva la tête. Autour d'elle, les policiers s'activaient; l'un d'eux, en civil, prenait des photographies. Des ambulanciers soulevèrent enfin Hingüe et l'emportèrent. Evelyne restait là, à regarder sans voir. L'un des deux inspecteurs la prit par le bras pour l'aider à se relever et la fit asseoir sur le divan; elle demeurait prostrée.

Il s'assit près d'elle.

— Vous êtes Mme Thorvaldsen? demanda-t-il gentiment d'une voix douce.

Elle sembla se reprendre, plissa le front.

— Je veux aller à l'hôpital avec lui, supplia-t-elle.

— Hé bien! Je ne sais si...

L'autre homme lui fit signe de consentir à sa demande.

— Très bien, un policier vous conduira.

Elle allait sortir lorsqu'il conseilla en apercevant son manteau sur un fauteuil à l'entrée de la porte.

— Habillez-vous chaudement.

Elle le regarda, chercha autour d'elle; il lui indiqua le vêtement, s'approcha, le lui mit sur les épaules et l'admira tandis qu'elle sortait.

— Fichtrement jolie, la petite dame. Pas étonnant que se produisent de tels drames.

— Ne saute pas trop vite aux conclusions, suggéra son supérieur. Tu dois bien savoir qui est cette capiteuse jeune femme.

L'autre fronça les sourcils, surpris de devoir la reconnaître.

— Non pas; qui est-elle?

— Evelyne Baxter-Jones, la fille de John Baxter-Jones. On a souvent eu des présomptions contre elle, mais jamais de preuves. Et tu sais qui sont ces deux types?

Il ne lui laissa pas le temps de réfléchir et poursuivit:

— Richard Hanner, «Ricky le rouquin», et cet autre, Hervé Hanner, son frère, un faible, un mou qui a subi l'influence de son aîné. Il a fréquenté la fille Baxter-Jones quelque temps. Nous pensons même que la participation de la jeune fille à la bande organisée, qui opère pour le compte de plus gros, doit remonter à ce moment.

— L'a-t-on déjà prise sur le fait?

— Jamais. Elle opérait sur les «clients»; à notre sens, elle gagnait leur confiance ou les occupait alors que ses amis les volaient. Facile pour elle, avec un tel physique!

— Tu es certain de ce que tu avances?

— On n'a jamais pu le prouver. Ils prenaient leurs précautions, ces jeunes voyous. De plus, Madame ex-Baxter-Jones préservait sa fille unique. Comment elle s'y prenait, je n'en sais rien, mais on n'a jamais réussi à la garder plus d'une heure pour fins d'interrogatoire; on recevait un appel en haut-lieu nous disant de la relâcher.

— Vous auriez pu la faire surveiller.

— Nous l'avons fait; durant plus de deux mois, elle nous a transportés partout et, pendant ce temps, la bande continuait de fonctionner. Alors, on a laissé tomber.

— Vous vous trompiez peut-être sur son compte! Les coïncidences, ça existe. En tous cas, moi, je suis tout prêt à la croire innocente.

— Tu tombes dans le même panneau que les autres; parce qu'une fille a un beau minois et des rondeurs agréables, vous lui donneriez l'absolution sans confession.

— On a fini, inspecteur, les interrompit un policier.

— Très bien, vous avez tout fouillé vous autres? Où sont les armes?

On avait retiré les corps des deux hommes après avoir tracé de larges sillons à la craie autour des cadavres.

— Vous avez questionné les voisins? demanda-t-il à un policier.

— Oui, inspecteur. La plupart n'ont rien remarqué d'anormal; seuls les coups de feu les ont alertés.

— Combien de coups de feu?

— Certains disent trois, d'autres quatre et même cinq. Une femme, à deux maisons d'ici, prétend avoir vu un homme s'enfuir ou courir dans la rue, peu après la première détonation.

— Un curieux?

— Il allait dans l'autre direction.

— A-t-elle donné une description du type?

— Elle était trop loin pour voir son visage et il faisait noir à l'extérieur.

— Hum!... Combien de balles ont tiré les révolvers? demanda-t-il.

— Celui-là, une seule; l'autre, quatre, désigna-t-il.

— Quatre personnes, deux pistolets, cinq balles, deux morts, un blessé et possiblement un fuyard: belle histoire! Bon, voyons ce que nous pouvons trouver; allez par là avec Norton, nous fouillerons ce coin-ci.

Pendant que se poursuivaient les investigations, Hingüe laissait sa vie se dissiper sous le scalpel de Robert Devost.

Evelyne, figée dans une douleur sincère, affronta bravement la réalité.

Elle raconta aux policiers tout ce qu'elle savait. On mit la main au collet de Carl Deguire le lendemain et il passa aux aveux complets. Les journaux relatèrent les événements et l'image de la jeune femme apparut en première page. Lors des obsèques, Alexandre se tint à ses côtés et l'aida à supporter cette épreuve terrible pour elle. Lorsque le corps de Hingüe eut reçu les dernières prières pour un repos éternel, Evelyne emmitouflée dans un manteau de fourrure grise et chapeau assorti, ne bougea pas. Elle ne parvenait pas à quitter la tombe où reposerait désormais son protecteur, son ami. Alex la tira doucement par le bras:

— Viens chérie, ne reste pas là; il fait froid, tu vas te rendre malade. Allons, viens!

— Je te rejoins, Al. Laisse-moi seule un moment que je me recueille une dernière fois près de lui.

Alexandre s'éloigna, mais non sans l'avertir:

— Quelques minutes seulement, sinon, je reviens te chercher.

Evelyne s'abaissa jusqu'à la tombe et y posa les doigts pour une ultime caresse. Deux grosses perles glissèrent sur ses joues, succédées par d'autres et gelèrent en tombant dans la neige. Des jambes apparurent devant elle, à côté de la sépulture de son époux. Elle se releva, croyant voir Alexandre et se jeter en pleurant dans ses bras, mais elle demeura interdite sous le regard indéfinissable de Maximilien. Il la dévisageait sévèrement et elle eut l'impression qu'il la croyait aussi coupable qu'elle s'imaginait l'être. Elle secoua la tête en murmurant, les pleurs ravageant son beau visage:

— Je ne l'ai pas voulu; je vous le jure.

Max baissa les yeux vers la tombe, puis ramena son regard sur elle. S'il l'avait épousée, pensait-il, peut-être serait-il ce cadavre endormi pour l'éternité et gelé dans l'hiver rigoureux!

Elle attendait toujours un signe, un mot, quelque chose qui eut pu lui indiquer qu'il ne la tenait pas pour responsable de la mort de son ex-supérieur. Hingüe l'aimait, Hingüe le respectait...

— Dites-moi qu'il me pardonne, pria-t-elle. Vous

le connaissiez si bien. Vous étiez son meilleur ami, son seul ami...

Mais Max la quitta et descendit la petite côte, évitant les autres gens. Evelyne s'abattit dans la neige dure, pleurant sans arrêt. Alexandre arriva en trombe en la voyant couchée sur le sol.

— Evy! Evy! Allons chérie, calme-toi. Rentrons; viens, je t'emmène.

Il ne parvint pas à la consoler. Il refusa de la laisser seule chez-elle et l'emmena dans ce petit logement miteux où ils avaient vécu tant d'instants merveilleux. Des heures durant, elle vida sa détresse. Alex la laissa faire; elle en avait besoin, ses nerfs ayant été mis à rude épreuve. Le jour pointait quand elle se calma lentement. Le sommeil ne venait pas; chaque fois qu'elle somnolait, les traits durs de Maximilien lui apparaissaient et elle rouvrait des yeux lourds de fièvre, en sursautant.

Alex lui administra un puissant sédatif et elle put enfin se reposer.

Plusieurs semaines durant, elle dut se tenir à la disposition de la police; puis, tout fut réglé, elle ne devrait plus que se présenter au procès de Carl.

Alex lui proposa une fois de plus de partir avec lui; elle refusa. Elle ne désirait toujours pas vivre avec lui.

Elle vendit la maison de Hingüe et délaissa l'appartement.

# CHAPITRE III

# EVELYNE BAXTER-JONES

Maximilien avait assisté à un important congrès des plus grands chirurgiens du monde ainsi que des jeunes prometteurs. Il y avait rencontré plusieurs hommes de science dont la profession occupait tous les loisirs. L'un d'eux, surpris agréablement de sa brillante intelligence et de son sens inné de la chirurgie, lui avait offert de l'accompagner chez-lui, à Casablanca, au Maroc, où il opérait des cardiaques selon de nouvelles méthodes. Enthousiasmé, Max avait accepté et, profitant de l'occasion pour se reposer, avisa l'hôpital qu'il s'octroyait quelques semaines de vacances, dues depuis déjà longtemps. Il rentrerait ensuite avec un autre jeune québécois qui avait insisté pour les accompagner au Maroc.

Tout ce qu'il y avait vu redonnait à Max espoir en la médecine et, afin de bénéficier de cette accalmie qu'il ressentait pour la première fois depuis que l'accident de Lynn lui avait ravi sa tranquillité d'esprit, il entreprit, avec Victor Berger, un voyage d'agrément sur un transatlantique qui les mènerait d'abord de Casablanca à Cadix et, de là, à Rio de Janiero au Brésil. Le voyage se poursuivrait en suivant la côte de l'Amérique du Sud avec arrêt dans les Iles Bermudes pour ensuite aboutir à New-York et terminer finalement le périple à Montréal.

Max voyait d'un oeil complaisant la détente que lui occasionnerait cette équipée. Les trois premiers jours, il les passa appuyé au bastingage à examiner les flots tranquilles de l'Atlantique. A peine quelques vieux couples avaient embarqué au Maroc et il espérait que dure cette ambiance apaisante après que les passagers qu'ils devaient prendre à Cadix soient montés à bord. Il disposa d'une journée pour visiter la ville pittoresque, goûter aux savoureux plats espagnols et revenir satisfait à l'embarcadère, quelque quinze minutes avant le grand départ: ils seraient en mer longtemps avant d'atteindre le Brésil.

Plusieurs personnes étaient là et s'activaient autour de la passerelle. Max prévoyait que sa paix serait troublée par certains groupes chahuteurs qui criaient déjà du haut du pont et la sérénité de son visage fit place à la contrariété.

Dès qu'il le vit arriver, Victor Berger accourut, le sourire étiré et le contentement brillant dans ses yeux bleus.

— Enfin! s'exclama-t-il, on va pouvoir s'amuser; des jeunes gens formidables viennent d'arriver et on pourra se joindre à eux. Qu'en dis-tu? demanda-t-il en lui donnant une bourrade amicale dans le dos, chose qui répugnait souverainement à l'homme.

— J'ai d'autres préoccupations que de me distraire de façon bruyante, répliqua-t-il sèchement.

Mais l'autre ne se laissait jamais démonter par ses attitudes brutales; il avait pris Max en amitié et rien ne pouvait le rebuter, fut-ce son caractère maussade.

— Viens, je vais te les présenter; nous avons déjà fait connaissance, eux et moi.

— Non merci. J'aurai malheureusement amplement de temps pour les rencontrer et les entendre, soupira-t-il ennuyé.

Victor secoua la tête avec une moue désapprobatrice.

— Tu vas vieillir avant l'âge à être aussi sauvage. Sois donc plus sociable. Tu fais fuir les dames avec tes mines renfrognées et pourtant, au premier abord, tu les attires.

— Je ne suis pas intéressé par ces genres de marivaudages et moins encore par certaines distractions qui te sont chères, réfuta-t-il grognon.

— Tu veux parler des femmes? sourit Victor. Je les adore, je n'y puis rien, dit-il comiquement avec un geste d'impuissance des bras. Toi par contre, tu ne profites d'aucune occasion, pas plus au Maroc qu'en Suisse, tu ne t'es attardé à séduire les jolies filles du pays.

— Elles ne m'attirent pas, se renfrogna-t-il agacé.

Ils avaient atteint le pont supérieur et Max s'accouda négligemment à la rambarde, face à la mer et tournant le dos à la ville.

— Qu'est-ce qui te plaît, à part la médecine? questionna Victor, curieux.

— La paix, jeta Max, et j'aimerais que tu me laisses justement. Va retrouver tes nouveaux amis et permets-moi de goûter à la splendeur de ce coucher de soleil, ajouta-t-il plus gentiment.

— Comme tu veux; on se reverra au souper.

Max grommela quelque chose que Victor prit pour un accord.

Le gros navire siffla les trois coups réglementaires les avertissant du départ imminent. Un peu plus tard, la côte espagnole n'était plus qu'une bande de terre s'étirant à l'horizon dans l'ombre du crépuscule. Le bateau voguait vers le large et Max fut saisi d'une indicible mélancolie. Il aurait aimé se voir soudain dans son hôpital de Montréal trop occupé pour penser, trop pris pour réfléchir.

Plusieurs heures s'écoulèrent sans qu'il ne bouge. La nuit complète auréolée d'étoiles avait succédé au coucher de soleil éclatant.

— Ah! s'écria Victor en le rejoignant. Je savais bien te trouver ici.

Il avait ingurgité quelques verres et son haleine empestait l'alcool. Max le toisa pitoyablement.

— Nous espérions te voir au souper! Nous allons

danser, tu devrais venir, il y a des filles magnifiques, une en particulier, une vraie beauté, comme tu n'en as jamais vu!

Il appuya le bout des doigts sur ses lèvres et lança un baiser dans les airs.

— Alors! Tu viens Max?

— Une autre fois; je suis bien ici.

— Quel méditatif, tu fais! Je ne te comprends pas, mais je t'aime bien.

Il lui donna une tape sur l'épaule au grand déplaisir de Max et s'engouffra dans le petit couloir pour rejoindre ses nouveaux amis. Maximilien se retourna vers la mer.

Le lendemain, il put profiter d'une matinée relativement calme; le groupe des jeunes gens avait dû fêter tard dans la nuit et ne serait pas sur pied avant plusieurs heures. Cela lui permit de s'avancer dans la lecture des copies de notes que son ami, le médecin de Casablanca, lui avait remises et qui traitaient toutes de la transplantation du coeur humain. Comme il avait travaillé quelques années avec un médecin hautement coté en ce domaine, ces renseignements étaient d'autant plus intéressants. Confortablement installé dans une chaise longue, en plein soleil, il en oublia le dîner et fut interrompu par Victor qui s'assit sans ambages sur le siège à son côté et s'étira voluptueusement, à la façon d'un gros chat repu.

— Oh, là, là!... Ce qu'on a pu s'amuser! Tu as manqué quelque chose, mon cher Max.

Le nez dans sa lecture, le prénommé ne répondit pas.

— S'il n'y avait pas ce grand blond musclé, je pense que j'aurais une chance auprès de cette belle fille, tu sais, celle dont je t'ai parlé. Elle n'est pas seulement jolie, mais riche aussi, ce qui ne gâte rien, sourit-il suavement.

— Tu es beau garçon, Max, reprit-il aussitôt, peut-être aurais-tu plus de succès que moi!

Max lui décocha un regard noir qui fit étinceler ses prunelles pailletées d'or.

— Oh! Je sais que tu ne t'intéresses pas à la gent féminine; tu as tort! Tu es célibataire, pas fiancé et je ne crois pas me tromper en ajoutant que les filles ne te sont pas toutes indifférentes.

Cette fois, Max baissa son bouquin et dévisagea Victor franchement.

— Je ne suis pas insensible aux charmes féminins, expliqua-t-il, rébarbatif, je ne désire simplement pas jouer à l'aventurier. Je suis du genre sérieux et raisonnable; tu n'as rien contre, j'espère?

— Non, bien sûr Max, mais tu es en vacances; il n'y a pas de mal à danser et à rire en compagnie d'autres jeunes gens. Si tu ne veux pas flirter, c'est ton affaire, mais amuse-toi un peu. J'ai des remords à me détendre alors que tu restes là comme une âme en peine.

— Je suis satisfait ainsi; joue donc au «Don Juan» sans te soucier de moi.

— Écoute, faisons un pacte. Tu me suis ce soir...

Comme Max secouait la tête, il poursuivit convaincant:

— Ce soir seulement, et si cela ne te plaît pas, je te laisse tranquille tout le reste du voyage, d'accord?

Maximilien réfléchissait rapidement.

— Vraiment! Et tu tiendras ta promesse?

Victor fit un signe de croix et cracha par terre en disant:

— Croix de bois, croix de fer; si je mens, que je brûle en enfer.

— Très bien, je viendrai, mais ce soir seulement.

— Oui, oui; je n'oublierai pas. Je vais les prévenir d'être très gentils avec toi.

Il partit en sautillant d'un pied sur l'autre comme pour une petite danse indienne. Max secoua la tête:

— Quel fou ce Victor!

Vers vingt heures, il passa échanger ses pantalons et chemise sport contre un habit noir réglementaire pour les danses de la «grande salle» sur le transatlantique. Il ne se sentait pas à l'aise ainsi vêtu, bien qu'il portât admirablement la tenue de soirée. La teinte foncée faisait ressortir ses cheveux d'un brun très doux et le hâle léger de sa peau, hâle de ses dernières longues journées en plein soleil. Son allure arrogante et fière apparaissait dans toute sa netteté et c'est la tête haute et l'oeil froid qu'il fit son entrée dans la vaste pièce magnifiquement éclairée.

— Ah! Le voilà, entendit-il Victor prononcer avant même de le voir.

Il déboucha de derrière un couple, fit signe à Max qui le rejoignit et fut entraîné à une longue tablée de joyeux lurons qu'il leur présenta.

— Ah! fit-il soudain en regardant derrière son ami, voici la reine du bal.

Maximilien se tourna, à temps pour apercevoir Evelyne qui pâlit affreusement en le voyant. Le sourire s'était cassé net sur son visage et elle semblait paralysée.

— Qu'y a-t-il? s'informèrent à la fois Victor et Paul, le blond chevalier servant qui ne quittait point la jeune femme.

— Bonjour Evelyne, disait déjà Max, très détaché.

— Vous vous connaissez? coupa Victor évitant à Lynn de répondre.

— Comme tu vois, simplifia le jeune médecin sans donner plus amples détails.

Il s'assit à la chaise qu'on lui signifia sans plus accorder d'importance à la jeune femme blonde dont les yeux revenaient souvent sur le visage apparemment impassible de Maximilien. Que pensait-il d'elle? La jugeait-il responsable de la mort de son mari? Il avait toujours ce comportement distant et hargneux qui le caractérisait et maintenait l'humanité hors de sa vie.

Il avait commandé un gin à l'eau qu'il ne buvait même pas et demeurait lointain et silencieux, fumant sa cigarette à une cadence ralentie. Autour de lui, les rires, les blagues, ne l'atteignaient pas. On avait tenté de l'intégrer au groupe, mais il se tenait sur la défensive et refusait de participer.

À peine une heure après son arrivée, il leur faussa compagnie pour aller fixer les sillons blanchâtres dans l'océan sombre. Entendant un bruit de pas, il crut que Victor revenait à la charge et fut surpris de voir le profil agréable de Lynn à son côté. Elle n'osait pas lever la tête, mais était consciente du regard qui pesait sur elle. Finalement, elle risqua un coup d'oeil et se sentit glacée de la rancoeur et de l'amertume que traduisait l'expression de l'homme.

— Vous croyez que je l'ai fait exprès? demanda-t-elle surveillant ses traits.

— De quoi?

Il arquait les sourcils en parlant.

— Pour Hingüe, bien sûr, répondit-elle. Je n'ai pas voulu ce qui est arrivé. Vous étiez très amis et vous n'avez jamais eu pour moi la moindre affection, n'est-ce pas? Vous étiez assuré que je l'épousais pour une raison obscure, mais vous vous trompiez, je l'aimais beaucoup. J'avais besoin de sa bonté, de sa protection...

— Vous a-t-il suffisamment protégée? lâcha-t-il méchant. En tous cas, il en est mort.

La souffrance qu'il lut sur son visage le fit se reprendre. Sur un ton plus doux, il ajouta:

— Excuse-moi Lynn, je ne voulais pas te blesser.

Le tutoiement et l'appellation l'étonnèrent moins encore que ce changement soudain.

Il s'aperçut de sa maladresse; la stupéfaction d'Evelyne ne lui échappa pas. Elle le considérait, sidérée, cherchant à le deviner, à découvrir ce qu'il lui cachait. Il ne lui vint pas en aide et scruta la mer, muet dans sa supposée contemplation.

— Max! Que savez-vous de l'année que j'ai perdue dans ma mémoire?

— Peu de choses. Hingüe a dû vous dire le principal.

Il répondait sans broncher, les yeux rivés sur l'horizon qui s'entremêlait avec la nuit.

— Je dois vous avouer que je me suis contentée de ce qu'il m'a dit, mais il me semble, dites-moi si je me trompe, qu'il aurait pu me donner davantage d'explications ou de détails.

— Qu'en sais-je? dit-il en soulevant les épaules.

— Nous nous sommes sûrement connus, Hingüe me l'a dit, mais, insista-t-elle, si vous me tutoyez, c'est peut-être que nous étions assez liés...

— On finit par rencontrer plusieurs patients dans un hôpital. Etant donné votre cas d'amnésie, tout le monde vous avait un peu... adoptée.

— Même vous? interrogea-t-elle, sceptique.

— Même moi. Pourquoi pas? Il tourna la tête pour voir les yeux gris braqués sur lui.

— Hé bien! Nous pourrions poursuivre cette... prétendue adoption et nous tutoyer, puisque vous en aviez l'habitude.

— Evelyne! appelait Paul. Evelyne!

— Je crois que ton chevalier servant te cherche, lui indiqua Maximilien d'une voix neutre.

En effet, Paul avait enfin remarqué la chevelure blonde tachée des reflets lunaires et venait à elle.

— Que fais-tu là? Je t'attends pour danser.

Il évitait sciemment de faire allusion à la présence d'un autre et agissait comme s'il ne comptait pas.

Evelyne attendit quelques secondes, puis, comme Maximilien ne semblait pas vouloir la retenir, elle se décida:

— Très bien, allons-y Paul.

Elle lui prit le bras et il l'entendit s'éloigner dans un froufrou de soie. La mer était noire et la lune y étendait des rayons lumineux pareils à des cheveux d'or pâle.

Quelque vingt à trente minutes plus tard un bruit de voix interrompit ses méditations.

— Le voilà; je savais le trouver ici. Max!

Victor s'avançait accompagné de deux autres hommes; l'un d'eux portait l'habit de marin et des gallons.

— Excusez-nous, Monsieur; vous êtes le docteur Eden?

Max l'affirma d'un mouvement bref.

— Je suis Frank Fontayne, commandant en second

et voici Michel Normand, notre médecin de bord qui va vous expliquer de quoi il retourne.

Le docteur pouvait avoir près de soixante ans. Il tendait une main ferme et cordiale et il plut à Max.

— Il y a un petit garçon en classe seconde, commença tout de suite Normand, qui nous fait une péritonite. Je ne suis pas chirurgien et je crains qu'il soit intransportable. De toute façon, s'il fallait attendre plus de trois heures, il serait mort.

Il s'arrêta et le commandant reprit la parole.

— Votre ami et vous êtes les seuls chirurgiens à bord.

— Je suis trop ivre pour faire quoi que ce soit, Max, l'avisa Victor. Je tremblerais, d'ailleurs tu es meilleur chirurgien que moi; tu as plus d'expérience et tu es chef de département...

Max lui coula un regard réprobateur et s'adressa aux deux autres hommes.

— Je vous suis, conduisez-moi. Viens Victor, ordonna-t-il.

Ils délaissèrent le pont supérieur pour gagner le suivant, longèrent des corridors et débouchèrent dans la chambre du petit garçon. Une infirmière surveillait la température de l'enfant; un homme et une femme, les parents probablement, se levèrent, atterrés.

— Docteur... commença la mère éplorée.

Mais le commandant l'arrêta et leur parla tandis que Max se penchait déjà sur le gamin.

Quelques minutes lui suffirent pour poser son diagnostic.

— Vous aviez raison, dit-il au docteur Normand. Il faut l'opérer sans tarder. Vous m'assisterez ainsi que votre infirmière. Avez-vous un endroit bien éclairé où je pourrais pratiquer l'intervention?

— Ma salle d'attente fera l'affaire. Elle est suffisamment vaste et il y a deux grandes tables.

— Ça ira. Faites-moi dessoûler ce type-là, dit-il au commandant en désignant Victor. J'en aurai besoin.

Mademoiselle, préparez le malade et lorsque celui-là sera dégrisé, venez tous les trois.

— Très bien, approuvèrent-ils.

— Faites prendre ma trousse ainsi que celle du docteur Berger, voulez-vous? demanda-t-il encore à l'homme en uniforme. Vous nous les ferez porter dans la salle d'attente de votre médecin de bord.

— Ce sera fait. Suivez-moi, ordonna-t-il à Victor qui disparut à sa suite.

— Allons voir cette salle, proposa Maximilien à Normand.

Ils allaient sortir quand la femme leur barra le passage:

— Oh docteur! Est-ce qu'il s'en tirera? Pourrez-vous le sauver? C'est notre seul enfant... gémissait-elle.

— Je ferai tout ce qu'il m'est possible de faire, Madame, et mieux vaut ne pas trop nous retarder.

Elle se tassa pour lui livrer le passage et le regarda sortir. Il avait beaucoup d'autorité et paraissait sûr de lui.

Autour du petit corps, les trois médecins et l'infirmière s'affairèrent longtemps. Max s'occupa de nettoyer toutes les parties touchées par la perforation de l'appendice. L'enfant semblait vigoureux et subit l'opération sans faiblir. Rien toutefois ne pourrait être assuré avant quelques heures.

— Transportez-le à côté, doucement, demanda-t-il après avoir refermé l'incision. Faites-moi apporter du café, voulez-vous, adressa-t-il à l'infirmière en enlevant ses gants de caoutchouc et en abaissant son cachez-nez. Tu peux te retirer Victor et aller retrouver tes amis. Merci de ton aide, ajouta-t-il comme Victor allait franchir la porte.

Celui-ci eut un petit sourire qui en disait long sur sa satisfaction personnelle.

— Vous allez le veiller? s'informa Normand.

— J'en ai l'intention. Etendez-vous pas trop loin, si jamais j'avais besoin de vous.

— Je serai à côté, dit-il en serrant le bras de Max.

Félicitations, docteur, vous êtes un chirurgien très habile.

— Attendons encore avant de nous réjouir.

Il passa dans la petite salle qui servait de cabinet de consultation au médecin de bord. La jeune infirmière sortit en disant:

— Je vais chercher le café et prévenir les parents que l'opération est terminée.

— Oui, c'est cela. Merci.

Il s'assit, fourbu, et alluma une cigarette. Normalement, l'enfant devait s'en tirer sans trop de mal, mais il se méfiait constamment des complications que peuvent engendrer toutes les maladies et les interventions et préférait veiller au grain.

L'infirmière revint peu après avec un plateau et servit deux tasses de café fort.

— Vous pouvez aller vous reposer, suggéra-t-il.

— Je préfère rester, si vous n'y voyez pas d'inconvénient.

— Aucun.

Il but une gorgée du chaud liquide et cela le revitalisa.

— Serait-ce déplacé de ma part de vous exprimer ma plus vive admiration? Vous êtes le premier chirurgien que je vois manier le scalpel; vous n'êtes sûrement pas le moindre.

— Merci, dit-il simplement devant cette touchante spontanéité. Je n'ai fait que mon devoir, comme vous; il consiste à sauver et à préserver des vies humaines et je m'y emploie de mon mieux.

— Vous y réussissez à merveille.

— Je l'espère et le souhaite pour mes patients, ajouta-t-il sérieux en songeant à Devost autrefois...

Elle n'aima pas voir ce beau visage trop grave et pensif et chercha le moyen de le tirer de son renfrognement.

— Il y a longtemps que vous faites de la médecine?

— Quelques années. Depuis mon jeune âge, je lis

les bouquins médicaux de mon père; j'ai amplement eu le temps de me familiariser avec la matière.

— Votre père est médecin, lui aussi?

— Il l'était, spécifia Maximilien. Il est décédé il y a plusieurs années.

— Je suis désolée, excusez-moi.

— Il n'y a pas de quoi; il était chirurgien, un homme exemplaire qui nous a légué son amour pour cette profession.

Comme le jeune homme s'enlisait dans de sombres pensées, elle poursuivit d'un ton joyeux:

— Vous aimez les voyages?

— Je n'ai guère le temps de m'y adonner, cependant j'avais besoin de détente.

— Il est dommage que nous ayons dû priver votre épouse de votre présence pour une urgence.

Elle rougissait en fixant sa tasse de café et Max ne s'arrêta pas au subterfuge.

— Je n'ai ni femme, ni enfant.

— Parce que vous êtes trop occupé? sourit-elle persuadée que cet homme intelligent et habile, à l'aspect digne et un peu sévère ne devait certes pas manquer de partis intéressants et intéressés.

Il la regarda pour la première fois. Elle possédait une peau blanche qui ne devait pas dorer au soleil, des boucles couleur de foin séché auréolant un visage à l'ovale régulier, aux yeux d'un bleu profond. Ses pommettes saillantes accentuaient l'éclat du sourire et donnaient un air avenant à l'ensemble.

— Ai-je été impolie? s'enquit-elle devant le courroux du regard.

— Non, pas du tout et vous avez raison. La médecine est ma vie; je ne consacre de temps à rien d'autre.

— Même lorsque vous êtes en vacances?

— Je les passais à lire.

— Des livres traitant médecine uniquement?

Il eut un signe affirmatif.

— J'ai même plusieurs bouquins dans ma valise...

— Si vous les mettiez de côté de temps à autre

durant ce voyage, nous pourrions bavarder, discuter de nos chers malades. Qu'en dites-vous?

— Ce ne serait peut-être pas une si mauvaise idée! Il se leva pour aller près du garçonnet prendre son pouls et sa température. Elle le rejoignit près de la civière; elle était assez grande, mais il la dominait largement.

— Il va s'en tirer, n'est-ce pas? affirmait-elle plus qu'elle ne questionnait.

— Je le crois sincèrement, approuva-t-il en l'auscultant.

— J'en suis heureuse. Voyez-vous, j'ai rassuré ses parents en leur spécifiant que leur fils n'aurait pu être entre meilleures mains.

Cette fois, il loucha vers elle et contint une moue méprisante et désapprobatrice, ce qui ne l'empêcha tout de même pas de répliquer brusquement:

— Vous me flattez trop, mademoiselle. Je n'en ai pas l'habitude et m'en accommode assez mal; aussi vous prierais-je de ne pas me couvrir davantage de louanges.

— Je... Je ne voulais pas vous froisser, tenta-t-elle pour dissiper le malentendu. Je le pensais sérieusement.

Il fixa la jeune femme d'un regard zébré d'étoiles, un regard qui acheva de faire chavirer le coeur de l'infirmière déjà enclin à l'affection pour ce diable d'homme bourru auquel elle ne comprenait rien.

Max baissa les yeux le premier; il ne pouvait endurer la brillante clarté chaleureuse qui se dégageait des perles bleues. Il se rassit, étendant ses longues jambes et se refermant sur lui-même avec un air revêche.

Isabelle Blanche l'observait sans arrêt. Elle désirait fixer dans sa mémoire chacun des traits énergiques, les joues un peu creusées par l'amertume, le menton volontaire, les épaules arrogantes, le thorax puissant...

— Vous avez fini de me détailler? la bouscula-t-il un peu sèchement.

Elle parut déconcertée, gênée d'être découverte dans sa contemplation.

— Oh! Je... c'est que...

Elle se mit à rire simplement et franchement:

— Je n'ai aucune excuse cette fois; je dois avouer que je vous admirais.

À son tour, il parut surpris et haussa les sourcils.

— Pour quelle raison?

— Hé bien! commença-t-elle sans embarras. Vous êtes un homme, un fort bel homme, dois-je dire, et je suis une femme.

Elle s'arrêta et il ne se satisfit pas de cette explication.

— Est-ce tout?

— N'est-ce point suffisant? Dois-je encore ajouter que vous me plaisez et m'intriguez tout à la fois?

Il plissa les yeux et la scruta un moment:

— J'ai la désagréable impression que les rôles sont renversés; ne serait-ce pas plutôt à moi de vous faire la cour?

— Nous ne sommes plus en 1940, rit-elle complètement détendue, et à notre époque, il est normal que les femmes, qu'on prétend libérées, aient mêmes droits et pouvoirs que vous autres hommes. Quel mal y a-t-il à cela?

— Aucun. Seulement, je suis assez embarrassé et ne sais quoi vous dire.

— Je puis vous aider. Si vous me proposiez de nous revoir le plus tôt possible?

— Attendons d'abord de nous quitter, suggéra Maximilien qui commençait à se divertir, mais ne désirait pas que cela paraisse sur son visage fermé.

Elle s'approcha et se baissa à sa hauteur en s'appuyant des deux mains au bras de la chaise sur laquelle il restait assis. Le regardant droit dans les yeux, elle lui murmura:

- Ne nous quittons pas!

Max l'observa sans mot dire, se leva brusquement, se détendant comme un fauve qui bondit à l'attaque, et se mit à marcher nerveusement. Elle suivait des yeux chacun de ses mouvements, de ses gestes, ignorant le pourquoi de cette attitude outragée. Pourquoi se tenait-il soudain droit devant elle, le dos tourné, les mains aux hanches, comme s'il devait maîtriser une terrible colère? Si elle ne l'intéressait pas, qu'il le dise simplement! Quel genre d'homme était-il donc?

— Comment vous appelez-vous? interrogea-t-elle tout à coup.

Il vira le tronc sur sa taille et, encore une fois, la dévisagea longuement. Enfin, il se retourna complètement et, abandonnant sa rudesse habituelle, parla calmement.

— Maximilien Eden, et vous?

— Isabelle Blanche, lui sourit-elle satisfaite.

Il restait là, perplexe, se demandant quelle contenance adopter lorsque l'enfant gémit. Il s'approcha de lui et le vit ouvrir les yeux, le lorgner puis faire du regard le tour de la pièce.

— Où est maman?

— Dans sa cabine, elle se repose un peu; il est très tard.

— J'ai eu beaucoup de mal, dit le garçonnet d'une douzaine d'années. Etes-vous le docteur?

— Oui. Tu as encore des douleurs, dis-moi?

— Je ne sais pas trop; je me sens engourdi...

— C'est parfait; tu vas dormir. Je reste près de toi.

Le petit garçon fit un signe affirmatif et clot les paupières. Max s'adressa à l'infirmière:

— Allez vous reposer vous aussi et venez me relayer dans quatre heures.

Elle fut triste et déçue, mais accepta.

— Très bien, si c'est ce que vous désirez.

Elle attendit quelques minutes, au cas où il changerait d'idée, mais comme il restait penché sur le corps mince de l'enfant, elle s'éclipsa à regret.

Maximilien, assis au bord de la piscine, dans une chaise longue fleurie, regardait s'ébattre un groupe de jeunes gens dont Evelyne, Victor et Paul. Il louchait par-dessus ses lunettes de soleil en levant le nez de l'ouvrage médical qu'il lisait, pour admirer la silhouette gracile de Lynn tandis qu'elle plongeait du tremplin et fonçait dans l'eau chlorée turquoise. En refaisant surface, elle nageait un crawl parfait, poursuivie par Paul, et s'enfonça pour lui échapper, tel un dauphin gracieux pour réapparaître non loin de lui au bord de la piscine.

— Tu ne viens pas, Max? cria-t-elle avec un regard taquin.

Il secouait la tête et se remettait à sa lecture tandis qu'elle s'éloignait en brasse papillon dans un giclement d'eau qui atteignit l'homme.

Il essuyait sa peau ambrée des gouttelettes dont il avait été aspergé lorsqu'Isabelle le rejoignit. Un chaud sourire illuminait son visage doré et ses yeux ressemblaient à l'azur du ciel en cette incomparable journée en haute mer.

— Je ne vous ai pas trop fait attendre? s'informat-elle.

— Non, non, pas du tout.

Il lui désignait de la main la chaise à son côté et elle s'y installa confortablement.

— Jeannot s'intéresse du moment où vous viendrez le voir.

— J'y suis passé hier soir et ce matin très tôt, s'étonna-t-il.

— Il vous admire beaucoup, vous le savez?

— La réciproque est également vraie. Il s'en est tiré comme un homme, sans plainte et sans ennui.

— Ses parents vous louangent auprès de tous leurs amis; vous faites les «gorges chaudes» de la classe tourisme.

Il souleva les épaules, indifférent; il se souciait bien peu de l'intérêt qu'on lui portait.

— Venez, allons nous baigner.

Elle se leva pour retirer son surtout de bain rose et

ne vit pas la moue ennuyée que fit Max. Elle était svelte et fragile; sa peau blanche aurait été plus à l'aise dans un maillot noir, mais elle sautait dans l'eau en riant.

— Venez Max; elle est parfaite. Allons! Ne vous faites pas prier.

Il s'assit sur le rebord, hésitant.

— Vous n'avez tout de même pas peur de l'eau.

— Je ne suis pas un poisson, bouda-t-il.

— Oh Max! riait-elle de bon coeur, cela n'a aucune importance. Il s'agit de se détendre seulement et de se rafraîchir, il fait si chaud.

Il entra dans l'eau, les bras croisés hors de la piscine et fit quelques pas; Isabelle revenait, en nageant gauchement.

— Je ne nage pas très bien moi-même, le rassurait-elle, et je prends bien garde de ne pas perdre les fonds...

Ce fut alors que surgit Evelyne, nageant entre deux eaux et frôlant Maximilien qui la repoussa.

— Va t'amuser plus loin, ragea-t-il, mécontent.

Elle fit deux pirouettes par derrière, touchant le fond de la piscine avec les mains et passant tout contre lui une fois de plus. Il allait la saisir pour la réprimander vertement, mais d'un vif mouvement des pieds et des jambes, elle lui échappa et vogua sur le dos devant lui, en le narguant du regard.

Isabelle examinait la scène avec un mécontentement évident.

— Vous la connaissez?

— Oui, Victor s'est lié à leur groupe, l'avisa-t-il, maquillant la vérité. Retournons à nos chaises, nous serons plus tranquilles.

— Tout à l'heure, voulez-vous. Ce soleil bouillant me ferait rougir comme un fruit s'il dardait sur ma peau. Restons encore un peu à l'eau; d'ailleurs, vous êtes trempé maintenant.

Il se rendit compte de cette exactitude et se lança. Il ne possédait pas de technique exemplaire mais se défendait assez bien. Il avait appris tout jeune et n'avait plus nagé depuis qu'il avait quitté l'université. Il craignait l'eau mais, comme toujours, tout ce qui l'effrayait, l'attirait irrésistiblement; il devenait un conquérant, il lui fallait vaincre, ne fut-ce que sa peur.

Il revint vers Isabelle essoufflé mais satisfait et s'assit sur le rebord, les jambes dans l'eau claire. Tandis qu'il regardait Isabelle faire quelques brasses, Evelyne revint et s'assit près de lui avant qu'il ait pu s'en éloigner. Le désirait-il seulement?

— Tu me surprends, souriait-elle, je t'imaginais mal avec une femme.

— Ah! Et pourquoi donc? fit-il en suivant des yeux les évolutions d'Isabelle.

— Tu es si...

Elle abaissa les paupières, n'osant suivre sa pensée, alors il tourna la tête et ne put s'empêcher d'admirer son corps superbe aux lignes pleines, au cou délicat, à la tête ronde qui ployait vers l'avant, au profil pur et doux.

Elle se redressa et rencontra le regard contemplatif qu'il détourna trop tard. Il se sentit glacé et reprit la phrase qu'elle avait laissée inachevée.

— Je suis si... quoi?

Elle haussa les épaules.

— Je puis me méprendre; les apparences sont souvent trompeuses et j'ai l'impression qu'on t'a presque toujours jugé sur ton aspect. Est-ce que je me trompe?

— Tout cela me laisse assez froid.

À son tour, elle détailla les longues jambes musclées et duveteuses, les hanches minces, la taille souple, la poitrine large et bombée respirant la puissance et la santé, le cou fort, le menton actif, les joues creusées, le front haut; Max était un homme magnifique et robuste. Peut-être cachait-il des trésors de douceur et de tendresse sous cette rugueuse enveloppe? Elle devait savoir; il lui fallait amadouer l'homme rébarbatif et hargneux. Elle n'aurait aucune difficulté, puisqu'elle lui plaisait et saurait utiliser l'ascendant qu'elle possédait sur lui.

Isabelle l'ayant aperçue installée près de Max arrivait pour protéger ce qu'elle considérait comme son bien propre et lança une oeillade méchante vers la jeune fille qui s'excusa auprès de Maximilien avant de plonger sous l'eau pour tourbillonner comme une torpille. Elle nageait bien et ne l'ignorait pas; aussi espérait-elle que Max la suivrait des yeux et s'évertuait-elle à esquisser de savantes figures. Paul la rejoignit et ensemble, ils formèrent un duo que tous enviaient, Max compris.

Ce même soir, Evelyne avait décidé de passer immédiatement à l'attaque. Le suspense, le goût du risque et le but à atteindre rosissaient ses joues et embrasaient son regard. Qu'il soit le frère d'Alexandre et d'Etienne, un grand ami de Hingüe, elle n'y songeait même pas; le simple désir d'une victoire sur cet homme sauvage décuplait son plaisir.

Devant son miroir, elle accordait, à son image, plus d'attention qu'à l'ordinaire. Le coiffeur du bord avait relevé sa chevelure sur sa tête en une foule de boucles qui dansaient à chacun de ses mouvements, une rangée de perles en retenait le peigne à l'arrière. Sa robe entièrement blanche glissait jusqu'à quelques centimètres du sol en un taffetas soyeux et lumineux, faisant ressortir le hâle des épaules et des bras. Deux perles relevaient le lobe de ses oreilles et elle ne douta plus de son indéniable charme après un dernier examen.

Elle fut déçue au prime abord de ne pas distinguer, dans la salle, la haute stature de Max. Paul et Victor s'étaient élancés vers elle et ne tarissaient pas d'éloges sur sa beauté. Elle leur souriait, absente, surveillant les danseurs. Lorsqu'elle l'aperçut enfin, accompagnant galamment l'infirmière, une rougeur subite l'empourpra.

— Allons danser, demanda-t-elle à Paul qui réclamait une valse depuis plusieurs minutes.

Il se hâta de l'enlacer tandis qu'elle lorgnait le couple qu'elle jugeait mal assorti.

— Victor, dit-elle à son compagnon qui entraînait une jolie brunette sur la piste non loin d'eux, demande donc à Max et à son invitée de se joindre à notre groupe.

— Max! s'exclama-t-il. Oui, bien sûr; il a besoin de se dégeler un peu, ce gars-là.

Evelyne observa la scène avec satisfaction en voyant Victor conduire les deux jeunes gens à leur longue tablée. Cela ne plaisait visiblement ni à l'un, ni à l'autre, mais ils s'y rendirent tout de même, ne désirant pas affronter les implorations intempestives de Victor. Evy leva un regard brillant vers son danseur.

— Tu veux me faire un immense plaisir, Paul?

— Bien sûr, ma chère Evelyne; je ferais n'importe quoi pour toi, tu le sais.

— Peux-tu t'arranger pour occuper cette fille, celle qui accompagne le docteur Eden?

— Cette petite blonde sans attrait, rechigna-t-il. Evelyne! Que trouves-tu à ce médecin? Il a fière allure, je te l'accorde, mais quel fichu caractère! Cela ne peut t'apporter rien de bon.

— Acceptes-tu de l'éloigner de lui, oui ou non? insista-t-elle sans changer de ton.

— Je voudrais rester près de toi, émit Paul dont la lèvre exprimait le mécontentement. Je suis plus beau garçon que lui et je t'aime, moi!

Elle sourit en voyant les yeux clairs de Paul briller de jalousie et eut une pensée pour Alexandre.

— Tu es beau garçon, c'est vrai, mais Max aussi est bel homme.

— Tu me trouves trop jeune? Pourtant, quand nous...

Elle posa les doigts sur sa bouche pour l'interrompre.

— Tu as tort, mon petit Paul, de tant t'obstiner; si tu refuses de me rendre ce service, je peux demander à quelqu'un d'autre.

Il se mordit la lèvre; le goût du sang lui parut encore plus âcre.

— Très bien; je te facilite les choses, mais pour combien de temps?

— Le temps nécessaire, rit-elle triomphante. Allons mon chou! Souris sinon elle ne prendra pas au jeu.

— Tu es certaine de vouloir ce gars? Quelle importance! Il succombera certainement à tes charmes divins, chuchota-t-il, puisque tous accourent au moindre signe. Je veux te garder pour moi, entends-tu? Elle le toisa, un sourire léger figé sur sa bouche à la saveur d'un fruit mûr et juteux.

— Tu m'ennuies, Paul. J'en fais toujours à ma tête, tu le sais; n'insiste pas.

Il la raccompagna, sombre et frustré, et s'étant assis négligemment, avala d'un trait un verre de bourbon bien corsé en reluquant Evelyne du coin de l'oeil.

Max observait la scène sans en avoir l'air. Le pauvre Paul était manifestement amoureux de la trop belle Lynn et elle jouait avec ses sentiments comme elle le faisait avec tous. Max le plaignit; il se trouvait chanceux, lui, de posséder un caractère tenace et rigoureux lui permettant d'échapper à l'emprise que la jeune fille exerçait sur eux. Même s'il l'avait aimée, il parvenait à la regarder sans que son coeur batte à se rompre et sans que le désir incendie sa peau. D'ailleurs, la façon de vivre qu'elle affichait lui déplaisait, ce qu'elle était, même, n'avait rien de ressemblant avec la douce petite fille qui recherchait protection et affection et qui avait gagné sa tendresse.

— Dix sous pour tes pensées!

Il regarda Evelyne, penchée vers lui, et chercha Isabelle qu'il n'avait pas vue se lever pour accompagner Paul dans un gogo échevelé. Elle semblait s'amuser et s'en donnait à coeur joie.

— Ce que tu peux être morose! Tu ne ris donc jamais? s'informa Evy.

Le regard brun-doré revint sur elle et la scruta jusqu'à l'âme avec sérieux. Evelyne ressentit un malaise qui la fit frémir. Jamais homme n'avait haché si brutalement le fond de son être; elle se sentit mise à nue, découverte jusque dans ses replis les plus obscurs. Elle se hâta de cacher ses yeux de ses paupières frangées de longs cils et eut un rire forcé.

— Si nous allions danser? proposa-t-elle en se levant d'un bond.

Mais il ne bougea pas, se contentant de suivre ses mouvements vifs et nerveux.

— Alors? Tu viens ou si danser avec moi t'est désagréable, minauda-t-elle en lui lançant un regard aguichant.

— Je danse très mal, aussi je m'en abstiens.

— Je t'apprendrai, suggéra-t-elle en lui prenant la main pour l'obliger à la suivre, mais l'impact du poids de l'homme l'empêcha d'aller plus loin. Elle se retourna, surprise, et le vit, toujours assis, calme et décidé.

— Très bien, restons donc ici, si c'est ce que tu veux.

Elle s'installa près de lui, sentant qu'il l'observait sans arrêt, et lui fit face brusquement.

— Cessez de m'examiner avec votre oeil critique de chirurgien prêt à sortir son scalpel, se fâcha-t-elle.

Il ne put réprimer un sourire devant cette boutade amusante, d'autant plus qu'elle l'avait à nouveau vouvoyé.

— Qu'y a-t-il de comique? Tu ne peux donc pas agir comme tout le monde?

Il ne répondit rien et s'était tourné vers les danseurs. Isabelle se laissait enlacer étroitement par Paul.

— Tu y tiens tant que cela à ton infirmière? s'enquit-elle.

Il reporta les yeux sur elle et, une fois de plus, elle en fut embarrassée.

— Allons prendre l'air; on étouffe ici.

Elle se dirigea rapidement vers la sortie ignorant s'il l'avait suivie et respira à pleins poumons l'air salin de la nuit. Cette fraîcheur lui était bénéfique; elle calmait ses nerfs tendus et baignait l'empourprement de son visage. Elle s'avança vers le garde-corps et s'y appuya, se demandant ce qui la faisait soudainement agir de façon aussi inattendue. Quelque chose en Max la paralysait et lui enlevait tous ses moyens...

Elle sursauta en sentant un vêtement la frôler; Max

posait son veston sur les épaules nues et s'installait près d'elle pour fixer l'horizon infini. Elle l'observa et, bizarrement, se sentit satisfaite d'être là, avec lui à ses côtés dans la nuit d'encre, sa veste noire trop ample pour elle de laquelle montait une odeur de tabac et d'épices, la tenant bien au chaud.

Une pensée s'imposa à son esprit et elle ne put s'empêcher de la lui soumettre:

— As-tu déjà aimé Max?

Il poursuivit l'inspection des étoiles se mirant dans la mer.

— Qu'as-tu contre moi? reprit-elle devant son mutisme. Tu me juges et me condamnes parce que j'ai causé la perte de Hingüe. N'as-tu point songé que je l'avais rendu plus heureux qu'il ait pu l'être de toute son existence?

Il se tourna vers elle, toujours appuyé au garde-fou.

— Max! Soyons amis, voulez-vous?

Elle lui tendait une main qu'il observait sans la prendre et elle en fut choquée. Elle arracha de ses épaules le veston noir et le lui lança. Il le reçut sans broncher et la vit rentrer, furieuse, à l'intérieur.

Il passa son veston et alluma une cigarette en réfléchissant: n'avait-il pas craint la jeune femme? Le contact féminin qu'il évitait sciemment ne risquait-il pas d'ébranler sa force, sa confiance en lui? Que lui voulait-elle? Quel but visait-elle en recherchant sa compagnie? Il refusait de croire que le phénomène de l'amour se reproduisait en Lynn de la même façon que la première fois; ce serait par trop invraisemblable.

Il s'était souvent demandé quel lien unissait Evelyne à Alexandre et pourquoi son frère aîné accompagnait la jeune veuve à l'enterrement de son époux. Il avait suivi de loin les funérailles et le cortège; la vision d'Evelyne appuyée au bras d'Alex lui avait fait l'effet d'une douche froide.

Isabelle le toucha pour lui apprendre sa présence.

— Je te dérange?

— Non; tu as terminé tes danses?

Elle rit en répondant:

— Ce Paul est très divertissant et c'est un excellent danseur. Toutefois, je ne suis pas dupe de sa gentillesse et lui ai fait avouer que son intérêt était poussé par cette jolie blonde.

— Evelyne?

— Elle-même. Sans doute pour pouvoir demeurer en tête-à-tête avec toi. J'ai pensé, à raison, que tu étais de taille à te défendre et que si cette fille te plaisait, mieux valait que je m'efface. Je l'ai vue rentrer il y a quelques minutes; elle paraissait très vexée. Paul en était content; il est fou d'elle, le pauvre garçon. Il me fait pitié! s'apitoya-t-elle, tout à coup. Il ne peut que souffrir; elle n'a pas de coeur.

— Tu la connais si bien?

— Pas elle personnellement, mais ce genre de fille riche à craquer, possédant la beauté d'un ange et un coeur de pierre; on en a au moins une à chaque traversée et cela se termine invariablement par de pauvres bougres malheureux. Il me déplairait que tu fusses de ceux-là, Maximilien; je t'estime trop pour accepter que tu sois le jouet de cette écervelée. C'est pourquoi je te mets en garde.

— Merci bien; je tâcherai de l'éviter, nuança-t-il d'un ton mi-sérieux, mi-badin. Allons donc rendre visite à notre patient avant qu'il ne dorme.

Elle lui prit le bras gaiement et ils descendirent.

\* \* \*

Il plut les jours suivants et Max mit à profit ces moments pour terminer la lecture de ce fameux rapport sur les transplantations du coeur humain. La mer houleuse et la morne température n'attiraient personne sur le pont, de sorte qu'il se retrouvait inlassablement seul face au grand vent fouettant son imperméable, pour scruter l'océan et le ciel nébuleux.

Isabelle avait plusieurs cas de «mal de mer» dû au balancement continuel du navire et le groupe de Victor et d'Evelyne organisait des jeux et divertissements à l'intérieur. Max n'avait pas revu la jeune fille depuis ce fameux soir; ils s'évitaient l'un l'autre tacitement et il en ressentait une tranquillité bienfaisante.

Ce fut pourtant sous un soleil ardent qu'ils accostèrent à Rio de Janeiro, au Brésil. Ils disposaient d'une journée pour visiter les alentours. Isabelle obtint son congé et accompagna Max à travers les rues pittoresques dallées de pierres et de briques.

Le navire repartit le lendemain matin vers la Grande Bermude où il ferait escale trois jours. Un petit bateau déposerait ceux qui le désiraient sur les îles avoisinantes.

Les jeunes furent de ceux-là et Max se retrouva involontairement mêlé au groupe de Victor. Il était seul cette fois, Isabelle n'ayant pu se libérer, mais tandis que les jeunes gens s'installaient à l'hôtel, au bord de la mer, Max s'enfonça plus profondément dans l'île et s'arrêta dans une auberge, au sommet d'une côte. La beauté sauvage de ce site l'émerveillait; la végétation était abondante et les habitants le saluaient cordialement.

Il partit après un frugal repas, à travers la forêt épaisse, se dirigeant vers le plus proche village. Deux enfants le suivirent de loin, amusés, tout au long de son excursion sans qu'il réussisse à les approcher.

Au retour, la nuit tombait, peuplée d'étoiles. Fatigué de sa longue marche, Max s'était assis sur un rocher, sirotant une boisson fraîche et se délectant de fruits. En bas, sur l'océan qui venait de ses vagues noires lécher le sable blanc, quelques riches yatchs se balançaient au rythme d'une musique dont les échos se répercutaient jusqu'à lui.

Un bruit de feuilles, de branches écrasées attirèrent son attention et puis, un cri bref. Max déposa son verre et descendit de son perchoir. Un nouveau cri, manifestement féminin, s'éleva des hautes fougères à une centaine de pas près de lui. Peut-être s'agissait-il d'un rite, d'une coutume du pays et valait-il mieux ne pas s'en mêler; quoiqu'il en soit, il se dirigea silencieusement vers l'endroit où un bruit évident de lutte l'attirait. En écartant les branches, il aperçut une tache claire dans la nuit et entendit des gémissements craintifs et sourds. Une femme se débattait entre les bras d'un géant noir qui, d'une main, étouffait ses cris et, de l'autre, tentait de la maîtriser et de lui arracher ses vêtements. Il n'était pas loin de réussir quand Max fit irruption à son côté, prêt à la lutte. Le noir lâcha sa prise et dévisagea l'homme dont il évalua d'un coup d'oeil les dimensions; il l'aurait battu sans aucune difficulté mais, puisque celui-ci avait été témoin de son attentat, il préféra abandonner et s'enfuit.

Max se pencha vers la victime et fut surpris de découvrir Evelyne, appuyée à un arbre et retenant le pan de sa chemise déchirée, les cheveux épars sur les épaules et fixant démesurément l'endroit par où avait filé son agresseur.

— Que fais-tu donc seule ici, en pleine nuit?

— Je... Je voulais voir la vue de là-haut; je suis montée et ce type s'est rué sur moi, oh!... Merci Max, j'ai eu affreusement peur!

Elle était blême et fit quelques pas vers lui, les yeux encore agrandis d'effroi. De le sentir près d'elle la rassurait, mais le tremblement convulsif qui l'agitait ne se tempérait point. N'ayant sur lui qu'une légère chemise de coton, il dut, pour la réchauffer, entourer ses épaules. Evelyne se pelotonna entre ses bras, comme autrefois, lorsqu'elle ignorait son identité et éprouvait pour lui de puissants sentiments.

— Allons à ma chambre; un peu d'alcool te remettra de ces émotions.

Il l'entraîna à sa suite; elle s'accrocha à sa main comme une naufragée.

— Ne me lâche pas, Max; j'ai peur.

— Tu n'as rien à craindre; évite toutefois de te promener seule dans les bois. Comment se fait-il que Paul ne t'ait pas suivie?

— Je me suis éloignée sans le lui dire, avoua-t-elle.

— Quelle bêtise! Tu imagines ce qui aurait pu se passer?

Elle serra les doigts de Max qui l'aidait à grimper sur le dernier rocher auquel l'auberge tournait le dos et se redressa face à la lueur apaisante du petit hôtel. La moitié de son chemisier pendait lamentablement et deux traces sanglantes sillonnaient sa chair.

— Il faudrait soigner cela, indiqua Maximilien. On n'est jamais trop prudent avec les blessures, surtout en pays étranger.

Il la précéda jusqu'à une porte vitrée qu'il débarra et poussa sur le côté. La lumière jaillit sur une pièce vaste et bien tenue; le grand lit couvert d'un édredon jaune à motifs dorés agrémentait les meubles rustiques et délavés par le temps.

Max se dirigea vers la penderie pour y choisir un vêtement qu'il lança sur le lit près duquel se tenait Lynn.

— Tiens, tu mettras cela.

La chemise était en soie, rayée bleu et blanc. Evelyne en tâta le tissu brillant tandis que Maximilien s'avançait avec sa trousse à la main. Il la déposa sur le lit, l'ouvrit, en sortit une petite fiole de liquide incolore et quelques boules de coton qu'il aspergea et se mit en devoir de nettoyer les plaies de Lynn qui demeurait figée.

Elle n'eut aucun sursaut, se contentant de regarder agir ces mains agiles aux longs doigts souples; qu'avaient-elles donc d'extraordinaire ces deux mains brunies de soleil pour qu'elle y attache soudain une telle importance? Elle ne pouvait en détacher les yeux; c'était... comme une impression de «déjà vu», de «déjà arrivé», de ce genre d'événements qui se produisent alors qu'on y a «déjà rêvé»...

Une idée la frappa subitement; elle l'exposa en termes peu clairs:

— Est-ce toi ou Hingüe qui m'a soignée?

— Quand? demanda l'homme sans interrompre ses gestes précis pour appliquer une pommade sur les égratignures profondes.

— Quand j'étais à l'hôpital, bien sûr.

Il s'arrêta et se recula légèrement pour mieux la jauger.

— Perdrais-tu à nouveau la mémoire? Nous t'avons opérée tous les deux, tu ne l'ignores pas.

Elle souleva les épaules.

— Il m'arrive de l'oublier... soupira-t-elle en se détournant, attristée.

Maximilien remettait dans sa trousse les quelques fioles et médicaments qu'il en avait tirés. Evelyne ne se décidait pas à échanger son chemiser délabré contre le vêtement soyeux du médecin. Ce dernier avait replacé la mallette noire dans un petit meuble bas, à l'abri des indiscrets et revenait vers elle.

— Dès que tu seras prête, je te reconduirai, jeta-t-il simplement.

Ses paroles éveillèrent Evelyne qui sursauta, tirée de sa rêverie. Elle se laissa tomber sur le lit et demeura assise:

— Oh non, Max! Je n'ai pas envie de refaire tout ce chemin en sens inverse; la pente est abrupte, il fait noir et je suis encore bouleversée.

Il restait là devant elle, les mains sur les hanches, l'écoutant sans broncher, sans qu'aucun muscle de son visage ne trahisse ses pensées tumultueuses.

— Comme tu veux; il reste sûrement une chambre libre dans cette auberge.

Il se hâta vers la sortie donnant sur la nuit étoilée et s'arrêta subitement sur le pas du patio.

— Je suppose que tu peux te débrouiller...pour cela.

Evelyne se leva, piquée par le ton insinuant, et voulut répliquer, mais il s'éloignait déjà. Elle passa rapidement la chemise de soie et alla le rejoindre sur le haut rocher qu'elle gravit non sans s'écorcher les mains. Il était certainement conscient de sa présence, mais ne bougeait pas, assis calmement à même la pierre, les bras appuyés sur ses genoux relevés et fixant au loin un yacht illuminé. Evelyne suivit son regard et s'exclama, ébahie:

— J'avais raison de vouloir venir; c'est magnifique! Cette tranquille brise, le bruit assourdi des vagues, l'écho de cette musique de danse, la plage blanche sous le clair de lune...

Elle respira à fond et, se sentant bien, s'installa sans façon auprès de l'homme. Ce simple mouvement lui rappela encore cette «impression de déjà arrivé» et son humeur joyeuse s'envola sur l'aile du vent léger. La sentant prostrée et silencieuse, Max s'étonna de ce changement subit.

— Tu ne t'extasies plus sur la beauté du paysage?

Elle tourna la tête vers lui; son visage exprimait un tel tourment qu'il s'en inquiéta:

— Que se passe-t-il? Serais-tu malade?

— Non, non; je ne crois pas, pourtant...

La détresse qu'il lisait dans son regard clair l'impressionna et il reprit doucement:

— ... Pourtant! ...

— Il y a des... choses qui me prennent au dépourvu; des faits qui arrivent pour la première fois, mais qui me laissent une sensation presque tangible de «déjà vu»... Deviendrais-je folle, Max?

— Depuis quand cela se produit-il?

— Ce soir surtout, mais j'avais déjà ressenti cela sans y prendre garde, sur le bateau, et... maintenant que j'en parle, je remarque que, chaque fois, je suis en ta présence.

— C'est probablement parce que tu es fatiguée et désorientée; tu te sens ou tu crois que je te considère coupable de la mort de ton mari. Rassure-toi; je suis certain, comme tu me l'as déjà dit toi-même, que tu lui as donné plus de joies en quelques mois que le reste de l'humanité durant toute sa vie.

— Vous étiez très liés avant que je l'épouse; ai-je brisé cette amitié? Hingüe était très affecté que tu ne viennes plus le voir, ni ne lui écrives.

— Je n'en ai guère eu le loisir; je devais réorganiser mon département.

Elle secoua la tête, le coeur lourd.

— Je suis assurée que j'y suis pour quelque chose;

je ne pouvais te supporter, toi, avec tes airs supérieurs et ton éternel ton froid; tu m'effrayais terriblement.

— Il n'en est donc plus ainsi maintenant, interrogea-t-il en la considérant gravement.

— Tu m'impressionnes toujours autant, avoua-t-elle candidement, sans songer à mentir ou à tirer profit de ce tête-à-tête. Tu es si solennel, si digne, ou peut-être hautain et indifférent, lança-t-elle finalement. Je ne te connais pas suffisamment pour en juger, mais je suis intéressée à me faire une opinion si tu m'en laisses la possibilité.

— Tu peux toujours essayer; ne compte pas que je te faciliterai les choses, cependant.

Il retourna à sa contemplation, satisfait d'avoir détourné la conversation sur un sujet qu'il considérait anodin; il craignait beaucoup plus ses questions sur l'année égarée dans sa mémoire.

— Toi Max, reprit-elle, que penses-tu de moi?

Il examina le beau visage qu'elle levait vers lui, voyant luire le regard dans la nuit.

— Tu devrais aller te reposer; tu as eu une rude journée et une soirée non moins mouvementée.

— Je ne t'ai pas demandé un diagnostic médical, bouda-t-elle; j'ai le sentiment que tu me hais et, qu'en même temps, je te plais. Est-ce que je me trompe?

— Pourquoi convoites-tu toujours ce que tu ne possèdes pas? Ne sais-tu point te contenter de ce que tu as? Paul, Victor et tous les autres! Qu'as-tu à faire de mon opinion à ton sujet? Tes attentions ne me vexent ni ne me flattent; tout cela ne te mènera à rien.

— Tu es trop sûr de toi; cela me déplaît. Je suis mauvaise perdante, sourit-elle, malicieuse.

— Il faudra t'y faire, ajouta-t-il placidement.

— Une chose me déroute, murmura-t-elle pensive en prenant la cigarette qu'il lui tendait.

Elle en alluma le bout au briquet de Max et reprit aussitôt, en rejetant la fumée:

— Comment parviens-tu à me deviner? J'ai cru au début que tu détestais l'humanité toute entière; puis je me suis dit que ta haine ne s'adressait qu'au sexe féminin; à présent, je vois qu'il n'en est rien, sauf peut-être envers moi? Pourquoi?

— Je me défie de toi, voilà tout. Je ne cherche pas l'aventure; j'aspire à la paix et à la quiétude. Toi qui es toute de nerfs et de vivacité contraste par trop avec la vie calme que je mène. Tu ne peux m'apporter rien de bon; quant à moi, je ne serais pour toi qu'un trophée de plus à ta collection et je n'y tiens pas.

Elle eut un rire frais qui s'égrena de rocher en rocher. Maximilien, surpris, se retourna et n'eut pas le temps d'éviter le geste lent que fit Evelyne pour entourer son cou.

— N'y gagnerais-tu pas toi aussi? minauda-t-elle aguichante, un sourire significatif aux lèvres.

Max dégrafa les deux bras et la repoussa doucement.

— C'est un jeu que je me refuse à jouer, Lynn. Combien de fois faudra-t-il te le répéter?

Elle se leva, fit quelques pas et le regarda intensément:

— Tu n'es pas marié, pas fiancé non plus; il y a bien cette petite infirmière, mais je ne pense pas que ce soit sérieux... Alors! À qui es-tu fidèle? Ou simplement, le fait d'aller au lit avec une femme t'est-il désagréable?

Comme il demeurait silencieux, tourné vers le large, elle s'agenouilla à son côté et, pesant sur les mots, souffla tout contre lui:

— As-tu seulement déjà fait l'amour à une femme, Max?

Elle remarqua la crispation soudaine de ses traits et fit une manoeuvre pour se trouver face à lui. Max, les lèvres serrées, les yeux froncés, la fixa et Evelyne se répondit à elle-même d'une voix lente et berçante:

— Oui bien sûr, et tu as aimé aussi, n'est-ce pas? Peut-être aimes-tu encore? Pardonne-moi Max, je me conduis mal, pourtant, jamais tu n'as été vraiment désagréable avec moi.

Elle se releva et fit quelques pas vers le rebord du

rocher. Avant de descendre, elle lança une dernière phrase qui chanta dans la nuit auréolée.

— Elle a beaucoup de chance, Max, je l'envie.

Tandis que l'homme ployait l'échine, la jeune femme s'éloignait. Elle avait froid soudain et se sentit glacée; sa tête bourdonnait et, sans raison, elle avait envie de pleurer.

Elle loua rapidement une chambre et se jeta sur son lit les yeux secs, grands ouverts sur le plafond. L'odeur de tabac de sa chemise lui monta aux narines; elle caressa le tissu soyeux et le porta à ses lèvres. Aussitôt, elle serra les poings et se disputa d'agir comme une collégienne en mal d'amour. Qu'importait Max? Puisqu'il en aimait une autre, tant pis...

Le soleil resplendissait et Evelyne cligna des yeux. Le rocher était vide, Max devait être parti à cette heure tardive de la matinée. Elle se hâta de se vêtir et sortit dans le hall.

— «Buene journo», tenta de franciser le gros propriétaire au teint foncé.

— Savez-vous où est le docteur? Monsieur Eden; est-il parti? reprit-elle avec force gestes voyant qu'il ne comprenait rien.

— Le «Señor»? dit le Portugais aux joues rondes en riant. On Señorita! Lui, dans la cour; aimer le soleil, désigna-t-il en montrant l'extérieur.

Evelyne s'avança sur le pas de la porte, mais ne vit que quelques paysans vaquant à leurs habituelles occupations.

— Là-haut! indiqua encore l'homme qui était venu la rejoindre.

— Sur le rocher? Mais on ne voit rien!

— Lui, là-haut, répéta-t-il en soulignant de la tête.

Un peu sceptique, elle s'y rendit tout de même et

découvrit Max étendu, en simple short, sur son promontoire de la veille. Il semblait dormir et elle en profita pour contempler les longues jambes musclées, la poitrine forte; il ressemblait physiquement à Alexandre et elle se secoua pour effacer les images qui se superposaient.

Max souleva ses lunettes fumées et la regarda par en-dessous:

— Assieds-toi.

Elle obéit et s'installa, inconfortablement.

— Je pensais que tu aurais fui, que tu profiterais de mon sommeil pour te débarrasser de ma présence.

— Et te laisser seule avec ces étrangers; tu me connais bien mal. Nous descendrons à l'hôtel cet après-midi et je te remettrai entre les mains de Paul. Ne t'aventure plus seule sur un territoire inconnu en pays étranger, le risque est trop grand.

Il se tourna, offrant son dos à l'astre solaire.

— J'ai l'intention de me faire rôtir encore un peu; tu devrais faire le tour du village, sans t'éloigner toutefois.

Lynn obéit; Max releva la tête.

— Si tu as des problèmes, appelle-moi. Nous nous retrouvons à midi, à la «cantina».

Après un repas silencieux dans la petite salle de l'auberge peu fréquentée, les deux jeunes gens se mirent en route vers la rive, Max emportant sa valise et sa trousse médicale.

Il leur fallut plus d'une heure pour atteindre le grand hôtel où le groupe s'était installé. Max y fit une réservation et s'informa de Paul et de Victor.

— Madame les accompagnait, ajouta-t-il comme explication.

— Oh oui! Je me souviens de mademoiselle; ces messieurs se sont agités hier soir en ne la voyant pas rentrer; je les ai rassurés. Que pouvait-il arriver dans une île aussi belle où tout le monde se connaît, où il n'y a que quelques lézards et serpents...?

— Oui, coupa Maximilien. Hé bien! Où se trouvent-ils maintenant?

— Je l'ignore; ils sont partis à sa recherche très tôt ce matin.

— Quand ils reviendront, dites-leur qu'elle est saine et sauve.

— Je n'y manquerai pas, Monsieur.

Il s'adressa au jeune homme en livrée:

— Conduisez Monsieur à sa chambre, la 407. Je vous place au même étage que Madame, dit-il à nouveau à l'homme, cela vous convient-il?

Max se tourna vers Evelyne qui ne le quittait pas du regard, semblant le défier.

— Aucune importance, affirma-t-il.

Ils montèrent à la suite du chasseur.

— Devrai-je passer tout l'après-midi seule à attendre qu'ils reviennent? Je vais périr d'ennui.

— J'avais projeté de visiter l'île et les boutiques, si cela te convient, tu peux venir...

— Par cette chaleur! Pourquoi ne pas descendre à la plage?

— Moi je vais visiter; si tu tiens à te baigner, libre à toi.

Elle accepta, vaincue, ne désirant pas le perdre de vue.

— Très bien, je te suivrai.

— Le temps de prendre une douche et nous nous rejoignons dans le hall.

Evelyne, en short et court chemisier blanc laissant à découvert sa chair cuivrée, attendait depuis plus de dix minutes sans trop s'impatienter. Elle s'étonnait que Max tarde tant; elle se sentait le point de mire des touristes qui passaient, nombreux à cette heure, et craignait que l'homme se soit effacé sans l'attendre.

Elle l'aperçut tout à coup sortant de l'ascenseur, élégant dans son pantalon de toile et sa chemise beige, se dirigeant vers elle en longues enjambées.

Elle ne manqua pas les regards intéressés que lancèrent certaines dames vers le jeune médecin et, rose de plaisir, elle prit le bras qu'il lui tendait. Ils devaient former un couple magnifique, car bien des gens se retournèrent sur leur passage.

Ils déambulèrent dans les rues, s'arrêtant ici et là pour admirer, marchander... Max insista pour qu'Evelyne accepte le chapeau de paille à large bord qu'il voulait lui voir porter et c'est en riant qu'ils ressortirent de chez le boutiquier amusé qui les suivit du regard.

Pour la première fois, Evelyne voyait rire Max tandis qu'il la tirait par la main dans la rue achalandée.

— Louons une bicyclette et descendons au port.

Elle acquiesçait, heureuse, débordante de vitalité, se laissant guider par Max comme une petite fille confiante, émerveillée de le sentir «vivre», de découvrir sa chaude personnalité, son vif désir de voir tout ce qu'il pouvait, son individualité propre qui en faisait un être charmant et attentionné.

— Tu n'es pas trop fatiguée? l'interrogeait-il. Tout va bien?

Ils mangèrent, à la nuit tombée, dans un petit restaurant de fruits de mer, au port, et rentrèrent éreintés mais satisfaits.

Avant qu'ils atteignent l'hôtel, Evelyne s'appesantit sur le bras du jeune homme et appuya la tête contre sa haute épaule:

— Ne rentrons pas tout de suite, Max; allons à la plage; elle doit être déserte à cette heure et les vagues noires comme l'encre du ciel doivent lécher le sable blanc.

Il hésitait et elle leva les yeux sur lui:

— Je te promets d'être sage, se moqua-t-elle en levant la main droite.

Il sourit à son tour et bifurqua vers la mer.

Evelyne avait retiré ses sandales et pataugeait dans l'eau salée. Max assis sur la grève l'attendait, admirant sa silhouette menue se découpant, claire, sur le fond sombre de la nuit.

Elle revint et se laissa tomber à genoux devant lui.

Elle sut alors qu'elle ne pourrait tenir sa promesse et se pencha sur lui pour baiser les lèvres qui se dérobèrent.

— Rentrons, dit-il en se levant.

Humiliée, elle bougea à peine pour secouer la tête.

— Va-t-en si tu veux; je reste ici.

— Seule?

— Oui seule, jeta-t-elle amère. Quelle importance cela a-t-il pour toi puisque, de toute façon, je ne t'intéresse pas.

— Il y a autre chose dans l'existence que ces simples ébats érotiques et sensuels.

— Quoi? posa-t-elle désabusée. Je ne connais rien d'autre. Oh! bien sûr, on m'a aimée,on m'aime, mais, moi, je ne sais rien de ces nobles sentiments... Max, que ressent-on quand on aime? s'enquit-elle suppliante.

Il se rassit près d'elle tandis qu'elle le regardait, désemparée. Il leva une main et caressa la tempe et la joue de velours chaud.

— Pauvre petite fille! s'apitoya-t-il. Que te dire? Tout est dans l'élan de tendresse qui te porte vers l'autre, c'est aussi simple que cela. Il y a sûrement un homme que tu préfères aux autres!... Hingüe, tu l'aimais bien?

— Comme un père ou un ami, comme Al...

Elle interrompit sa phrase qu'elle jugeait malencontreuse et se mordit la lèvre inférieure alors qu'il terminait pour elle:

— Alexandre, n'est-ce pas?

Elle demeura bouche bée, inspectant sur le visage de Maximilien, les sentiments qui l'agitaient.

— Il t'accompagnait à l'enterrement de Hingüe... poursuivait-il. Comme tout est ridicule, jeta-t-il en serrant les poings.

— Pourquoi? Parce qu'il m'aime? Ou parce que moi je ne l'aime pas?

— Et sa femme? demanda Max.

— Ils font chambre à part depuis le début, c'est-à-dire, depuis qu'elle est devenue enceinte. Tu le savais?

Il eut un signe négatif.

— Elle a horreur des rapports physiques; Al est alors revenu vers moi, c'est normal, non?

— Revenu!...

— Nous nous sommes connus avant son mariage; j'avais à peine seize ans. Il voulait m'épouser; il le veut toujours; il parle de divorcer, mais je m'y refuse. C'est un bon ami, un merveilleux...

Encore une fois, elle leva son regard vers Max et décida de poursuivre, sans rien cacher:

— ...amant, mais rien de plus. Je ne veux pas son malheur, je lui cause bien du chagrin.

— À qui n'en causes-tu pas? reprocha-t-il sévèrement.

— Oui, c'est vrai, admit-elle en s'asseyant à son tour. Il y a eu Hingüe et... d'autres. Ai-je un coeur comme tout le monde, Max? Parfois, je me le demande. Pourquoi ne puis-je aimer?

Maximilien la scruta en pensant que le coeur de Lynn était peut-être enfermé, avec sa dernière lettre, dans le portefeuille de son veston, à l'hôtel.

— Tu n'as sans doute pas encore rencontré «l'homme de ta vie», se contenta-t-il de plaider.

Elle secoua la tête, la lèvre ourlée, l'oeil étincelant, puis, sans que rien n'eut pu le laisser prévoir, elle s'élança vers l'océan et se jeta dans les vagues, nageant vers le large.

D'abord désorienté, surpris, Max l'appela et la suivit ensuite en criant:

— Lynn, attends, que fais-tu? Reviens!... Reviens!...

Il plongea à son tour; il était fort et vigoureux, mais connaissait mal les vagues de la mer et chacune le fouettait. Il se sentait secoué, balayé, emporté.

— Lynn!... appelait-il en refaisant surface, Lynn...

Une lame le frappa violemment; il en fut étourdi et, lorsqu'une seconde lui coupa le souffle, le goût salin de l'eau de mer le fit grimacer. Il essaya de se maintenir à la surface mais, chaque fois, les flots le déjouaient. Il suffoquait, recherchait l'air, se débattait, pris de panique...

— Lynn!... Le hurlement se perdit dans le bruit assourdissant des vagues.

— Max! entendit-il soudain ou crut-il entendre avant qu'une fois encore, il tourbillonne dans le flot tumultueux. Son corps brûlait; tout bourdonnait...

Il se sentit tiré et put respirer, la tête hors de l'eau.

— Respire bien Max, mais, surtout, prends le temps de réfléchir, sinon nous nous noierons tous les deux, criait Evelyne. Entends-tu Max? M'entends-tu? Voici une vague, retiens ton souffle; laissons-la passer.

Il obéit, ne voyant rien que le noir, qu'un brouillard épais, avant de percevoir à nouveau sa voix:

— Ça va, Max? Détends-toi un peu, tu t'accroches trop à moi. Réponds!

Il respira péniblement et réussit à articuler.

— Ça va...

— Bon. Voilà une lame énorme, profitons-en pour nous laisser glisser, d'accord? Tu pourras?

— Oui... je crois que oui.

Il se sentit soulevé et entraîné par la puissance de l'onde. Lynn le tenait fermement et l'obligea finalement à se placer en position verticale.

— Nous allons nager avec les vagues; elles nous ramèneront vers le rivage et nous en profiterons pour nous reposer entre chacune. La marée monte, ce ne devrait pas être trop difficile. Te sens-tu d'attaque pour faire quelques brasses? Dès que la vague sera passée, arrête; je suis juste à côté de toi. La voilà; prépare-toi.

Il nagea et, drôlement, reprit des forces en même temps que l'air remplissait ses poumons. Il sentait Lynn à proximité et ne se préoccupait plus que d'atteindre, avec elle, le sol ferme, suivant à la lettre toutes ses instructions.

Ils touchèrent enfin la rive et, à bout de souffle, marchèrent vers la plage en titubant. Max se jeta à plat-ventre dans le sable, exténué. Lynn vint se coller contre lui.

Dès qu'elle eut la force de prononcer quelques mots, elle lui lâcha:

— Quel grand sot tu es, Max, et comme tu m'as fait peur! Ne savais-tu pas qu'il ne me manque qu'une queue de poisson pour être sirène; je voulais tout juste me calmer et tu as failli te noyer. J'aurais préféré mourir mille fois que d'avoir ta mort sur la conscience; j'en ai déjà suffisamment ainsi.

Il réussit à bouger un bras et entoura les épaules féminines:

— Je ne m'en serais pas tiré sans toi.

Elle eut un rire nerveux qui ressemblait à un sanglot:

— J'ai mon médaillon de «sauveteur», mais j'ai failli tout oublier. Tu m'as fait boire un «bouillon»... Qu'as-tu donc cru pour te jeter tout habillé dans l'océan?

— Et toi?

— Moi! J'agis sous l'impulsion du moment. Je ne suis jamais raisonnable; tu devrais t'en être rendu compte.

— Sait-on jamais avec les femmes?

— Tu vas mieux maintenant?

— Oui, dit-il en se redressant et en se retournant pour demeurer appuyé sur les coudes.

— Doucement, tu vas être étourdi si tu bouges trop vite, conseilla-t-elle en l'obligeant à rester allongé. Tu trembles! Il nous faudrait des couvertures... Quitte ces vêtements trempés, l'air est chaud et le vent sèchera ta peau.

Il retira sa chemise et se sentit mieux. Tous deux, face à face, se regardèrent; Evelyne ne pouvait détacher les yeux de l'homme. Elle caressa la joue, le cou, l'épaule et retira sa main rapidement, comme si elle s'était brûlé. Elle se rassit et entoura ses jambes repliées, de ses deux bras.

— Comment est-elle? demanda-t-elle sans préambule.

— Qui?

— La femme que tu aimes... dit-elle encore en levant la tête pour mieux l'observer.

Il se contenta de soulever les épaules, ne sachant que répondre.

— Tu vas l'épouser?

Il accompagna, de la tête, sa réponse négative que suivit le «pourquoi?» de la jeune femme.

— Elle ne peut pas ne pas t'aimer, compléta-t-elle.

— C'est ainsi pourtant; tu n'aimes pas Alex, toi!

— Non, c'est vrai, pourtant, il est gentil pour moi, patient et tendre. Je n'y puis rien.

— Hé bien! Voilà ta réponse, sourit-il à demi.

— Tu tiens encore à lui être fidèle, malgré cela.

— Là n'est pas la question, Lynn. Je ne veux pas d'une aventure sans lendemain. Il y en a toujours un qui souffre.

— Si toi tu ne m'aimes pas, quelle importance! Ne suis-je point désirable! exposa-t-elle en se levant. Je suis jeune, saine; pourquoi me repousses-tu?

— Ne m'oblige pas à te dire des choses désagréables; restons bons amis, dit-il en se levant à son tour et en tordant le bas de son pantalon mouillé et froissé.

— Dis-moi donc une fois pour toutes ce que tu penses, clama-t-elle irascible.

— Je n'oserais pas après ce qui vient de se produire; mieux vaut monter et aller nous reposer.

— Je ne rentrerai que si tu m'expliques pourquoi je te répugne.

— Alors, gèle ici; moi je pars. Merci pour ton audacieux sauvetage; je n'oublierai pas que je te dois la vie, mais n'oublie pas non plus que c'est à cause de toi que j'ai failli la perdre. J'espère que tu ne rencontreras aucune brute décidée à te violenter. Bonsoir!

— Attends-moi, s'écria-t-elle en allant à sa suite.

Ils montèrent en silence, l'un derrière l'autre, et pénétrèrent dans l'hôtel par une porte de service. Ils purent ainsi gagner leurs chambres sans jeter la confusion et la consternation dans l'hôtel.

Maximilien, réchauffé, buvait un grog bien chaud quand on frappa à sa porte. Il alla ouvrir, certain d'y voir Evelyne. Elle était là en effet, les cheveux noués, le minois chiffonné, le contemplant comme une enfant battue.

— Entre, l'invita-t-il, je savais que tu viendrais.

Il referma derrière elle et retourna s'asseoir dans un fauteuil. Elle suivait des yeux ses mouvements, baissant souvent les paupières, mal à l'aise.

— Il faut que je sache ce que tu as contre moi.

— Très bien... très bien, accepta-t-il, si tu insistes. C'est la vie que tu mènes qui ne me va pas. Je t'ai précisé hier soir que je ne tenais pas à être un trophée de plus à ta collection, tu as été la femme de Hingüe, la maîtresse d'Alex et de nombreux autres que je connais peut-être; je ne veux pas être catégorisé comme étant ta propriété parmi tant d'autres... As-tu compris maintenant?

— Oui; je te plairais si je n'étais pas comme je suis.

— Voilà, tu as saisi, approuva Maximilien.

Elle fit quelques pas vers la porte et lança:

— Qui le saurait? Victor et Paul! Ils croient sûrement que tout a déjà eu lieu...

— Sors, ordonna Max.

Elle tourna les talons et s'en alla. Dès qu'elle eut disparu, Max s'adossa au fauteuil. «Comment Lynn ne pouvait-elle songer qu'à cela? N'avait-elle point de honte de le tourmenter pour qu'il cède à ses instances? N'existait-il rien d'autre au monde pour elle?»

Il se leva tôt le lendemain et partit en carriole faire un tour dans l'île. Il en avait pour quelques heures et le paquebot les attendrait vers six heures.

Dans le petit bateau qui les ramenait au transatlantique, Evelyne entourée de Paul, de Victor et des autres ne lui jeta aucun regard. Ils montèrent dans le grand navire et, le même soir, les fêtes, les danses reprirent. Max se retrouva appuyé à son même bastingage, examinant, dans le lointain, les étoiles clignotantes.

Dans quelques jours, ils seraient à New-York; Max prévoyait discontinuer ses vacances et rentrer à Montréal en avion. Se replonger dans son travail lui ferait oublier Lynn, sa vie médiocre et ses nombreux amants.

Il pensait à elle lorsqu'elle surgit contre lui, vêtue

d'un étroit fourreau de soie moirée vieux rose, les cheveux relevés sur la tête et le regard assombri.

— Je suis désolée de t'avoir importuné, Max; je me rends compte que j'ai été inconséquente et tu as bien fait de me parler avec sincérité. Je ne pensais qu'à remporter une victoire sur toi mais, tout compte fait, je suis heureuse que cela se soit passé ainsi.

Elle partit aussitôt; Maximilien l'entendit parler à Paul qui venait à sa recherche.

Il ne la revit pas. Deux jours plus tard, ils atteignaient New-York et le médecin rentrait chez-lui en avion.

Plus taciturne, plus maussade que jamais, Maximilien, renfermé sur lui-même, bien décidé à oublier Lynn, reprit la direction de son département de chirurgie avec autorité et compétence. Il n'admettait point qu'on commette des erreurs, car précisait-il, ces erreurs pouvaient coûter cher en vies humaines. Son air glacial, hautain, et ses paroles autoritaires l'avaient depuis longtemps fait surnommer: «l'ours de la chirurgie», mais on s'émerveillait de le voir pratiquer des interventions. «Des mains d'ange dans un esprit froid et lucide», souriaient ses confrères entre eux.

Max s'était fait peu d'amis; on le respectait en qualité de chirurgien et de chef, mais on s'effaçait dès qu'il apparaissait au bout d'un couloir, en blouse blanche ou turquoise, marchant à grands pas, toujours pressé par le temps ou... «poussé par le diable» riaient certains.

Lorsqu'un groupe d'infirmières et d'infirmiers étaient autorisés à assister à l'une des opérations qu'il pratiquait, ils en ressortaient franchement satisfaits, parfois étonnés de la maîtrise parfaite que possédait le jeune médecin.

Lors d'une séance d'autopsie à laquelle il participait, ayant dû remplacer un confrère pour un cours, se produisit un événement inattendu qui devait modifier quelque peu la vie du médecin.

Une dizaine de jeunes gens se tassaient près de la

porte; l'odeur du formol suffisait à leur faire venir des larmes aux yeux et la présence du chirurgien en chef les échaudait davantage que le corps morcelé.

L'interne qui donnait la démonstration était tendu et nerveux; il ne l'aurait pas été devant Philippe Roy qui devait normalement le superviser, mais l'oeil critique de Maximilien Eden le glaçait plus que le contact du cadavre. Il fit un faux mouvement, échappa son scalpel faisant fuser les rires autour de lui.

La voix dure de Max s'éleva dans le silence qui suivit:

— Assistons-nous à un cours d'art dramatique ou à une classe de dissection?

L'interne reprenait prestement son instrument lorsqu'une des stagiaires s'affala sur le parquet. Personne ne bougea.

— Ranimez-la et sortez-la, ordonna Maximilien, en rogne. Qu'attendez-vous?

Ils se baissèrent dans un ensemble parfait et ce fut une pagaille indescriptible; l'interne se retenait pour ne pas rire et Max croisa les bras, attendant que prenne fin ce tumulte.

Lorsque fut sortie la jeune fille et que les stagiaires eurent repris leur immobilité, la voix de Max tonna en désignant le cadavre.

— S'il avait été vivant, il serait mort maintenant. Il vous a fallu cinq bonnes minutes pour réagir. Heureusement que vous travailliez en dissection, Pearson; poursuivez.

L'homme se reprit et replongea son scalpel...

Ce même jour, alors qu'il sortait lui-même d'une délicate intervention chirurgicale, une jeune infirmière se leva et lui coupa le passage.

— Docteur Eden! Docteur, excusez-moi de vous ennuyer, je... je tenais à m'excuser pour ce matin. Mes compagnons m'ont dit que vous n'étiez pas content et...

Il se passa la main dans les cheveux. Il était fatigué et aspirait à se détendre.

— Ne vous en faites pas; vous n'êtes pas la première à vous évanouir dans une salle de dissection et vous ne serez pas non plus la dernière.

Il poursuivait sa route, désireux d'en finir au plus tôt, mais elle courut derrière lui.

— Il faisait si chaud et cette odeur!... Notre professeur va rapporter l'incident au collège et on peut me recaler.. Oh docteur! Je vous en supplie, ne les laissez pas m'enlever cette chance, dites un bon mot pour moi; ils vous écouteront... Je désire être infirmière, rien d'autre ne m'intéresse; j'ai tant étudié...

Max se retourna, les sourcils froncés, impatienté.

— Je vous en prie, mademoiselle, il est tard; vous pouvez sûrement vous expliquer auprès de votre collège. Je dois me rendre auprès d'un patient, très tôt demain matin...

— Oui, je comprends, jeta-t-elle, déçue. Veuillez me pardonner d'avoir utilisé quelques minutes de votre précieux temps, Monsieur.

Elle vira les talons et tourna au bout du couloir comme Max entrait dans le vestiaire.

En sortant du stationnement de l'hôpital, il remarqua l'infirmière qui faisait les cent pas devant l'arrêt d'autobus. Il stoppa à sa hauteur et baissa la vitre légèrement givrée. Il faisait froid cet automne-là et un petit nuage de fumée sortait de la bouche de la jeune fille qui s'approcha uniquement après l'avoir reconnu.

— Je vais jusqu'à la 62e rue, si vous voulez faire un bout de chemin, proposa-t-il.

Elle hésita visiblement, scruta la rue sombre, peu fréquentée et se décida enfin à monter. Max démarra.

Ils demeuraient tous deux silencieux, se jetant par intervalle des coups d'oeil furtifs. Elle était mince et délicate aux très courts cheveux bruns et possédait d'immenses yeux noirs dans un visage aux traits réguliers.

— Alors!... lança Max. Que voulez-vous que je dise à vos professeurs?

Elle eut un brusque mouvement de surprise et un sourire émerveillé.

— Vraiment! Vous feriez cela? Je vous en serais

très reconnaissante; j'ai toujours voulu être infirmière, depuis ma plus tendre enfance. J'ai peiné et travaillé dur pour gagner mes études et avoir de bonnes notes et, maintenant, tout sombrerait... Je crois que cela tuerait ma mère... termina-t-elle, mélancolique.

Max était sceptique; ne jouait-elle pas à la pauvre petite fille sans défense?

— Je verrai ce que je peux faire, la rassura-t-il.

— Merci, poursuivit-elle, mes parents ont épargné afin de m'aider à terminer mes cours. J'ai quatre frères, dont l'aîné n'a que quinze ans; mes parents veulent qu'ils soient instruits et normalement j'aurais dû travailler depuis nombre d'années pour aider à subvenir aux besoins de la maisonnée. Ils m'ont permis de poursuivre mes études; je suis vendeuse les fins de semaine, mais j'espère obtenir une place à l'hôpital comme infirmière suppléante l'été prochain. Il ne me restera qu'un an avant d'obtenir mon diplôme.

Elle s'arrêta aussi vivement qu'elle avait commencé et le regarda:

— Je savais qu'un homme aussi doué que vous l'êtes, aussi intelligent, ne pouvait être sans coeur, Monsieur... Docteur Eden, se reprit-elle. Nous admirons tous votre technique et votre doigté, bien que nous soyons littéralement paralysés en votre présence.

— Ah tiens! Pourquoi donc?

Elle eut une hésitation et porta un doigt à sa bouche, en un geste enfantin, gênée en le lorgnant de biais.

— Si je vous le disais, risqua-t-elle, méfiante et pourtant hasardeuse, vous vous froisseriez et je vous craindrais encore davantage.

— Si vous parlez de mon «surnom», je suis déjà au courant.

Son joli visage frais changea d'expression:

— Oh! Vous le saviez et... cela ne vous dérange pas; vous n'en êtes pas froissé?

Il fit un simple mouvement de la main, tout en surveillant la route.

— On m'a toujours reproché ma brusquerie, mon arrogance, mais au moins, il n'y a dans mon département aucun médecin qui ne suerait sang et eau pour sauver un patient et, s'il en était autrement, il ne serait pas dans mon service.

— J'admets que vous êtes dans le vrai; j'ai souvent ouï dire, par certains membres de votre personnel, qu'ils se considéraient comme compétents par le seul fait que vous les acceptiez pour travailler près de vous.

Elle reprit, après un silence:

— J'oserais également ajouter que vous ne passez pas inaperçu auprès des infirmières de l'hôpital et que votre surnom provient de quelques-unes d'entre elles choquées de n'être pas parvenues à capter votre attention.

— Merci pour l'indication; je veillerai à ne pas trop m'exposer au verbiage de ces «péronnelles».

— Trop tard docteur; tout le monde vous connaît maintenant, s'amusa-t-elle. Puis se penchant vers lui, elle ajouta à la fois incrédule et taquine:

— Vous ne devez pas ignorer qu'un bel homme sauvage et viril attire fatalement les femmes.

— Parlez-vous de moi? s'enquit-il.

— Évidemment, rit-elle détendue. Il y a des médecins qui s'imaginent que toutes les filles sont à leurs pieds, infirmières et patientes; — elle comptait sur ses doigts en réfléchissant à haute voix pour Max —; il y a les beaux parleurs qui en disent plus qu'ils n'en savent; les incompétents qui ignorent tout et mettent tout malaise sur le compte des «nerfs», ces pauvres nerfs; il y a aussi la catégorie des rangés, bons époux, bons pères et, finalement, les cent pour cent médecins, mi-savants, mi-hommes, plus intéressés par leur profession, presque leur art, que par toute autre chose. Vous appartenez à ce dernier groupe.

— C'est possible, admit-il simplement.

— Évidemment, cela n'empêche pas les filles de s'éprendre de vous, assura-t-elle amusante. Je devrais vous parler de Janice York, mais elle m'en voudrait terriblement si cela se savait.

La jeune fille pressait ses mains l'une contre l'autre, les écartait; elle bougeait sans arrêt.

— Si vous me promettez de n'en pas souffler mot, je vous raconterai ce que je sais...

— Très bien, accepta Maximilien pas du tout intéressé, parlez-moi donc de Janice York.

— C'est très simple et très touchant aussi.

La mobilité du visage bien découpé agrémentait davantage le récit que ses paroles rapides et ses gestes vifs.

— Elle est amoureuse d'un jeune interne en chirurgie cardiovasculaire, mais il ne la remarque jamais...

— Vous habitez loin? coupa tout à coup l'homme.

— Sur la 122e; vous me laisserez au bout de votre route; je m'arrangerai pour le reste.

Elle réfléchit quelques minutes et lança:

— Pauvre maman! Elle est sûrement très inquiète; je devais rentrer vers quinze heures et il en est vingt-et-une.

— Vous ne l'avez pas prévenue? s'informa-t-il.

— J'avais tellement peur de vous manquer que je n'ai pas quitté une minute mon point d'observation. Vous comprenez, il y allait de mon avenir et...

— Très bien, très bien, l'arrêta Max. Je vais vous conduire, mais il vaudrait peut-être mieux lui téléphoner; il reste encore environ une demi-heure de route.

— Vous avez raison; approuva-t-elle, quand vous verrez un restaurant, je l'appellerai pour la rassurer sur mon sort.

Max stoppa un peu plus loin et, tandis qu'elle se rendait dans la cabine téléphonique, il s'assit à une table et commanda un café bien fort et fumant.

— Voilà, c'est fait, dit-elle en revenant, joyeuse.

— Voulez-vous prendre quelque chose?

— Votre café a un arôme agréable! J'en prendrais un volontiers.

Elle s'assit alors qu'il réclamait un autre breuvage de la main.

— Quand je leur ai dit que j'étais avec vous, ma mère a éclaté de joie.

Il leva un sourcil étonné.

— C'est que je leur ai souvent parlé de vous...

— «L'ours de la chirurgie», dirent-ils en même temps; et ils sourirent.

— Parlez-vous toujours autant? s'inquiéta Maximilien.

— Non, rit-elle, seulement quand je suis nerveuse ou tendue.

Comme il la dévisageait, curieux, elle ajouta:

— Votre proximité suffirait à mettre en déroute tous les élèves de ma classe; imaginez donc mes craintes de vous avoir importuné ce matin! Je serais nerveuse pour moins que cela.

— Ce fut un mal pour un bien; je crois qu'ils ont réalisé une chose importante: ne pas perdre de temps inutilement et prendre une bonne et sage décision rapidement.

— Ces bons mots ne me tranquillisent guère, docteur; je sais comme vous avez horreur des mauviettes, mais croyez que cela ne serait jamais arrivé s'il n'avait fait aussi chaud dans cette pièce.

— La chaleur n'était due qu'à votre tension excessive car on garde constamment la salle de dissection à basse température.

— Et cette odeur intolérable, l'ai-je rêvée aussi? se frustra-t-elle.

Il sourit légèrement en baissant les yeux sur la table.

— Non; on s'y habitue...

— Pas moi, oh non! Je ne choisirai pas ce domaine. La chirurgie me plaît davantage et j'espère bien me trouver un petit coin près de vous, Docteur Eden; j'aime tant vous voir travailler, c'est un régal pour l'oeil.

Elle reprit aussitôt en souriant rougissante:

— Cette phrase n'est pas de moi; je l'ai entendue

dire par un interne lors d'une intervention que vous pratiquiez. Vous êtes leur modèle, docteur.

Mais l'homme n'eut pas l'air d'apprécier les flatteries et le silence s'installa entre eux pour la première fois. Elle surveillait son visage où n'apparaissait nulle trace d'émotion; il buvait à petites gorgées et semblait pensif. Comme il lui était agréable de se retrouver en tête-à-tête avec le lointain et inaccessible médecin; un si grand homme! Et elle qui n'était rien; rien qu'une étudiante insignifiante en comparaison de lui! Elle l'admirait depuis qu'elle était entrée dans l'amphithéâtre, en retard sur les autres, et l'avait aperçu de dos, penché sur un foie obstrué de pierres minuscules.

Quelle patience elle lui avait trouvé et avec quel émerveillement elle entreprenait ses stages! Lorsque, quelques jours plus tard, une compagne le lui avait désigné alors qu'elles le croisaient dans un couloir, elle avait été frappée par son visage austère.

— Si tu fais bien ton travail, avait murmuré l'autre, il ne dira rien. Mais si tu flanches, pas de pardon.

Elle s'était sentie glacée d'effroi et espérait ne jamais se trouver face à face avec lui. Pourtant, il était là, devant elle, inoffensif, presque amical et elle se traita d'idiote.

— Qu'est-ce qui vous fait sourire? demanda-t-il, soudain présent.

— Je pensais que j'avais tort de vous craindre.

— En effet; je grogne, mais je ne mords pas, déclara-t-il, contrairement à ce qu'on pourrait croire.

— Je m'en rends compte avec plaisir, docteur; vous me sembliez inabordable...

— Mais vous m'avez tout de même attendu!

— Oui, je ne voulais pas que vous me preniez pour une «poule mouillée»; je ne pouvais en supporter l'idée.

— Quel est votre nom? demanda-t-il.

— Marie-France Lalonde, répondit-elle intimidée.

— Hé bien! Marie-France, je pourrai peut-être

quelque chose pour vous si vous étudiez sérieusement et êtes décidée à devenir une infirmière dévouée.

— Vraiment! Ce serait merveilleux!

— Ne vous emballez pas, la calma-t-il. J'ai dit si vous me prouviez que vous valez plus que les autres.

— Ce sera mon seul but, docteur Eden. Vous serez fier de moi, vous verrez.

Il sourit de son flegme et de son assurance et se leva.

— Je l'espère. Il serait temps de nous remettre en route.

Elle l'imita joyeuse, le coeur bondissant.

Marie-France terminait sa journée d'études et, de même que quelques compagnons, sortait d'une opération à coeur ouvert où Maximilien assistait le premier médecin.

La discussion s'envenimait et le bruit des voix alerta Max qui sortit de l'antichambre et exigea, d'un ton cassant, le silence qu'il aurait de toute façon obtenu sans même prononcer un mot, tant son mécontentement était visible.

— Quel ours! s'exclama l'une des jeunes filles dès qu'il fut rentré.

— Il a tout de même raison, obtempéra un autre, nous sommes dans un hôpital; il y a des malades graves à qui le moindre bruit peut causer un choc émotif.

— Dans ce cas, rendons-nous à une brasserie; nous pourrons discuter et chahuter un peu.

— Allons-y.

Ils s'éloignèrent, mais Marie-France ne les suivit pas.

— Hé! Tu ne viens pas?

— Je vous rejoindrai, assura-t-elle en les saluant de la main.

Elle n'eut pas à attendre longtemps avant de voir à nouveau se découper la haute silhouette vêtue de vert dans l'encadrement de la porte.

— Bonjour, risqua-t-elle gentiment.

Elle n'avait plus eu l'occasion de le voir seul à seule depuis deux semaines et ignorait comment il la recevrait, cette fois. Il la regarda à peine et progressa rapidement vers la salle de réveil où on avait transporté le patient, quelques instants plus tôt.

— Je voulais seulement vous remercier pour avoir parlé à mon superviseur.

— Ce n'est rien. Excusez-moi.

Il entra dans la salle juste derrière elle et quelqu'un la poussa sur le côté; c'était le médecin qui venait d'opérer le malade. Il disparut à son tour derrière la porte battante et Marie-France s'éloigna.

Elle n'avait, tout à coup, plus du tout envie de retrouver le groupe bruyant et s'en alla au hasard. La neige tombait, mobile et merveilleuse, et le décor blanchi prenait un aspect neuf, éclatant.

Dans les vitrines des grands magasins, des décorations lumineuses annonçaient les «fêtes» proches, mais Marie-France n'avait pas le coeur gai et se dirigea finalement vers un coin tranquille. Les arbres se paraient de dentelle et les bancs du parc se couvraient de cette housse poussiéreuse.

Un homme était assis là, mains dans les poches, perdu dans des pensées intérieures et Marie-France, étonnée, l'interpella:

— Docteur Eden!

Il releva un front lourd de rêve et la reconnut:

— Oh! C'est vous Marie-France! Je n'ose vous prier de vous asseoir, les bancs sont froids.

— Je suis bien vêtue, sourit la jeune fille en nettoyant le siège du bout des doigts pour ensuite prendre place près de l'homme. Comment va le patient? interrogea-t-elle devinant qu'il devait y avoir eu problème.

Il serra les mâchoires en se crispant:

— Il est mort.

Les mots qui déchiraient le calme du petit parc la glacèrent.

— Comment se fait-il?

Il souleva les épaules:

— Il a flanché; tout s'était bien passé, mais il a eu un arrêt cardiaque.

— Cela vous touche beaucoup?

Il se tourna vers elle surpris de cette question.

— Chaque fois que nous perdons un malade, oui; j'en suis désolé.

— Vous n'y êtes pour rien; vous faites tout ce qui est humainement possible pour eux.

— Sans doute n'est-ce pas suffisant! La technologie progresse, bientôt nous pourrons plus encore.

— Vous ne devez pas vous sentir coupable à chaque décès dans votre département!

Il se redressa un peu.

— Non,il n'en est pas question, mais cela me rend triste et, l'hiver, dévoila-t-il en regardant tomber les flocons de neige blancs pareils à un linceul, c'est pire.

— Si je puis vous aider, ne vous gênez pas; j'en serais heureuse.

— Votre présence m'est déjà un réconfort...

— Vous êtes gentil... et si sensible! Comme on vous connaît mal, docteur!

Il s'amusa de son extravagance, alors qu'elle le dévisageait, les yeux brillant d'émerveillement.

— Si vous n'êtes pas pressée, nous pourrions aller prendre un café, proposa-t-il.

— Avec grand plaisir.

Ils se retrouvèrent devant le breuvage chaud. Autour d'eux, les bavardages emplissaient le restaurant d'un bruit sonore; les serveuses se déplaçaient, pressées, en criant pour se faire entendre.

— Comment se fait-il que vous ne soyez pas marié? demanda-t-elle simplement en le couvant d'un grand sourire extasié.

Il souleva les épaules et réfuta:

— Je suis un «ours», ne l'oubliez pas.

Elle rit joyeuse, heureuse, le coeur battant.

— Vous n'avez pas de fiancée? Pas d'amoureuse?

— Non, personne, murmura-t-il, l'air terriblement malheureux.

— J'ai l'impression que vous en voulez à quelqu'un; votre ton est amer et votre visage austère tout à coup.

Il se tira de son rêve: il se voyait dans une mer grise, houleuse, s'accrochant à des cheveux blonds, à un corps superbe... Son regard dut le trahir, car Marie-France reprit:

— Vous êtes amoureux, n'est-ce pas? Elle reprit, comme il ne répondait pas: Cela ne me regarde pas; pardonnez-moi. J'abuse de mon privilège de compagne silencieuse.

Max la regarda gentiment; elle lui était sympathique.

— Ai-je donc l'air d'un amoureux transi?

Elle eut un signe négatif, sérieuse et sincère.

— C'est plus que cela, beaucoup plus; vous souffrez, je l'ai senti si clairement! Vous l'avez perdue; serait-elle décédée?

Il réfléchit à ces derniers mots. Evelyne vivait, respirait, s'amusait, mais Lynn? Lynn s'était évaporée comme une brume légère un avant-midi de septembre, laissant derrière elle une lettre et un coeur meurtri.

— Non, maugréa-t-il, elle existe; elle est même trop vivante.

Marie-France accusa le coup; elle crevait de chaleur et pourtant frissonnait en même temps. La pensée qu'une femme faisait souffrir le médecin lui était intolérable; elle la haïssait déjà. Elle essaya d'imaginer le genre de femme qui pouvait attirer l'homme, mais n'y parvint pas et demanda:

— Comment est-elle? Belle?

— La beauté peut être un handicap, se contenta de répliquer Maximilien en se levant.

Ils sortirent et, comme il lui offrait de la reconduire, elle accepta.

— Qu'avez-vous? posa-t-il comme elle le fixait avec obstination, après plusieurs minutes de silence passées sur la route.

— Je la déteste, clama Marie-France.

— Qui donc?

— Cette femme que vous aimez. Elle vous tient bien; c'est pour cela que vous ne regardez aucune autre fille; c'est pour cela que vous ne faites pas attention à moi...

— Non, c'est que je n'ai ni le temps, ni le goût de chercher des prétextes pour faire la cour aux femmes; je ne peux à la fois me permettre des aventures et tenir à être bon médecin. J'ai fait mon choix.

— Alors! C'est vous qui l'avez quittée?

— Cela ne s'est pas passé ainsi. C'est trop long et trop compliqué, coupa-t-il.

— S'il ne s'agissait pas d'une amourette, si quelqu'un vous aimait sincèrement, tel que vous êtes? insinua-t-elle à mi-voix en se penchant vers lui.

— Ne vous éprenez pas de moi Marie-France; j'ai besoin de compagnie, uniquement. Je ne saurais pas vous aimer comme vous le mériteriez.

— Et... si je savais me contenter de cette affection, de cette estime?

— Vous auriez tort. Je ne cherche pas à vous tromper; je suis capricieux, aigri; je ne sais pas aimer, je n'ai qu'elle en tête.

— Peut-être arriverais-je à vous la faire oublier? chuchota-t-elle contre son oreille.

Il stoppa la voiture et enlaça lentement la jeune fille.

— Je le voudrais; oui! L'oublier serait ce qui pourrait m'arriver de mieux. Aide-moi.

Il l'embrassa, gardant sur les lèvres un goût de sel et, devant ses yeux clos, dansait un visage mutin tout contre le sien.

— Demain soir, proposa-t-il en la laissant, nous irons souper quelque part, tu préviendras tes parents.

Elle battit des mains comme une petite fille comblée.

— C'est merveilleux!

Il eut envie de rire de son emballement. Pouvait-il commencer à vivre?

Hélas! Les semaines qui suivirent ne lui donnèrent pas raison. Bien que la présence turbulente de Marie-France l'aidait quelque peu à tempérer ses brusques accès de mélancolie, il préférait souvent être seul, à contempler l'horizondu jour qui pointait, goûtant ainsi l'unique repos que lui accordait son esprit fatigué.

Un soir de juin, en revenant de dîner dans un grand restaurant, le médecin et sa compagne furent ébranlés par un grand diable blond qui tentait de les dépasser dans l'allée du vestiaire.

— Hé! Faites donc attention! s'écria Marie-France.

L'homme se retourna pour s'excuser, mais son regard resta rivé aux yeux du médecin. Il revint vers eux.

— Tiens, bonsoir docteur Eden! Vous allez bien à ce que je vois! dit-il en admirant sa jeune amie. Pourquoi ne viendriez-vous pas nous rendre visite un de ces jours? Tenez, justement samedi, Evelyne a organisé une grande fête au chalet de son père, vous connaissez? père, vous connaissez?

— Non, et je n'ai pas l'intention de m'y rendre, riposta l'autre nerveusement.

— Allons docteur! Je suis certain que cette belle jeune fille aurait un plaisir fou à danser et à nager avec nous.

— Je n'en doute pas, mais ne comptez pas sur ma présence.

— Alors Paul! s'écria un garçon en rentrant, tu viens? Evelyne s'impatiente et menace de te laisser ici.

— Je viens, je viens. Il se tourna à nouveau vers Max. N'oubliez pas, samedi prochain, au carrefour des Deux Montagnes, la route de l'est, Villa Baxter-Jones.

Il sortit en courant, un sourire vainqueur sur la bouche, et Marie-France regarda Max les yeux fixés vers la porte, les mâchoires crispées.

— Baxter-Jones! Ce nom me dit quelque chose; ne sont-ils pas très riches?

— Très, oui. Cette villa doit être presque un château, une de ces maisons de campagne modernes et luxueuses.

— Je n'ai jamais vu de ces demeures fastueuses que dans les films; si nous y allions?

— Tu n'y songes pas; je ne veux plus avoir affaire à ces gens-là.

— Mais ils peuvent être utiles à ta carrière et puis, cela me ferait tellement plaisir, Max; je n'ai jamais vu comment vivent des riches!...

— Il n'y a rien de beau à voir, crois-moi. Ils sont infatués de leur personne, ne songent qu'à s'amuser et n'ont de particulier que leurs allures hautaines.

— Sois gentil Max; allons-y... Tu es en congé...

Les supplications de Marie-France firent céder le médecin, si bien qu'ils se retrouvèrent, le samedi, au chalet grandiose, niché dans une clairière abritée par deux énormes montagnes au pied d'un lac bleuté. Max se demandait s'il ne désirait pas, après tout, revoir Lynn, se mirer dans ses yeux...

Marie-France s'extasiait:

- Il y a de tout ici, court de tennis, jeu de croquet, piscine, écurie... Quelle installation!

Paul arrivait au-devant d'eux, la main tendue.

— Vous avez bien fait de venir.

Il les entraîna, en complimentant Marie-France de sa tenue, vers une porte d'arche couverte de rosiers et ils parvinrent ainsi près de la piscine d'où l'on entendait monter des cris joyeux et des rires.

— Vous avez emmené votre maillot, j'espère!

— Il est dans mon sac, expliqua la jeune fille, ravie.

— Il y a des cabines et des douches, juste là, désigna-t-il gentiment.

— Merci, tu viens Max?

— Non; je n'y tiens pas; vas-y tout de même.

— Ne vous tracassez pas pour lui, mademoiselle; on s'en occupe. Allez vous changer.

Marie-France partie, Paul précéda Max vers le patio arrière d'où l'on apercevait, sur le lac, les monts violets se reflétant et, contre le quai, un magnifique voilier amarré.

— Bonjour Max, entendit-il derrière lui. La voix d'Evelyne ne lui sembla pas naturelle. Paul s'était soudain éclipsé. Il se tourna vers elle. La jeune fille le regardait fixement. Elle se pencha au-dessus d'un petit bar portatif.

— Que veux-tu boire?

— Un bourbon sec fera l'affaire.

Il l'examina, tandis qu'elle le servait. Elle portait une robe japonaise ouverte sur les côtés, laissant entrevoir ses jambes brunies de soleil; son visage était émacié, ses traits tirés.

Elle lui tendit un verre qu'il prit machinalement.

— Tu as maigri, jugea-t-il, et tu as mauvaise mine.

— Toujours ton oeil critique de médecin, émit-elle sans joie avant d'aller s'asseoir dans une chaise longue et de s'y étendre en fermant les yeux un instant. Lorsqu'elle les rouvrit, ce fut pour les attacher à la haute silhouette de Maximilien, appuyé à un garde-fou de bois blanc. Ce dernier désigna d'un rapide coup de main la maison douillette et l'environnement:

— Ceci est bien à ton père? J'avais entendu dire que vous n'étiez pas en très bons termes...

Elle attendit avant de répondre d'une voix lasse:

— C'était vrai; nous nous sommes réconciliés et il m'a offert un travail sérieux.

— Toi! Tu travailles!... Quelle nouvelle!

— Oui, je suis représentante, une vendeuse en quelque sorte. Je vends la marque de commerce de mon père auprès des clients hésitants; je vais à des conventions, je parcours le monde.

— Et c'est cela que tu appelles «du travail sérieux»; tu ne dois pas avoir beaucoup de difficulté à «vendre».

— Ce n'est pas du tout ce que tu penses Max. Cela est bien fini, terminé. Il faut que tu me crois...

— Te croire! Alors que je vois de quelle façon tu vis...

— Je me suis gardé quelques amis; je ne peux supporter la solitude, admit-elle rapidement.

Elle lança presque aussitôt sans le regarder:

— C'est elle que tu aimes? Cette fille? Je l'ai vue en arrivant; elle est assez jolie. Tu es heureux? Non, ne le dis pas. Que ta réponse soit affirmative ou négative, elle me fera mal de toute façon.

Elle se leva et, prise d'un malaise, s'arrêta, portant la main à son estomac... Max accourut, inquiet:

— Qu'as-tu, Lynn?

— Ne fais pas attention à moi; j'ai souvent de ces crampes; ça passe.

— As-tu vu un médecin?

Elle secoua la tête:

— Non, c'est inutile; je suis responsable de mon état.

— Que veux-tu dire?

— Max! Tu ne viens pas? s'écria Marie-France qui débouchait de la piscine, trempée.

Les deux femmes se dévisagèrent et se jaugèrent, avec le même air soupçonneux. Max les présenta:

— Voici Evelyne Baxter-Jones, dit-il omettant volontairement le nom de Thorvaldsen, et Marie-France Lalonde. Elle est infirmière dans mon département.

— Quelle veine! se moqua Evelyne. Max a dû beaucoup vous aider!

— Oui, bien sûr, approuva Marie-France d'un ton entendu.

— Ah, vous voilà, France! s'écriait Paul en arrivant à son tour. Vos nouveaux amis vous réclament; allez-y donc, la détourna-t-il adroitement.

Dès qu'elle se fut éloignée, le sourire se cassa sur son visage et ses yeux bleus luirent d'inquiétude.

— Alors, docteur! Vous a-t-elle parlé?

— De quoi donc?

— Je croyais qu'elle s'adresserait à vous avec confiance. Elle recherchait votre compagnie sur le bateau.

— Paul! cria Evelyne, verte de rage. Je te prie de ne pas te mêler de cela. Retourne avec les autres, ordonna-t-elle, mais il ne l'écouta pas.

— Elle ne mange pas, elle grignote comme un oiseau. Voyez à quel point elle a maigri et, de plus, elle boit trop.

— Paul! reprocha-t-elle encore, sans succès.

— ... Depuis cette fameuse traversée, elle n'est plus la même, elle ne veut plus voir personne; elle est nerveuse, irritable et continuellement morose. Je pensais que vous sauriez la raisonner.

— Moi! Pourquoi moi!

— C'est depuis qu'elle a passé, avec vous, cette nuit et la journée suivante qu'elle est ainsi; qu'y a-t-il eu pour qu'elle change à ce point?

Evelyne s'avança immédiatement et se planta devant lui, flamboyante de colère et tendue.

— Tais-toi. De quel droit te mêles-tu de ma vie privée? Laisse-moi tranquille et va-t-en; je ne te retiens pas.

— Je le sais, riposta-t-il décidé, mais je t'aime suffisamment pour ne pas vouloir te voir sombrer.

— Alors ne regarde pas! jeta-t-elle, boudeuse.

— Attendez! Attendez! les arrêta Maximilien. Si je comprends bien, ta faiblesse est due au fait que tu te nourris mal et que tu bois trop; pourquoi?

Comme elle s'entêtait à garder le silence, Paul explosa:

— Elle est amoureuse de vous; seriez-vous donc le dernier à le savoir?

— Paul! Je t'ai averti, menaça-t-elle en levant le doigt...

— Laissez-nous Paul, demanda Max lentement, le front barré d'un pli creux.

L'homme s'exécuta et Max se plaça devant Evelyne.

— S'il dit vrai, c'est d'abord, insensé et ensuite, inutile.

— Très bien, clama-t-elle. Je suis insensée, je n'y puis rien Max; c'est ainsi. Tu te souviens quand je t'ai demandé si j'aimerais un jour, ce qu'on ressentait... Hé bien! Tu n'as plus rien à m'apprendre, je souffre suffisamment pour le savoir.

Il ferma les yeux et hocha la tête.

— Tu «crois» savoir Lynn, parce que je t'ai résisté, parce que je t'ai paru différent des autres...

— Tu l'es, s'emphasa-t-elle.

— Non. Je te désire comme les autres, se choqua-t-il. J'ai envie de toi, moi aussi. J'ai rêvé de tes baisers, de tes bras, mais je ne suis pas intéressé par une aventure; il ne me suffirait pas d'être ton époux, comme Hingüe! Je serais jaloux, possessif et, en plus, je n'aurais ni le courage, ni la force de te présenter comme ma femme sachant que les trois-quarts des hommes qui te verraient, t'auraient eue dans leur lit!

— Max! gémit-elle, des larmes s'écoulant sur ses joues.

— Tu vois comme tout est inutile, soupira-t-il plus calme.

— Je t'aime, hoqueta-t-elle. Je sais que tu en aimes une autre, que tu as horreur de ce que je suis, mais laisse-moi me bercer de mes illusions; laisse-moi penser que j'aurais pu être à toi pour toujours.

Il serra les poings...

— Et Alexandre! Et Paul!

— Je n'aime que toi, Maxime, toi seul, chuchota-t-elle en s'appuyant à lui.

«Maxime!» Elle l'appelait ainsi autrefois. Leur amour devait-il, de toute éternité, survenir dans l'histoire? Elle l'avait aimé déjà, dans un passé qui ne lui appartenait pas, dans un passé qui se transformait en présent, sans savoir, sans même se douter de leur précédente liaison, les événements les rapprochaient. Leur futur devait-il donc à tout prix être ce retour à un amour incommensurable, faisant front au temps, bravant les inconvénients, balayant les impossibilités?....

Il la serra contre lui, baisant la chaude chevelure à l'odeur d'herbe printanière.

— Marie-France n'est pas la femme que j'aime. Celle que j'ai aimée est partie, dit-il, la gorge nouée. Lynn, te souviens-tu de ce soir, juste avant de perdre la mémoire?

— Il me semble, mais...pourquoi? Quel rapport avec mon amour pour toi?

— Réponds-moi; je veux savoir la dernière chose qui te vienne à l'esprit en rapport avec cette nuit-là, alors que tu étais sur la route...

Elle fouilla sa mémoire et répondit, ennuyée:

— J'étais sur la chaussée et je voulais me lever...

Elle passa une main sur son front pour y chercher la suite:

— Non... je devais me lever afin qu'on me retrouve... Non! Afin qu'on ne m'écrase pas, parce que j'étais en plein milieu de la rue. J'ai cru entendre un bruit de moteur, voir des phares, je me suis redressée, j'avais des courbatures et une jambe cassée. Il y a eu de la lumière autour de moi... C'est tout; je ne me rappelle rien d'autre. Je me suis éveillée, un an plus tard, et tu étais à mon chevet. Je ne me souviens pas très bien de tes paroles, j'étais endormie et perdue.

— Je... t'ai renversée Lynn, avec ma voiture; tu étais sur la route et, lorsque je t'ai vue, je n'ai pu freiner à temps...

Elle le scrutait, incrédule, sans l'interrompre.

— Je te l'ai avoué alors que tu étais à l'hôpital, amnésique. Tu redoutais les policiers, sans savoir pourquoi, aussi n'as-tu pas porté plainte. J'avais des remords, je te rendais souvent visite et lorsqu'il a fallu te renvoyer, Hingüe m'a proposé de te prendre chez-moi; je vivais avec ma mère...

— Hingüe! Il ne m'en a jamais parlé!

— Il craignait qu'en apprenant cet accident, tu portes plainte à ce moment, nuisant ainsi à ma carrière. Il m'aimait comme un fils.

— Je suis donc allée chez-toi! Que s'y est-il passé?

— Au début tu avais pour moi cette même indifférence que lorsque tu as épousé Hingüe.

— C'est normal, coupa-t-elle. Je n'ai jamais pu sentir les gens trop sérieux.

— Pourtant, tu prétends que tu m'aimerais maintenant!

— Oui, je t'aime. Je m'en suis rendu compte, cette nuit-là, dans l'océan. Te voir en train de te noyer m'a donné un coup; j'ai eu si peur! J'ai ressenti une explosion de joie à te voir vivant sur le sable, près de moi. Je ne pouvais te le dire, tu aurais ri de moi et... tu étais déjà amoureux. Plus tard, tu m'as avoué que je te plairais si je n'étais celle que je suis, alors, j'ai essayé de changer. Je suis plus sérieuse et...

— Combien d'amants as-tu encore? questionna-t-il durement.

Elle tritura ses mains nerveusement, en s'éloignant de lui.

— Deux, admit-elle d'une toute petite voix.

— Paul?

Elle hésita, avalant péniblement sa salive et, se détournant de lui, elle approuva.

— L'autre, c'est Alexandre?

— Oui, c'est lui.

Il ricana presque:

— Et c'est à moi, à moi son frère que tu prétends faire avaler tes paroles mielleuses!...

— Je ne savais même pas si je te reverrais.

— Bien sûr! Mieux valait te garder une marge de sécurité; quelques amants pour être bien certaine de ne pas t'ennuyer, de ne pas demeurer seule. Tu n'avais pas à prendre cette peine, tu es assez jolie et habile pour réussir à te faire épouser par n'importe qui.

— Mais pas par toi?

— Non, pas par moi, parce que je te connais, moi, parce que j'en sais plus sur toi que toi-même...

— Que sais-tu d'autre que j'ignore?

Bouillant d'indignation, il sortit son portefeuille et en retira une petite enveloppe qu'il lui lança:

— Tiens, lis! Tu pourras la brûler ensuite, je n'en ai plus besoin.

— Max! cria-t-elle comme il partait à grandes enjambées. Max! Je t'aime, gémit-elle comme un animal blessé alors qu'il n'écoutait rien.

La lettre attira son attention, elle l'ouvrit fébrilement. Les mots dansaient devant ses yeux pleins de larmes:

«Mon cher et tendre Max,

Mon amour, mon grand et éternel amour, pardonne-moi, je pars. Il le faut, crois-moi; il serait déloyal que je dérobe ton affection en de semblables circonstances. Je t'aime, jamais je ne cesserai de t'aimer et je veux t'appartenir plus qu'en ces merveilleux instants que nous avons vécus, t'appartenir entièrement, corps et âme, ce que je ne puis faire maintenant. Laisse-moi un peu de temps, chéri; juste quelques mois afin que je redevienne moi-même, que je m'assure que jamais tu n'auras à avoir honte de moi. Je te reviendrai, sois sans crainte, mon doux amour, car je ne saurais vivre sans toi.

Tienne à jamais,

Lynn.»

Une plainte sortit de sa gorge; ses jambes fléchirent et c'est pelotonnée sur le dallage, pleurant sans retenue et serrant le feuillet froissé entre ses doigts, que Paul la trouva, quelques minutes plus tard.

— Que s'est-il passé? demanda-t-il après l'avoir transportée à l'intérieur, dans un bon lit confortable.

Max était blanc de fureur contenue quand il a crié à Marie-France qu'ils rentraient. Que lui as-tu dit?

Elle lui tendit le billet qu'il lut entièrement. Sortant de la piscine, l'eau dégoulinait sur la moquette épaisse.

— Quand lui as-tu écrit cela?

— Je ne sais pas; je ne m'en souviens pas. Je t'ai parlé de cette période d'amnésie... se reprenait-elle lentement. Se pourrait-il que je l'aie déjà aimé, que la femme qu'il réclamait, celle à qui il pensait, c'était moi, et jamais il n'en disait rien?

— D'après cette lettre, il se devait de se taire, tu avais promis de revenir; pourquoi aurait-il parlé si toi-même ne faisais pas les premiers pas.

— Mais il a bien vu, durant la traversée, qu'il m'intéressait...

— Pour quelques nuits et puis, bye! bye!... Il ne tenait pas à toi ainsi, Evelyne. Il te veut comme il t'a connue, comme tu apparais dans cette lettre spontanée et enflammée que tu lui as écrite.

— Comment devenir ce qu'on ignore avoir été? Puisque je n'en garde aucun souvenir!

— Hé bien d'abord, si tu me racontais pourquoi il était si furibond tout à l'heure. Est-ce à cause de moi?

— De toi et... de l'autre...

— Ouais! Cet autre médecin que tu vois trop souvent à mon gré.

— C'est son frère, Alexandre Eden, dit-elle rapidement en le fixant.

— Hé bien! Tu peux te vanter de «te mettre les pieds dans les plats»; cela n'a effectivement pas dû lui faire plaisir.

— Il le savait déjà et n'en avait pas paru choqué. Alex m'aime et toi aussi. J'ai cru que si je ne gardais que vous deux, il ne m'en tiendrait pas rancune.

— Mais c'est son frère, voyons! Ce n'est déjà pas agréable de savoir que la femme qu'on aime a des amants; s'il faut qu'en plus ce soit un membre de la famille!... Essaie de le comprendre; si Max te trompait avec ta demi-soeur...

— Je les tuerais, explosa-t-elle subitement.

— Tu vois! Mais s'il couche avec Marie-France, tu es prête à pardonner et à oublier!

— À condition qu'il ne la revoit plus.

— Et tu voudrais qu'il en fut autrement pour lui?

— Que dois-je faire pour qu'il me revienne? Il me haïssait tout à l'heure; il me regardait d'une façon humiliante.

— Tu dois rompre... murmura Paul. Rompre avec nous deux et attendre.

— Combien de temps?

— Le temps qu'il faudra. Si tu l'aimes vraiment... Votre amour a supporté bien des obstacles, il saura en traverser d'autres.

— Mais si, par dépit, il épousait Marie-France!

— Il est plus intelligent que cela et il t'aime.

— Tu le crois vraiment?

— J'en suis certain, sinon, pourquoi aurait-il conservé cette lettre si longtemps?

— Tu as raison. Je vais mettre un terme à mes liaisons.

— Je comprends; je partirai dès que tu me le demanderas. Si jamais tu as besoin de moi, tu sais où me trouver...

— Merci Paul. Tu me facilites la tâche; ce sera beaucoup plus difficile avec Al.

— Bonne chance! Je te souhaite d'être heureuse puisque de toute façon tu ne pouvais l'être avec moi.

Il se leva et eut un sourire rassurant:

— Je m'en remettrai va, sois sans crainte.

Il sortit de la pièce sans courber la tête, fièrement. Il ne restait plus qu'Alexandre entre elle et Max.

— C'est toi, chérie! Entre Evy.

Alexandre, dans le chic appartement qu'il avait aménagé pour Evelyne, depuis un an, et qu'il habitait maintenant, préparait un petit repas nourrissant, destiné à tenter l'appétit de la jeune femme dont il voyait, jour après jour, se détériorer la santé.

— Je ne reste pas, Al, avisa-t-elle, voyant tous ses préparatifs.

— Encore un autre rendez-vous, grimaça-t-il. Paul peut-être? Quand tout cela se terminera-t-il?

— Tout est justement fini, Al. Je suis venue te dire adieu.

Alexandre blêmit et se précipita vers elle, une fois revenu de sa surprise.

— Non, Evy, non! Je ne veux pas. Pourquoi choisirais-tu Paul? Parce qu'il est plus jeune? Tu ne l'aimes pas, voyons.

— Il ne s'agit pas de cela.

— Tu vas te marier avec lui? Tu as déjà épousé Hingüe Thorvaldsen et nous nous voyions quand même, pourquoi en serait-il autrement? Qu'en dit Paul?

— Il s'est éclipsé gentiment en me souhaitant du bonheur, continuait-elle sans le regarder, craignant de lire dans son visage mobile une trop grande souffrance insurmontable.

Il s'était agenouillé près d'elle et lui serrait les mains fortement, comme pour la retenir.

— Evy! Evy! Aucun homme ne t'aime autant que moi; aucun ne saura t'attendre, t'adorer comme moi.

— Si; lui! murmura-t-elle faiblement.

— Non! reprit-il excédé, désespéré en se relevant et en faisant quelques pas. Ne me laisse pas; je n'ai que toi. Il a su vivre sans toi jusqu'à maintenant, qu'il continue; moi, je ne pourrais pas.

— Je l'aime, ajouta-t-elle avec douceur. Je ne désire vivre qu'avec lui, pour toujours.

— Tu l'aimes... répéta-t-il surpris, horriblement déçu. Tu ne m'as jamais vraiment aimé. J'ai toujours craint que ce moment arrive, toujours...

Il se contrôla difficilement, désirant contenir sa douleur, ses larmes et les sanglots qui lui nouaient la gorge.

— Quel genre d'homme est-ce donc pour avoir réussi là où nous tous avons échoué? se plaignit-il, saisissant sa tête entre ses mains, fou de chagrin.

— Il est le havre de paix auquel j'aspire. Je souffre à l'idée qu'il pourrait me rejeter une fois encore...

— S'il ne te veut pas, sursauta Alexandre, reviens vers moi. Aucun être ne peut t'aimer avec la même intensité, ressentir la même détresse à te perdre.

Elle leva la tête et le considéra gravement; quelque

chose dans son regard, une détermination fatidique, le brisa.

— Je veux qu'il m'aime; qu'importe comment; je suis prête à tous les sacrifices, à obéir à tous ses commandements...

— Tu l'aimes donc tant! bégaya-t-il.

Elle acquiesça de la tête et deux larmes perlèrent à ses paupières.

— Tu crois qu'il en vaut vraiment la peine? Qu'il saura te rendre heureuse?

— Oui, Al... Il... Il est préférable que je te dise de qui il s'agit car tu l'apprendras un jour ou l'autre.

— Je le connais? Qui est-ce?

— Max.

— Max! Tu veux dire Maximilien, mon frère? C'est ridicule; tu es sortie avec tous mes frères, rit-il la gorge rauque. Ce n'est pas plus sérieux qu'avec Etienne...

— C'est très grave au contraire. Max ne veut pas de moi; probablement à cause de toi. Il m'a jeté cette lettre avant de partir...

Elle lui tendait l'enveloppe qui lui brûla les doigts lorsqu'il la décacheta et lut.

— Je la lui ai écrite lorsque j'étais amnésique; tu comprends, Al? Nous nous sommes aimés à ce moment-là; je l'avais oublié et j'en suis tombée amoureuse à nouveau...

Il replia la missive et la lui rendit:

— Tu es certaine que c'est bien lui que tu veux?

— Oui, certaine. Je l'aime Al; lui seul importe.

Il eut un petit rire comique qui le rajeunit et l'embrassa longuement en tenant, entre ses mains, le visage de celle qu'il adorait.

— Adieu Evy, mon amour! Ne le trompe pas, chérie; ne le fais pas souffrir. Il est... mon frère.

Elle sourit à travers ses larmes:

— Oui Al, je te le promets; je n'oublierai pas.

Lentement elle se dirigea vers la porte et se retourna. Alexandre s'était affaissé, abattu dans un fauteuil;

elle partit vivement craignant que la pitié qu'il lui inspirait à cet instant ne prenne le dessus.

Combien de temps resta-t-il là, usé, sans force? Il se redressa enfin, enfila son veston et sortit. À l'hôpital où travaillait Max, il s'informa de l'endroit où il pouvait retrouver son frère. On le référa à Marie-France qui le reçut gentiment:

— Je ne le vois plus beaucoup; j'ai su qu'il se rendait quelquefois au bar de la rue Maisonneuve. Il peut aussi être chez-lui; il s'y enferme la plupart du temps et n'en sort que pour venir ici. Je vous dis cela parce que vous êtes son frère; il est sûrement très malheureux.

— Je le retrouverai; merci.

Alexandre reprit la route et s'arrêta au bar précité. Il ne chercha pas longtemps; Maximilien assis au bout du grand comptoir rêvassait, les yeux perdus au loin.

Alex s'assit sur le banc libre près de lui et cette image lui rappela ce fameux soir où lui et Étienne s'étaient ainsi retrouvés face à un verre, discutant d'Evelyne. Mais cette fois, Max ne semblait pas désireux d'entamer une conversation et son regard s'allumait de colère en regardant son frère.

— Que veux-tu? finit-il par demander brutalement

— L'aimes-tu vraiment? Es-tu décidé à la rendre heureuse, dis-moi?

— A-t-elle rompu avec toi?

— Tout à l'heure, admit Alexandre en ployant l'échine, oui. Elle a renvoyé Paul également.

Un silence suivit et Alexandre reprit:

— Elle t'aime; cet amour est-il payé de retour?

— Crois-tu que je souffrirais s'il n'en était pas ainsi?

— Tu vas l'épouser?

— Comment puis-je le savoir? Je ne veux pas d'une traînée; je n'accepterais pas qu'elle me trompe, rugit-il.

— Je te comprends, Max; tu fais bien. Elle t'aime; elle ne voit que toi; elle est prête à tout pour mériter ton amour. Mais toi, es-tu prêt à tout oublier?

— Comptes-tu rester disponible pour ramasser les miettes qui tomberaient de ma table? railla-t-il. Si elle revoit un homme, un seul, ce sera définitif et catégorique, jamais je ne la reprendrai.

— Elle t'obéira. Tu as obtenu ce que j'ai voulu durant des années: son amour. Elle me manquera à un tel point... Sa voix se brisa. Aime-la bien, Max; pour nous deux, si je... puis... me permettre...

Il s'enfuit en courant afin que Max ne vit pas les larmes qui glissaient sur son visage.

Il conduisit rapidement jusqu'à son cabinet d'omnipraticien, s'affaissa dans le fauteuil de cuir en se couvrant la figure des bras...

Enfin, il ouvrit le tiroir du haut, saisit le révolver d'une main tremblante mais décidée et l'appuya sur sa tempe. Il ne pouvait vivre sans elle; il préférait la mort à une souffrance illimitée.

— Evy!... Evy... fut son dernier mot.

Le son sec et bruyant se répercuta dans la nuit.

Alexandre ne pleurerait plus son cher amour; la douleur achevait de se perdre dans le trou béant qui lui traversait la tête.

> *«L'amour est un désir*
> *Qui te fait souffrir*
> *Préfères-tu la mort*
> *À la souffrance?»*

Imprimé au Canada

*MOLESKIN JOE*

# Moleskin Joe

## PATRICK MACGILL

**NEW ENGLISH LIBRARY**
TIMES MIRROR

First published in Great Britain by Herbert Jenkins Ltd., 1923

\*

FIRST NEL PAPERBACK EDITION FEBRUARY 1973

\*

NEL *Books are published by The New English Library Limited from Barnard's Inn, Holborn, London E.C.1. Made and printed in Great Britain by C. Nicholls & Company Ltd.*

450017311

## Chapter One

## MOLESKIN JOE

Moleskin Joe was in a strange mood on the day that the Hermiston Reservoir burst. But the mood was his not on that day alone, but on several preceding it. Seven in all, perhaps. If counted on his fingers, as he generally counted, he would have found that tally to be correct.

It had all started – the mood had come into being – a week previously. He was on the road from Liverpool, tramping to Hermiston. At Liverpool he was paid off a boat newly in from Australia. At Hermiston, on the Yorkshire moors, his mates of the olden days were building a reservoir. Moleskin wanted to see them and set out on foot, after spending all his money in a seaport boozing den.

The season was summer. Cows grazed nightly in the rich fields, and Moleskin was a good milker. Though a steady walker, he was apt to stumble now and again across farmyard fowls in the darkness, which, as he often vowed, was unlucky – for the fowls. These things, recorded without comment, may explain how a man without a penny may fare well on the highways of England.

One evening, at ten o'clock, Moleskin housed himself in a wayside barn, stretched out his limbs in the straw and was presently half-asleep. The building was a large and roomy apartment, and Moleskin being considerate and thoughtful had shut the door behind him. This was a very wise precaution, as he had found from long experience. The opening of the door always gave time for defence.

Not more than five minutes after his entry the door opened again, and a man and woman came in. Silhouetted against the night the male showed himself to be dressed in the appointments of a soldier, but in the darkness the faces of both were invisible. Coming in a few yards, they halted and embraced. Moleskin stiffened on the straw and waited. The woman was sobbing.

"Now, you silly, don't cry!" mumbled the man.

"But, Dick, it's so awful!"

"It's only as how you think of it," said the soldier. "It'll all be over 'fore Christmas, and I'll be back with the brass band playin' in front –"

"But I'm afraid, Dick," she sobbed in a choking voice that was hardly audible.

"Afraid, you silly!" laughed the man with affected carelessness. "Now, tell me, what are you afraid of?"

He caught her in his arms and kissed her.

"I don't know," she said helplessly. "You'll maybe get killed!"

"Killed!" was his answer. "Only good folk get killed. Anyway, we'll never go near the trenches. I heard to-day that the war will be over in a fortnight. Garrison duty, that's what we're going for, Nan."

"I don't believe it, Dick. I don't believe it!" sobbed the girl. "They'll kill you, that's what they'll do. And if that happens –"

" 'Twon't happen," he interrupted. "I'll see to it."

"If anything happens to you, I'll die!" she said, as if not hearing his remark. She sank on his breast, crying as if her heart would break.

"Now, you're not to cry like that, you silly wee dear," said the man, kissing her. "I cannot stand it! I want you to laugh, just as I am doing." His voice was strangely broken, even as he strove to cheer her, and it was evident to Moleskin that the soldier himself was almost on the point of tears.

"But I'm afraid," she responded dejectedly. "To-morrow will see you away and then night and day will be lonely till you come back again. If you ever come back," she added, gulping down her tears with an effort.

"I'll come back!" was his lame reassurance. "Garrison duty, that's what they are sending our regiment on."

For half-an-hour Moleskin lay there listening, at times angry with "they," whoever "they" were, who were responsible for the sad parting, at times on the point of tears, brought on by the helpless, hopeless passion of the young girl, Nan, and deeper than all these emotions and sensations was his own feeling of loneliness, and not being wanted. No woman ever wept when he departed, nor laughed with joy when he returned. For the first time this fact struck against his consciousness, giving him a feeling that was almost awe. He realized that he had no woman friend, that he had never had one, that, in fact, he had hardly ever spoken to a woman. And his age was thirty-three!

A giant in build, handsome, and not at all stupid, Moleskin Joe was a superman among his navvy brethen. In a manner he was a noteworthy individual, and his fame as a fighter, a worker and even a drinker, was known to most inmates of shacks and doss-houses up and down the country, and varied incidents of his life were common gossip amongst the migratory peoples of the road. These stories were, of course, distorted and magnified until the narrative spun in a Manchester "model" had little semblance to the actuality which had footing in a Glasgow doss-house.

This, as far as can be ascertained, is the story of Moleskin's early years.

History had no report of his birth. He had been found in a roadside barn one morning, thirty-three years ago, his layette a threadbare petticoat, and attached to the petticoat was a simple message scrawled on brown paper: *"Jos his naim don be crule to him His mother."* The probable age of the child was fourteen days.

Joe was discovered, the matter reported to the police, whereupon the parish in which the human atom was found took the said atom in charge, and it was entered upon the list of resident inmates of the parish workhouse.

Here he remained until he reached the age of eleven, then was transferred into the keeping of a farmer. In this vocation, Joe did various jobs, herded and foddered cattle, gathered pototoes and washed them, shoo'd crows away from the seedfields, and engaged in the many varied operations of farm life.

He got up at five in the morning. ("Lieabeds never get anywhere," said the farmer.) He was fed sparingly. ("Full sacks cannot bend to work," said the farmer, though the sack, which was Joe, being empty could hardly stand upright.) He was paid no wages. ("Money would get the like of him into mischief.") He was given no holidays. ("Holidays for him, the base-begotten!") The rod was applied to him without stint or sparing. ("I'll never spoil him by sparing the switch!" The farmer was a respectable Christian).

Joe went to bed early, as soon as he had finished his day's work. Ten o'clock was the hour. The rule of the house was strict on this matter. Staying up late might lead the youngster into mischief. But Joe, humble and docile, never showed any particular bent towards mischief, though on several occasions it was discovered that he went to bed and really fell asleep without taking off his clothes. Possibly, with base-begotten impertinence, Joe was too weary to remove his raiment.

This not being exactly Christian, the farmer, when he discovered it, was constrained to waken the sleeper, make him remove his clothes and chastise him with vigour.

But despite the farmer's care, Joe was guilty of a serious transgression when he reached the age of fourteen, and might have really been useful as a servant. He went away. Where he had gone to was unknown, but six years later a man dressed in the garb of a sailor came to the farmhouse and asked if the farmer were about.

"I'm the farmer," said the man to whom he addressed the question.

"And where's him that was here six years ago?" asked the sailor.

"Dead," was the answer.

"Chancin' my arm on a loser," said the sailor, sorrowfully.

"You look upset," said the farmer. "What did you want him for?"

"To make him die violent," was the sailor's admission. The sailor was Moleskin Joe, who had just returned from a long sea-voyage in which he had been "an A.B. before the mast," which modernly understood, meant that he had been a coal-trimmer in a stokehole.

But the life of the open sea did not attract Moleskin, the open road was more to his liking. He fell in with the fraternity of the roving casual workers, the buck-navvies.

The buck-navvy is a type of workman in whom are the qualities of the hobo, sundowner, vagrant and tramp. He is an outcast of society, a children's bogey, the shunned of civilization – of which he is the pioneer. It is he who goes out into the deserted ways of the world, who works and dies in combat with Nature, the rude uncultured labourer under whose feet railways, bridges, cities and castles spring into being.

His career from the age of twenty, though varied, had in it many recurrent episodes. When working he wrought hard, never at so much the hour, but so much the task. "Not by the time, but by the piece," was his motto. To-day he worked on a new railway in the South of England, next week he blasted slag in the Scottish Highlands. He slept easily out of doors in the summer, the lee of a hedge his shelter, a stone his pillow, the moon his lamp.

Although his history made sorry reading Moleskin Joe was a man of kindly attributes. If his strength and courage are cardinal virtues Joe had both, "but not worth a tinker's damn, either of them," as he indirectly remarked in after years when he tried to raise the price of a "wet" on two medals, Distinguished Conduct and Military, which he had won in France.

His life was not without scope or aim. His immediate needs were his constant reckoning. A thirty-six-hour shift never came amiss to him. There was money to burst at the end. But a year's labour of ten-hour days, labour continuous and cohesive, never entered into his scheme of things. For him, as for so many others, there was no objective, no end which was worth attainment.

Moleskin was fundamentally a courteous individual. He was civil, even in argument, which was not a property of his mates, who mostly mistook civility for servility. This sometimes gave a false impression to those who knew him but slightly. In the most heated moment, impulse with him did not always lead to immediate action. Although he knew that the opinions of a man who argues with his fists are always respected, he would continue arguing the point even when fists were uplifted.

8

Moleskin was never, as he often vowed when the fair sex was a subject for discussion, much of a hand with the wenches. He saw further than the courtship, he saw the marriage. "Wenches are always nice, but the nicest are them you're not buckled to!" was his pet aphorism.

But life is a series of constant changes, fresh angles of observation, and new sense of values. Such a change had come to Moleskin Joe now in the late summer of 1915, and a conversation overheard in a wayside barn was responsible. He had just returned from a voyage to the Antipodes. How he had started on that voyage was a mystery to himself. All that he remembered was a visit to a pal, a coal-trimmer in an outgoing vessel, which stood in the Mersey.

Moleskin had a drink in the fo'c'sle and a smoke of some queer Eastern mixture which might have been opium. He fell asleep and on the noon of the following day he awoke to find the vessel out at sea. A coal-trimmer who should have reported, had not turned up and Moleskin, being versed in the art of trimming, got the job.

He was still in the barn. The lovers had long since taken their departure, one to prepare for war, the other to weep for the soldier who was to leave her. When Moleskin fell asleep he dreamt of Nan, a beautiful supplicating Nan who asked him not to go away, not to get killed. He awoke from the dream feeling mystified and very unhappy. It seemed to him that in one night he had suddenly changed, or had been forced to change, his angle of vision, that life opened out a wider prospect, showing an objective worth striving for. The objective as yet lay beyond the field of his experience, but it existed. In it was a woman, a woman's sympathy, a woman's caresses. But what did he want with a woman? he argued.

"Me, tied to a petticoat!" he snorted, as he took to the road again.

In the late afternoon of the next day he arrived at Hermiston, a lonely stretch of Yorkshire moor where a large reservoir, on which the navvies had been working for two years, was almost completed. The process of clearing up the place was now in progress, derricks were being dismantled, light railways broken, rails unscrewed, sleepers stacked, and tool-sheds crammed with implements of labour.

But Joe took no notice of these things. His mind was heavy with the mood born in the wayside barn, that vague sensation of loneliness, sterility, incompleteness, which had never been his before.

He was passing by a huddle of discarded wood, empty barrels, tins, wire and rusty iron, when he met Sheila Cannon.

9

"Here you are again, Moleskin Joe?" was her exclamation when she met him. He looked at her in surprise. He remembered seeing her two years before, while she was yet a child, little more than sixteen, a rather shy creature, endowed with that grace which betokens the delicate transition of girlhood into womanhood. Now the transition had taken place. The child was no more and Moleskin found himself looking at a young woman, who in face and figure was ravishingly beautiful.

Her eyes of deep blue, curtained with heavy lashes, gazed on the man with a look of welcome. Her chin, charmingly chiselled, was held at a piquant angle, unconscious and unstudied. The delicate profile, the firm and supple neck, the lithe body which the bright sunshine light in a hundred subtle gleams of colour, the hidden curves of her body, the style and harmony which is youth's and woman's.

"Sheila Cannon!" Moleskin stammered in confusion, feeling for some reason pleased and uncomfortable at the same moment. "If I met you in the street I wouldn't know you!"

"And why wouldn't you?" she inquired.

"Because you've changed so much?"

"Not for the worse, I hope?" she asked with a blush.

"No," Moleskin stammered. "You are good-looking. I mean, you are very good-looking. I mean, I never saw –" He came to an abrupt clumsy stop and gazed helplessly at the girl. "And your dad, where is he now?" he asked desperately, treading safer ground.

"He's got a job here as night watchman," Sheila remarked. "He was in bad health for a while and had two months' holiday at the sea. Now he's here and much better. Where have you come from now, Joe?"

"Australia," was his answer.

"I suppose you will be going for a soldier now?" she inquired. "Just the same wild Moleskin always!"

"Who said I was wild?" he inquired.

"Everyone says it," the girl confessed, looking at him. "But I'd rather have a wild Moleskin than a tame one. And I would be sorry if you went away and got killed."

"Do you mean that?" he asked, a startled look showing on his face.

"Well, who does want anybody to get killed?" was her inquiry. "Now I must go and get my father his dinner. Good-bye, Joe."

Moleskin made his way to the huddle of shacks occupied by the navvies. Three times on his journey he looked back at the girl. On the first occasion she did not see him, on the second occasion she glanced sideways at Joe, then turned her head quickly away as if caught in an action of which she was ashamed. The third time she waved her hand to him, to which action Joe responded. But he was too late for her to see. She had already disappeared within the hut where she and her father dwelt.

After a while Moleskin found himself in a shack owned by the ganger, Billy Davis. Billy was a time-bitten worthy, who had been a works' foreman since the very beginning of things. But something of greater import was filling the old man's life at that moment. A son of his had been gazetted an officer in the army.

Many whom Moleskin knew off and on for years were in the shack; Ganger Macready, Digger Marley, Carroty Sclatterguff, Horse Roche, Tom the Moocher and Sid the Slogger, and most of these, either in a fight or a drinking bout, were on the point of joining the army to have a whack at the Germans.

Tom the Moocher was going, because there was a man, a mate of his, who made a fortune in the South African War "by pickin' up things."

Sid the Slogger was also joining up. He had been in the army before, in the Holmshire Regiment, and was drummed out for some misdemeanour. A sergeant was responsible for this happening, and Sid was joining the old regiment to get even with the sergeant.

"And what are you goin' to do, Moleskin?" asked Ganger Macready, a six-foot giant who was on the point of donning khaki because he felt that there might be a chance of becoming a quartermaster-sergeant, a post with possibilities.

"Lyin' doggo," was Moleskin's answer. "I don't want to get killed."

"Afraid?" asked Macready in a voice half-taunting and half-timorous. "Cold steel's not to your likin', eh?"

Moleskin pulled up a sleeve, showing a red scar on his forearm, pulled his shirt neck apart and disclosed a somewhat similar scar across his shoulder.

"Met with a accident?" asked Macready.

"Knived," was Moleskin's rejoinder. "I have three like these on the thick o' my leg, a Lascar's doin's at Port Said. That's only one leg! You should see the other! If I'd a pound for every stab of cold steel on my carcass, I wouldn't fight in this damned war. I'd run it! So, shurrup, Macready; I'm not goin'."

Moleskin was not going! He was not particularly averse to fighting. In fact, his history, if mere physical events were recorded, would have shown a certain tendency towards that type of self-expression. He did not fear hardships. His life was an annal of hardships.

But to salute an unlicked cub, because that cub had pips on his

11

shoulder straps, was something that Moleskin could not do. Therefore he was not going to join up!

The catchword: "Come and Lick the Germans," had no effect on the man. He had seen Germans, some good, some bad, and so entirely like any other race, that the desire to lick them was no sufficient urge to Moleskin.

And then there was Sheila Cannon.

His thoughts were filled with Sheila Cannon. Her eyes, her soft neck and white arms twinkled across his mind, rushing into shape, glimmering, dissolving. A great unreasoned happiness had taken possession of the man. Even the dark hut seemed very light, comfortable and filled with hope. The inmates looked very strange, more brotherly in some way, of different nature from the men he had known before. More homely. That was it. And somehow he felt sorry for them and sorry for himself.

That evening he was absent from the shack for a long time. None knew where he had gone and on his return he would give no explanation to anyone. He simply had a stroll round the moors, and a navvy who strolls round is unknown. It meant doing something without purpose. Strolling round a farmhouse in the darkness, or round a public house, could be explained. The first would mean a stolen fowl for the next meal, the latter a free drink. But simply strolling round! Moleskin, who did the strolling, could hardly explain the phenomenon. But, of course, there was Sheila!

Moleskin had taken a sudden interest in the shack which held her. It was a place of beauty as shacks go. There were a few roses attached to the walls, a pot of geraniums in the window, a lamp with a pink shade, a dainty dresser and a clock. Not much else, but in outward show and inward comfort it far surpassed the other habitations of the encampment. There were in all three women in the shack, Susan Saunders, Sally Jaup, and Sheila. They did washing for the men, darned, sewed, and sold tea and cocoa to the workers. Susan and Sally were old and withered, but were, despite their years, members of the most ancient profession in the world.

Though Moleskin went as far as the door of the shack he did not enter. In fact, when he neared the door he edged off at an oblique angle, walked for some fifty yards, then lay down in the heather and fixed his eyes on the window. When Sheila came out in the starlit night bearing a little basket which contained her father's supper, Moleskin did not alter his position in space, or if altered, it was done so slightly that a mere twist of the neck was sufficient for the change. This movement was sufficient for the time being, and the man could see Sheila passing and his eyes could follow her down into the pocket where the earthen breastworks held the water in place, and where her father occupied his post as watchman.

When the girl's figure was a mere blurred outline in the night mists, Moleskin rose and followed her for a distance, then lay down again and waited for her return. She passed, he followed her back to the shack and lay on the ground outside until the pink-shaded oil-lamp was turned down. Afterwards he went back to his sleeping quarters.

For some nights his movements were the same. He settled himself on the same part of the moor at the same time, waited until Sheila came out, followed her to the breastworks and followed her back again, but careful not to let her know of his proximity.

Something strange had crept into his life, something uncommonly sweet and radiant. Never in his life had he felt anything like it. The other men were unaffected, they spoke casually to the girl, and did not seem to feel her magical influence.

When Moleskin met her by daylight, she spoke to him, always shyly, half in a whisper as if afraid. He stammered his replies, wishing two things at the same moment, one that he had not met her, the other that she should not leave him. And always deeper than any other feeling was the desire that she should be his, not for a passing moment, but for years, for ever.

Never had Moleskin felt like this before; never had the man's being surged to such an excess of emotion. Prior to this he had shunned the company of women. They had been as nothing to the man. And now his previous ideas and prejudices had all vanished. A woman had entered his life and he desired her above anything that he had known or dreamed of. The man's heart was in a turmoil, he found himself living in an atmosphere of pain, jealousy, fear. Her presence quieted him, but did not make him happy.

The fourth night saw him follow the girl when she was bringing supper to her father. He came to the point where the moor dipped sharply to a dene across which was built the breastworks that dammed a river fresh from the gathering grounds of the moor. The water lay a sheet of sullen darkness in its confinement, borrowing neither light from the stars overhead, nor from the frail moon that sat on the far horizon.

Presently Sheila could be discerned making her way up the incline, her little basket in her hand. Moleskin stretched himself out, becoming one with his hiding-place, and waited. "I am going to speak to her to-night," was his thought.

At that moment he heard something creak like a steel girder being strained. Then came a sound as if a giant boulder were being drawn along the masonry, followed by a dull rumble as of hollow

13

thunder. Moleskin sprang to his feet, realizing and terribly afraid. A moment's silence followed and from the other end of the valley came a voice, no louder than the squeak of a harried rabbit. "Run, Sheila. It's goin'! Run!"

The tone of the night changed and was filled with portent.

Movement for a moment stood still, suspended. A faint gurgle reached Moleskin's ears, something that seemed a sluggish intake of breath. His body and soul parted company for the moment, clamped together again and he found himself striding gigantically down the hill, in the direction of the girl who was now running towards him. At that moment the breastworks broke, withered, and the water bulked out solidly and swept through the channel beneath, firm and substantial as a frozen, cocoa-coloured river. Moleskin had a vague impression of a dumb animal crawling in silence.

A white face looked up at him. He reached for a hand, found it, drew the owner of the face towards him, and pulled her free, lost foothold, tried to regain it, and suddenly felt himself swept along at a nightmare speed, spinning dizzily. His mouth filled with water, he swallowed, choked and swept on into an illimitable eternity.

He had a sudden vision of a woman, Nan, Nan's face and figure bending over him, tenderly, radiantly, looking into his eyes, saying something, whispering something sweet and comforting that he could not understand. He was going to bed, to a bed, soft and warm, with a pink shaded lamp, a chair, a gramophone, and a fire. And it was not Nan! It was Sheila. He fell asleep.

He awoke drenched, cold and shivering. Something painful, a red-hot iron, was stuck down in his throat. His head had swollen, was on the point of bursting, something moved round on the drum of his ear, something sharp and pointed. It came to a stop, was shoved in, pulled out again and restarted on its circular crawl, going round and round. He got to his feet on hard ground, looked blindly into space, tottered a few steps, then sank to the earth again. The pointed thing, whatever it was, still crawled on the drum of his ear, going round and round with slow disciplined speed.

Suddenly he realized what the thing was. A gramophone needle! Playing a tune on the drum of his ear. He leant forward, hit his occiput with a heavy hand, in an effort to throw the needle from its bearing. But this only intensified the agony: the needle now ripped into the flesh, tearing as it ran, and without losing pace as it tore.

Again he was on his feet, running he knew not whither. All that he wanted was to escape from the terrible pain. But it was

14

impossible to get away from it. Something heavy was holding him. He tried to throw it off and fell. With the fall came relief. The needle had been jerked off and the pain was no more.

He found himself on his back, looking upwards at a sky bright with stars. From a distance, vaguely remote, and having little to do with the man's present plight, came the sound of running water. A woman was looking down at him.

"You're all right now, Joe, aren't you?" she asked.

"Where am I?" he asked, looking up at Sheila.

"I thought you were lost," she said, stroking the man's wet head. "You pulled me out of the water, and then you missed your footing and fell in. I followed you on the bank and you were swept back again. And now you're safe!"

Her voice was filled with heartfelt joy and a warm wave of tenderness swept through Moleskin. He wanted to speak, but could find nothing to say. He shut his eyes. From near at hand came the sound of voices.

"It's the men comin' now," said the girl. Moleskin was still lying on the ground. A piece of grit had got into his eye and he was rubbing it out.

"You're wet through?" he asked.

"I'll soon get dry," was her answer.

"But your father?" asked Moleskin.

"He's all right. I could hear him shoutin' from the other side a minute ago. The men will take you in and I will have tea ready for you at the shack."

Her voice was very near him. He could feel her breath on his face. He pulled his hand away from the troublesome eye, and felt her lips rest on his.

"Moleskin Joe," she mumbled, kissing him, "you saved my life and – and you're the best man in the world."

She kissed him a second time and then hurried away as the rescue party bore down upon Moleskin.

Escorted by Ganger Billy and Carroty Sclatterguff he made his way back to the shack. On the journey he felt something crawl from his ear down his neck. It was a daphnid, one of the minute aquatic crustaceans known as water-fleas. Moleskin held it in his hand and looked at it for a moment.

"I thought it was a gramophone needle," he said.

The Ganger glanced at Carroty; Carroty returned the glance, and the looks exchanged were filled with understanding.

"A brother of my own, sailor he was, got washed overboard in the Bay of Biscay," said the Ganger. "Pulled out half-dead he was, and for a month after he thought that a bell was in his head."

"Loosinations," was Carroty's comment.

## Chapter Two

## OFF TO THE WARS

Next day Macready, Digger Marley, Horse Roche, the Moocher and Sid the Slogger packed up their few belongings, gathered in their wages, and bade good-bye to their old mates. They were going to change uniform, khaki for moleskin, and puttees for knee-straps, supplant the shovels with the sword, the pick-axe with the rifle.

The workers came out to cheer them off and when the contractor made a speech, filled with the usual flowers of oratory, then the common stock of every patriotic tub-thumper in the country, and gave to each man a sovereign in gold, another dozen men joined the party.

Even Ganger Billy Davis, infected by the emotional epidemic which then affected the country, could not resist speaking a few words. He had a son, an educated scholar, a gentleman, and this son, when the call came, was one of the first to step forward and offer his services. He had been wounded already, but was now on the point of going out again to fight for his country. And if he was willing to go, why should they not be willing? was the Ganger's question.

"And we have nothing to gain," was the thought of Moleskin who was a listener.

Father Nolan, middle-aged and grey-haired, was there, dressed in khaki. He was the Catholic priest, who attended to the spiritual needs of his migratory flock. He spoke to the men, dwelt at some length on the cruelty of the Germans, the desecration of churches, monasteries and convents.

Two women were in attendance, Susan Saunders and Sally Jaup, the former old and wiry, who cried all the time, the latter all skin and bones, and more bones than skin, who could drink like a fish, swear like a trooper and work like an ant. Sheila was not in the crowd, and Moleskin felt a chill fear take possession of him. Suppose she were ill, dying. And last night she got wet when the dam broke. An overwhelming feeling of passion, of love and fear caught him. He went towards Saunders. The tears were streaming from the old woman's eyes.

"Susan Saunders."

"What's wrong with you, Joe?" she asked, looking at him. "The poor nuns, God bless them! Raped. Ah, the dirty faggot, that Kaiser!"

16

"Where's Sheila Cannon?" Joe inquired.

"Is that all that's troublin' you, Moleskin!" Susan cried. "Sheila Cannon; and the young boys, God bless them, the dears, givin' up their blood behind the parry-pits. But wait till the steam-roller gets the dirty Huns!"

"Sheila Cannon?" asked Sally Jaup, looking at Moleskin.

"Is she not up yet?" asked the man.

"Up hours ago," was the woman's answer. She had been drunk the night before and was not yet sober.

"But she's not out here."

"She's gone to Halifax with her old man," said the woman, giggling. Her blood-threaded skin lay taut across her cheek-bones, and one solitary tooth, that resembled a rusty nail, stuck out from her upper gum.

"Desecration!" Saunders echoed a word that had fallen from the priest's lips. "Gawr! If I had one o' them here, I'd skin him!"

"Why have they gone?" Moleskin asked Jaup.

"The old feller has got a bad turn. 'Eart," the woman explained. "The two o' them went on a motor lorry."

"The fight for freedom!" Saunders was saying, obviously repeating one of the stock phrases then so common. "If I had kids o' my own, off they would go, every man jack of them – and you," she turned to Moleskin, "why are you not doin' your bit?"

"Where are they goin' to 'list?" Moleskin asked Susan.

"The contractor is giving them a trolley to take them into Halifax," the old woman explained. "And a sovereign too, for nothin', before they start. He's a good man, a man and a half. If he gave me a sovereign I'd go myself."

"I'm on the shift," said Joe, who had come to a sudden decision, and therewith become one of the assembly who were ready to dare and do for the sake of their country.

Nineteen in all set off on the four-wheeled wagon three hours later, bound for the town of Halifax. The contractor accompanied them.

The day was unspeakably hot, and a hot day for a navvy spells thirst and delicious longing, which longing is not to be denied when the pocket is not empty. The vehicle was passing a wayside public-house when Horse Roche clasped the driver in a brotherly embrace which, when performed by Roche, was the embrace of a bear.

"Stop!" was his order.

"Ah, a drink!" said the genial contractor. "Stop, driver. I'll stand a drink all round. Now, whatever you like," he said, when the motley assemblage stood at the bar. "I pay!"

This was an unwise admission even for those hysterical days.

Sid the Slogger called for a bottle of Scotch; the Moocher, not to be outdone, went one better.

"I pay for what you can drink here," the contractor hastened to add.

"How long will we get to put it down?" asked Macready, with a look which told of infinite capacity that would show its power if allowed infinite time.

"Five minutes," said the contractor, looking at his watch.

When they set forth again, the men were much merrier. Germans! Wait till they got a whack at them! Who said there were no guns? The navvies would finish it with pick-shafts! Horse Roche started "The Bold Navvy Man," and all took up the chorus.

They reached a second public-house.

"Stop!" yelled the navvies.

"Drive on!" shouted the contractor.

But driving was an impossibility. Horse Roche saw to that. The wagon came to a halt and immediately was bereft of all occupants save Moleskin Joe and the contractor. Presently loud noises could be heard from the public-house, thumping of tables and chairs, singing and swearing. The Slogger, bareheaded and in shirt sleeves, was in the street challenging anyone who desired such a vital method of amusement to come out and "put up his fives" to him. Half a dozen were willing to oblige and presently there was a scrimmage, none of the combatants knowing why it started.

"Now, men, come on!" shouted the contractor. "You'll have plenty of opportunity for fighting when you get over there!"

"There's no hurry!" said Ganger Macready, holding a glass to his mouth.

"It's getting late," said the contractor.

"Well, why the hell don't you join up yourself?" asked the Slogger, landing, a smashing right on the Moocher's ear and knocking the man into momentary repose.

"We had better go, boys," Digger Marley, who had just emerged from the four-ale bar, advised.

"Yes, we'll be late," said the contractor. His smile was tolerant. The navvies were just big children, that was all they were!

"If you were goin' to risk your life you wouldn't be in such a damned hurry," said the Slogger.

It took ten minutes to get the live cargo aboard. Two men had to be escorted from the public-house and helped up on the vehicle. Slogger was carried on and dumped on the floor of the wagon.

"Turn to the left at the first cross-roads," the contractor advised the driver. The advice was unwise. At the cross-roads the order was obeyed, but Horse Roche countermanded it in his ordinary way. He gripped the driver and ordered him to stop.

"Take the turning to the right!" he roared. "There ain't no pubs this way."

"But he's got to go as he's ordered," demurred the contractor.

"Ordered!" shouted Ganger Macready. "Up there" – he waved his hand towards Hermiston – "you're boss, but here one man's as good as another. We're going to fight for our country – but what are you goin' to do?"

"Shove on the damned brake and turn about!" Horse Roche was advising the driver.

"I think he's a Hun," suggested the Moocher pointing to the contractor. The Moocher's ear had the appearance of a trampled cutlet.

"Course he's a Hun," grumbled Horse Roche. The wagon was now going back to the cross-roads. "A spy – that's what he is. Look! he's goin' pale!"

Which was true. The contractor had suddenly become afraid. The men were getting out of hand. Another drink and he would lose part of the consignment. But there were more than one public-house on the road. There were seven at least. Each public-house would claim a few, men who would not mount again. Already there were four lying asleep on the floor of the wagon. Even if he brought all to Halifax, there was the difficulty of getting them to the recruiting station to be considered. An armed battalion would be needed.

"Now, men, if you just get off for a minute till we get to the cross-roads, then we can start afresh," said the contractor. "It's too heavy a pull up the hill for the engine!"

A few of the unwary scrambled off.

"Where the hell are you fools going?" Macready shouted. "If you go off he'll leave you behind. That's his game, the damned spy. Come on the wagon again!"

Before leaving Hermiston, Moleskin Joe had procured himself a stick, or to be more exact, a knobbed cudgel. That he had such a weapon at this moment was nothing novel. When on tramp he always carried a stick, which served the man in various ways, as a support in walking, a weapon of defence, and a food provider. Moleskin had been known to hit a scurrying rabbit at thirty yards, a chicken at ten, the latter blow so apt that the fowl dropped without a squeak.

Holding the cudgel in his hand he went to the back of the wagon, stepping over the recumbent Slogger, placed one hand on the side of the vehicle, and looked at the contractor.

19

"Tell the driver not to come back any further, but go straight to Halifax," he said.

"What damned game is this, Moleskin?" asked Roche, glowering at Moleskin from the upper end of the wagon, which had now come to a dead halt.

"I'm goin' to Halifax," said the big man, his knuckles tightening white on the cudgel. "All that want to walk there, get off and pad it. But the wagon's going the way I want it to go. I've just elbow room here in case any of you want to show dirty like!"

Moleskin was in a perfect position, his back against the rear door and a clear space in front. He gave a few deft turns of his cudgel to show the means in hand were his position rushed. At that moment a number of fingers showed on the lip of the wagon, telling of those who wanted to get back again. Moleskin rubbed his stick along the knuckles and they disappeared.

"On like hell, driver!" he commanded, and the wagon set off again.

Most of the men were asleep when they arrived at Halifax. Roche was feeling extremely unwell, "had come over all of a sudden," as he expressed it. He had never felt like that before.

Seizing the opportunity, Moleskin Joe descended from the wagon and was presently lost in the smoky streets of Halifax.

That night Joe paced up and down the streets of the Yorkshire town, looking everywhere, knowing in his heart that the job was futile. In daylight his search might be rewarded, but at night all effort was fruitless. The only thing to do was to get shelter for the night and resume his search in the morning.

Ten o'clock came, eleven, and still he was prowling from corner to corner. He had not eaten all day, and even now he did not feel the pangs of hunger. He had not even drunk, and an untouched sovereign lay in his pocket. The thought of Sheila was in his mind, her kiss was still on his lips, the look of the girl's eyes as she bent over him on the previous night was still before him.

When he stopped for a moment, pondering, he could revive the whole scene, not alone revive it in the spoken word and the soft pressure of her face against his, but in something that was even greater than all this – the commingling of two natures, the warmth and ethereal radiance of love.

An essence, new, fresh, unexpected had entered the man's being. Never before had he loved anything. His life had been solitary, nobody's child, nobody's lover, nobody's friend. No vague, distant impression of anything sweet, homely, was his. A youth that had given rise to no tender emotions was followed by days devoid of pleasing memories. There was not one moment of these

20

years that the man would live over again. Now, having met Sheila, he felt his heart moved, opened up to something fresh and wonderful.

The life that he had led seemed suddenly hateful to the man. He detested it: the aimless wandering, the drinking and fighting. All was without purpose, he realized. And it would go on and on in this way to the very end of his life. He thought of the job which meant nothing except the pay, the pay which meant nothing except the pub, which, in its turn, meant the prison. He looked upon his life now as all repetition of the same stale outworn joke which had been performed a hundred times before.

But against all this nausea and heartsickness was the dream of Sheila. He was agitated and enthralled. He longed to see her again, and a vague internal voice, deep down in his being, told him that he would. But, possibly, she had already forgotten her admission of the previous evening. She was only eighteen, and one does not want to die at that age. If he had saved her life it was certainly worth a kiss. The circumstance was an excuse for any action, any impulse.

Five days later he was still in the town, and still unsuccessful in his search. Then he went back to Hermiston to make inquiries there. The place was deserted. The reservoir was a mere puddle. Where the torrent rioted on the night that he almost lost his life, a mere stream was now flowing. The shack in which Sheila dwelt was now pulled down; the navvies had disappeared.

A week later Moleskin was a soldier of the King; the early part of the following year saw him in France.


*Chapter Three*

SEARCHING

Five years had passed and the world was swinging on in its accustomed way. The war was won, but by whom was still a matter of grave doubt. The war-babies who were honoured in 1915 were now reaching the age when they would become subject to jibes and jeers at school and play. The war profiteers were being accepted by society, that society which found grace in the fact that its days of profiteering started in ancient times unpolluted by eavesdropping journalists. The men who did so much (not in the hazard of the field, of course) to win the great war were dying off, doing time, or holding on to the public favour by the hair of their eyelids; and the men who had really taken part in the war, who

21

had suffered, but had not died, were in a bulky measure starving in a land fit for heroes to inhabit.

Moleskin Joe had escaped from the mêlée, somewhat scratched, but still hearty. He had gone to France, a man with a purpose and an ideal. To kill did not enter into his scheme of things. His whole object was to make money, and he threw himself heart and soul into the business, and thought of nothing else. One clear aim stood before him: to reappear in the country of his birth, to lay siege to Sheila's heart and make her his own.

All the time the girl's sweet and beautiful face was in the man's mind. At the end of six months he was a sergeant and attributed his success to her. He had done this to please her, to obtain grace in her eyes when he returned. He was a fighter by instinct, but it took a newly-formed sense of duty to make him a disciplined soldier. Such and such a thing had to be done, if it were not done the Germans would overthrow France, overrun England, and what had happened in the first country would certainly happen in the second. Children would be massacred, women violated.

Though Joe had seen nothing to prove that such incidents had taken place in France, he believed it, and this belief was strengthened with fear, fear when he thought that the girl whom he loved might come in for such treatment. Each German he saw, when in direct action, was a potential persecutor of Sheila, and he strove to put an end to the man's activities.

The Distinguished Conduct Medal was given him and the Military Medal thrice. When the war came to an end, he wore three gold stripes (these signified wounds in those days) and had a sum of money exceeding two hundred pounds in his pocket. This was in the summer of 1919.

Then he set out to look for the girl. He never had word from her in all those years. He knew not where she lived, if she were married or single, if she had forgotten him, or remembered him still.

Demobilized, he obtained a free railway ticket to Halifax, and went there, because it was as good as anywhere else. He stopped one day in the town and on the next tramped to Hermiston. Grass grew in the bed of the ancient reservoir, which had never been rebuilt. A solitary bullock grazed in the valley where he had rescued Sheila Cannon.

Joe, striving towards his happiness, and looking on the desolate prospect, had a sudden feeling that the few faint hopes which he had nursed so desperately were failing him, that from now on he was what he had always been, an outcast. He could go where he wished, stay where he desired, and all the prospect offered no hope, no solace.

Love profits little by a severance that is too long drawn out. It lives by giving and taking, a communion of souls. Like the body, the soul needs continual sustenance and neither will live for ever on a chance scrap picked up in a lucky moment. But the soul can maintain itself for a longer period, being gifted with that inherent faculty for digesting the same tit-bit over and over again and always finding in it something palatable. But weariness will eventually come and Joe was becoming weary.

His money became suddenly distasteful to him. It was a means to an end, but how to reach that end was not quite clear to the man. Sheila might be anywhere at that moment. Her father was possibly dead, then she would have no further need to "follow the waterworks." She had no address when he left her; she did not know his address; there was no bond between them whatever, except a kiss given years ago at the spot where he now stood.

"However, I'll try and find out old Ganger Billy," was his thought.

A few days later he found himself in a Leeds model lodging house, one that he had often visited years before. The place was newly done up, the proprietor was not the proprietor of the old days, the lodgers were not those whom he had known. Instead of fustian jackets, moleskin trousers, velvet waistcoats with ivory buttons, the time-honoured garb of the hard-bitten navvy, they wore second-hand khaki and smoked cigarettes. Moleskin, chewing a quid, looked them over and saw not one whom he had known in his old days.

Bradford, Newcastle and Carlisle were just as useless. He met no one whom he knew. His ancient world had fallen and a new world had sprung into being. He was even told that these lodging houses, which were much more stylish than they had been when he knew them before, were inspected by sanitary inspectors nightly. And some of the inspectors were women!

One day, in the early morning, he came to a cross-roads some miles distant from the town of Wigan. At the point of intersection he saw a two-pronged fork scored in the gravel, its haft towards one road that branched off at right angles to the town. He followed the direction indicated by the haft. Other roads were dangerous. It was the old cadger symbol of the days that were no more. Half a mile along the roadway he came across another symbol of the road. A circle fashioned with pebbles, with one in the centre, was fashioned on the highway. "Beware police and slide," was the message.

But Moleskin at that moment had no fear of the police. He was still a rover of independent means and had money to the value of one hundred and fifty pounds in his pocket. Two months before

23

the sum was a bigger one, but now it was wearing down and would go on wearing until not a penny remained. But perhaps something will turn up before it is all gone, he told himself.

The person who had written on the road was on in front and there was a possibility of overtaking him. He was not far in advance, for neither wheel nor foot had disturbed the circle or fork and the roadway was not devoid of traffic.

His eyes took in the road in front, a long yellow streak, and as he looked Moleskin became conscious of a little black moving speck half a league ahead. This gave him pleasure – it was somebody, possibly a buck-navvy whom he knew.

Moleskin accelerated his pace and gained on the object that moved rather slowly. At the end of an hour he was on the heels of the figure, which turned out to be that of a man well past middle age, ill-shod, unshaven, and in rags. Round his face was a large poultice bag, which told of toothache. Only the man's eyes were visible.

"Paddin' it?" was Moleskin's question as he came abreast of the man.

"Paddin' it, matey," was the man's answer in a dry, cracked voice. "A bit of baccy to spare?" He held a much-burned cherrywood pipe in the cup of his hand, and looked sideways at Moleskin.

"Any luck?" asked Moleskin as he handed the ancient a plug of tobacco.

"Flat on the dead-end," was the man's answer. " 'Aven't seen bread for two days, nor that what buys it for weeks."

He cut several slices off the tobacco, curled the slices in his hand, and still retained the plug. He shoved that which he had twirled into the bowl of the pipe and re-started cutting again. Meanwhile, Moleskin was eyeing the man narrowly. He had seen him before, but where, he could not determine.

"What do you work on?" Moleskin inquired.

"Navvyin'," was the answer of the man. He was helping the bowl a second time, but the more he put in the further it sank into the cavity.

"Where were you working last?" asked Moleskin.

"Wales," said the man, restarting slicing. "The first piece of baccy I've seen for days."

"Aye, cully," said Moleskin. "And by the look of it, it's the last time I'll ever see that damned plug again."

"But the pipe doesn't hold a lot," the man remonstrated, handing all the tobacco that remained back to Moleskin.

"No, the pipe doesn't hold much," was Moleskin's retort, gripping the pipe and taking it from the man. "This is the game, is it?" he asked, looking at the bowl, which had two openings, one at the top and one at the bottom. The man had passed part of the tobacco through the bowl and this was now resting on the palm of his hand. "But you haven't got the hang out yet. Your hand shook and showed you were up to some dodge. That never does. You've got to look innocent and you looked like a nipper when the apples fall from his pouch as he legs down the garden with the farmer waitin' at the bottom. Here's your pipe, here's the plug, and now spit out all. Where have I rumbled against you before?"

The tramp looked at Moleskin.

"You're Moleskin Joe?" he inquired.

"The board is yours. You've turned up the ace first go," Moleskin admitted. "And you're Carroty Sclatterguff? I'd know your skin on a bush."

The two men shook hands.

"And where have you come from, Joe? I'm trudging laboriously on foot. I've jaw's ache and a corn on every toe of my foot. I've a pain in my lummar regions and I'm getting old, Moleskin." The old man sighed and shook his head.

"Were you ever spliced?" Moleskin inquired, keeping pace with Carroty, who had trudged off while speaking.

"Three times I was party in the nup-ti-al ceremony," said the old man.

"Chew them long words, Carroty!" Moleskin advised. "Speak good English like me. Were you spliced, or weren't you?"

"Three times," said the old man, filling a second pipe from the overflow of the first.

"Any luck the three goes?" asked Moleskin.

"There's never any luck in the business," was the admission of the ancient. "The first woman left me, because she couldn't live with me. I parted company with the second because I couldn't live with her."

"And the third?" Moleskin inquired. "The third time is always lucky."

"H'm!" was the moody ejaculation of the ancient. "I'm goin' to see her now. She's quartered 'cross there, if she's still livin'." With a turn of his thumb he indicated the chimney stacks of Wigan.

"Takin' it for all and all it ain't what you might call a bad shuffle, is it?" asked Moleskin.

"What?"

"Gettin' spliced," said Moleskin. "After the parson has jawed his bit, it's straight sailin' from then on!"

"The parson!" Carroty pulled his bandages aside and eyed Moleskin. " 'The parson' were yer words, Moleskin?"

"What's wrong with it?" asked the big man.

"Nothin' wrong with it, for it all depends on the way as you look at it," said Carroty. "If you haven't the parson at the start, it means that you're a free man whenever the fancy takes you. And the one woman, Moleskin, day and night, when you go to doss, when you wake up, when you have a crock and when you haven't it, is more than mortal man can bear."

"And you skedaddled when you got sick o' them?" asked Moleskin, biting a piece of plug and chewing thoughtfully. Marriage was a queer contrivance, certainly! But up to the present he had not realized that three wives were a necessity for married happiness.

"The first was Nelly Grimes of Liverpool, and she scooted –"

"Showed her good taste," was Moleskin's thought, but he forbore to give it words.

"– and the next was Maggie. I forget her other name. Maybe she 'adn't one, and we got tired of one the other simultanissly." Carroty put a match to his pipe and pressed the lighted tobacco down with his finger. "And her that lives at Wigan, Beth Smithers, I'm goin' to now. Left her six years ago."

They reached a cross-road. Carroty came to a stop.

"And if you don't run across her, what then?" Moleskin asked.

"If I don't run across her, it will be plain sailing," was Carroty's reply. "If I do run across her I don't know how it will turn out. I'm a bit old on it, with pains in the lummar regions, and gettin' a bit on in years."

"But what the devil has that to do with it?" Moleskin inquired.

"She maybe is married again," Carroty informed him.

"But if she's married to you once she's your wife and there's an end on't," Moleskin argued. "All you've to do is to go to her and say, 'Here I am,' and it'll be all right."

"But if 'e's a young bucko, what can I do agen him with pains rackin' my lummar regions? Once I was able to stand up to the best o' them, crook an elbow when them as didn't take quarter's much as me were flat in the sawdust of the four-ale." The old man's eye gleamed as he thought of his ancient prowess. "Did I ever tell you how –?"

"A thousand times," said Moleskin, knowing not what story the man was going to narrate, but knowing that it would be one which he had heard a thousand times in the old days. "Now tell me what you were workin' at in Wales."

"Light railway near Newport."

"Is Ganger Billy there?"

"Him. Tom the Moocher, Sid the Slogger, Ganger Macready –"

"Mick Cannon?" Moleskin inquired.

"Five years a stiff," was the answer.

"And hadn't he a daughter?" questioned Moleskin. "Her name was . . . was . . ."

"Sheila's her name, and a soncy wench," said the old man. "She's gone. I haven't seen her since God Almighty knows when. Hermiston that was it? Hermiston it was. But if I was a youngster at the time I'd have her in hand. Just to get my arms round her . . ."

He saw Moleskin's face darken and he stopped.

"You've escaped a whalin' because you're old!" growled the younger man, turning on his heel and walking back the way he had come. A fortnight later he crossed the marches of Wales.

Here he found a number of the compeers of old days, Ganger Billy, somewhat balder, but wearing a longer and more venerable beard; Tom the Moocher, resplendent in a set of false teeth which he washed every day, though he washed nothing else; Macready, a man of means (he had become a quartermaster-sergeant). Horse Roche had gone to lift his lying-time (which in navvy parlance means unpaid wages) on the Somme battlefield, but the moiety due to him in the High Court must have been very small, for Roche never banked on an Hereafter.

Moleskin made shift to gather information concerning Sheila Cannon, but made inquiries in such a roundabout manner, that it took him days to get to the kernel of the matter. His thoughts were of Sheila all the time, but he spoke of everyone except the girl, of Susan Saunders, Sally Jaup, Father Nolan and others, but never of the girl, not even of her father, the night watchman.

The Hermiston Waterworks never came into conversation on Joe's urging. Even that was too personal, it was something that he could not dissociate with the great event of his life. If he spoke of it the navvies might guess, and the one thing he sedulously avoided was the showing of his hand.

He approached Ganger Billy one day while the old man sat apart at meal time, chewing a crust, and entered into conversation.

"Ganger, how the hell can you keep so young lookin'?" Moleskin inquired. 'You're younger lookin' now than you were five years ago."

The old man spat out a particle of gristle which his teeth could not master and looked at Moleskin.

"What are you comin' to cadge now?" To the Ganger's mind compliment and cadging were seldom dissociate.

Moleskin pulled a piece of paper from the heel of his boot and spread it out on his hand. It was a five-pound note.

"Blokes that stuff their boots with paper like these has no cause to cadge," was the mild rebuke of Moleskin.

"Well, I'm feeling as young as ever I did," said the Ganger, speaking warily as yet. He still suspected the snare. "But times are not what they were. Trade Union and no piece-work."

"And the old buck-navvies are off the map," said Moleskin. "I was at the old kip-shops in Newcastle, Manchester, Bradford, and they're not there."

"Under the clay most o' them!" said the Ganger, struggling with a second piece of gristle. "But when it's only so much the hour whether you slack or shove, what the hell's the use o' livin'? I saw Horse Roche and his gang do a straight thirty-six hour shift at Kinlochleven in the old days, and it was ten quid a man when the job was at an end. And they were drunk for a whole week after."

"And all the time you kept sober and made a little on the deal, selling them tipple," Moleskin remarked, filling his pipe.

"And why shouldn't I?" was the Ganger's unblushing admission. "Barrin' yourself, the only man that cares for your pocket is the man that picks it. And then I had my laddie to educate and that cost hard money. Did you see him when you were at the war?"

"I never saw him in all my natural," was Moleskin's answer. "Has he a job now?"

"A job!" said the old man with some asperity, as he wiped a greasy palm on the leg of his trousers. "He never has a job. He has what is called a profession!"

"Good screw?" asked Moleskin who, like his brethren, could never think of work apart from its wage.

"Thunderin' good screw," said the old man, with a flourish of his pipe. "Two thousand a year. Can wear a collar at his business and never has to wash his hands – if he doesn't want to."

"Some come into the world on a lucky deal," Moleskin remarked.

"But it has to be here." The Ganger winked and tapped his head with the bowl of his pipe. "Not that I hadn't somethin' to do with it. It cost me hard money to get him started. Did I ever tell you how –"

"You did," said Moleskin, cutting across the old man's remarks. Ever since he remembered his son had been the principal topic of the Ganger's conversation. A son of a navvy he was to be sure, but at a very early age gave promise of being a cut above the ordinary, and had in him the makings of a gentleman. How he was made a gentleman, the father's efforts to help in the matter, the years of scraping and saving, the paying out of cash for education, lodgment, tailoring and as "incidental expenses," which general expression was never sobered down to a detailed statement,

28

was a subject of which the father never wearied, but which wearied many of his listeners.

"You knew old Cannon, didn't you, Ganger? And Mick Cannon's daughter, you mind the girl, Ganger? Where is she now?" Moleskin inquired.

"How the hell am I to know?" asked the old man. "And what are you wantin' with the wench? And you're gettin' red in the face, too."

"Red be damned!" Moleskin blurted. "Can a man not ask a straight question without gettin' red in the face, eh?"

"Well, you did get red, Joe," laughed the Ganger. "Like a blood red rose, my bucko."

Moleskin tapped his pipe on the leaf of his hand, blew the ash into the air, and put the pipe in his pocket.

"I'm goin' into Newport," he remarked, moving off a few steps.

"I can give you a job," said the Ganger, "if you care to squat here. One and tuppence an hour."

"I'm too hard-horned to slave by the hour," was Moleskin's answer. He turned and looked at the old man, then came back a step. "I don't mean that its a shame for a men to slave," he said in a voice that was strangely subdued, "if he has anything to slave for. You have something to sweat for, but I haven't anything. They've dealt you out a hand, Ganger, and it's now lyin' face down on the board and you've backed it with every brass penny you've got and you've liked backin' it. I was dished out a hand and 'twas swiped off the board as soon as 'twas set down – and I'm backin' it yet, Ganger, backin' a hand I haven't got –"

"Here, Moleskin! what the hell's comin' over you?" asked the Ganger.

"Nothin' wrong with me," was Moleskin's answer. He took a step towards the Ganger and the Ganger took a step backwards. "Do you know why I've shipped myself here?"

"I'm broke," the Ganger professed hurriedly. The old man could not dissociate Moleskin's present mood from an ancient time-rooted cadging proclivity. But Moleskin was not going to cadge. All that he wanted was news of Sheila Cannon.

"I don't want any of your tin," he growled, tightening his fists and priming himself for the questions. "What I want to know is this. I've been waitin' to know for years, since the time I left Hermiston. . . . And that is, where has She – Sally Jaup got to?"

"Sally Jaup! Old Draggle-tails, you mean?"

"Not her," said Moleskin. "The one I mean is Sheila Cannon."

"That's it, is it?" asked the Ganger. He looked at his watch as he spoke. "Aye, Joe, she was a comely wench, but where she is or what she's up to, I don't know. . . . Time to settle to't!" he yelled to a crowd seated round a fire which burned brightly in an adjacent cutting. "You love work so much that you would lie beside it all day and look at it! . . . Aye, a comely wench, Joe, a comely wench. But I've not set eyes on her since Hermiston, but Digger Marley saw her two months back at Newcastle. 'Twas a Saturday night and he was lookin' out o' the winder o' Sam Lighter's dosshouse in Sholto Street and he saw her on the other side o' the street. But he couldn't run across and have a talk with the wench cos someone had pinched his overcoat the night afore."

"But what the devil did he want with his overcoat?" asked Moleskin.

"Well, his trousers were up the spout."

"When did the Digger leave here?" Moleskin inquired.

"A fortnight ago," said the Ganger. "He's a spoilt man, Moleskin, and stinkin' with pride. In the war he got a bit o' lead through his belly, and he gets a pension and he gets a dole and Lord Almighty knows what else, and he has no need to work. I don't blame him for that, but what I do blame him for is his snotty conceit. . . . And my boy that has got it there" – The Ganger tapped his head – "has no more conceit than a child of two. . . . Come on, you uncircumcized poultice-faced muck-wallopers and grease to't!"

Three minutes invective got the men to work, and when the Ganger, tongue-weary and out of breath, looked round Moleskin was not to be seen. That night he was not at the encampment, and the next day and the next passed and he did not make his appearance.

"Wonder where he's slid to?" Ganger Billy asked Macready. "He's in love, you know. And he's such a damned funny cuss!"

"God look sideways on the wench that gets him," was Macready's comment. "He'll strangle her. He's a stallion, a steam-navvy!"

Meanwhile, the "steam-navvy," powerful and gigantic, with a stick in his hand, fire in his heart and fortune hidden in his socks, was stepping the high-road towards Newcastle. He was hurrying on without looking round, one thought in his heart, hurrying towards the place that held the one who was so dear to him.

The journey, some two hundred and sixty miles as the crow flies, and with a hundred added as the navvy pads, was completed in fourteen days, and Moleskin Joe found himself a resident in Sam Lighter's model lodging house, Solto Lane, Newcastle.

## Chapter Four

### TRIALS

Two years had almost passed, and we find Moleskin on the road again, a Moleskin without a penny in his pocket and without a dottle in his pipe. He had grown somewhat thinner, a little grimmer, and his step had not that same dynamic energy it possessed when he tramped the high-road to Newcastle two years before.

For the first three months in Lighter's doss-house, he spent the evenings by the window overlooking the lane outside, hoping by some fortuitous chance to see Sheila as Digger Marley was reported to have seen her. But in this he was unlucky. By day he walked through the streets, scrutinizing every alley, every corner. Some streets took his fancy and he felt that if she were living anywhere in the place she would be living in that street. And he would walk up and down, up and down, watching every window, every door but all to no purpose.

At the end of three months he left Lighter's. The withdrawal was the result of a tragedy. Moleskin Joe rose from his bunk one early morning, turned down the blankets, which bore the inscription written in tar, *Stolen from Sam Lighter,* and felt his throat. The little tweed purse that contained his money was missing. He had worn it suspended from his neck with a string, worn it in this manner for months.

Moleskin turned chill all over. Motionless he surveyed the bed, fearing to make a thorough examination. He held his breath – if only his eyes could see it! The string was a good thick one, but perhaps the knot became unloosened while he slept. All the lodgers were still steeped in slumber. The one next him lay, with mouth open to the ceiling, snoring heavily. Moleskin felt the straw mattress, rubbed his fingers along its crinkly surface, looked under the bed, went down on his knees and brushed the floor with his hand. There was nothing. Moleskin's head became dizzy, a bell seemed to be booming in his brain. He stood upright, his knees shaking, and stared vacantly at the bunks.

"They've pinched it, the swine!" he suddenly yelled, and gripping the snoring sleeper he pulled him out of the bed. " 'Twas you! What the hell were you up to?"

"What the hell're you grousin' about!" grumbled the sleeper, knowing not what had happened, but thinking it must be something terrible. He was out of bed, wearing nothing but his shirt.

"Pinched it!" Moleskin was roaring, his one hand gripping

the man's shoulder while the other was examining the clothes, the pillows, the blankets. "A hundred and thirty quid and it's gone. I'll search every man here, every damned lag, and find who's pinched it! Ah! where're you slidin' to? You're the bloke that's done it!"

This was addressed to one who had awoke, and hearing the noise Moleskin was making thought that the big navvy had gone mad. A certain timidity prompted the man to withdraw quietly and nakedly, for he had slept without his shirt. Moleskin saw him get to the door with his clothes under his arms. In a bound he was upon the timid man and flew to his throat.

"Ah! he's got it and he's givin' me the slip," Moleskin yelled hoarsely. "Cut the string and took it away. But your game's up!"

"I don't know what the hell!" gurgled the naked man. "I – I –"

"I'll give you hell! I'll gouge your guts out! Thievin', you skunk, thievin'. You came to the wrong shop this time, I'm telling you!"

The poor man had ceased groaning; his face was turning green; his eyes stared from his head as if they were going to spring from their sockets. In Moleskin's grip he swung backwards and forwards like a sodden scarecrow in a January gale.

"Wanted to slide off, did you!" Moleskin roared. "But you weren't quick enough, were you? I'll strangle you – like a chicken!"

"You've done that five minutes ago!" someone remarked. The whole room was up now, and a few were armed with bed boards.

Moleskin came to his senses, and loosened his grip on the man's throat; the latter fell heavily to the floor. Sam Lighter, hairy and unshaven, in shirt-sleeves, appeared at the door.

"Come in!" shouted Moleskin, gripping the proprietor's shirt front, pulling him into the room and shutting the door behind him. "I've lost a hundred and thirty quid. 'Twas tied round my neck when I went to doss. I woke up and 'twas gone. Where is it?"

"I don't know," was the proprietor's answer.

"It's in the room!" said Moleskin. "Nobody's gone out since I woke up. I'll search every damned lag in the place."

"Two men vent out early this morning," said Lighter.

"Who were they?"

"I don't know," said the proprietor. "They came here the day before yesterday and now they've skedaddled. And if they've took your tin it's ten to one that they'll not come back again!"

And they did not come back. Moleskin had some thirty shillings left and that night he spent it in a carouse which ended, as such nights often did, in a police station.

Then followed troubled times and peace was the last thing he enjoyed. Still, he did not leave Newcastle. He worked in the town in various odd jobs, as a casual labourer. But he saved nothing. As soon as money was made he spent it in the public-house. But why should he save? The old hopes, the old illusions were shattered. Life stretched round him, a hopeless vista in which he moved without motive, incentive or stimulant.

And thus passed eighteen months.

At the end of this period he found himself out of work and made his way to Carlisle. The Newcastle police had got to know him and it was time to slide. The toss of a button, the fall of a cudgel at the crossroads determined his way, and he took it, accepting his fate with the equanimity of a wanderer who knew that one road was as good as another.

Going through the streets at noon he saw a tramcar passing and noticed one of the passengers, a girl, and knew the girl as Sheila Cannon.

The recognition came as a shock to Moleskin. All that morning she had not entered his mind. Possibly he had thought of her on the day before, but had he? He suddenly felt guilty of committing a terrible wrong against the girl. He had almost begun to forget her. The keenness of the first days had gone. His love had grown less, was filled with intervals of forgetfulness and callousness. Was his passion of year ago a reality? Had he known Sheila Cannon? Had she kissed him?

He saw the car turn a corner. He followed it, walking briskly. In a moment he started running. When he reached the corner the car had disappeared.

"Where did it go?" he asked an old gentleman.

"Where did what?" As he spoke the old man looked down at Moleskin's clothes. A hole showed in the knee of his trousers; one sock showed through the toe of his boot.

"The tramcar," said Moleskin.

"Where do you want to go?" asked the old gentleman.

"Don't want to go nowhere —"

"But what car do you want?"

That night Moleskin met an old friend, a navvy with whom he had wrought before the war. His nickname was Twister, and Twister had lost a leg in the Great War.

"Help me to crook an elbow, Joe?" he asked.

"Don't mind," said Moleskin.

"Any o' the old swaddies about here?" asked Moleskin, when he and his old friend stood in the four ale bar.

"All 'ave 'ooked it," said Twister.

"Where've they gone?"

"A waterworks in Scotland, in a place called Glencorrie," said Twister.

"Not comin' with me to't?" asked Moleskin.

"No blurry fear, matey."

"Why?"

"Pension for this." He tapped his wooden member. "Dole and an old woman."

"Buckled?" asked Moleskin.

"Aye," said the man.

"All right?"

"Not so bad. Does chars, she does, and I keep to bed till one. Then she comes in and dishes me up a meal. Then out to chars again. She's a good worker, Joe. I never say a cross word to her, and that's the best way to treat a woman. And where are you off to, now?" he asked Moleskin.

"Glencorrie," said Joe.

"To-morrow?"

"To-night."

He had decided to go on the spur of the moment. Attired as he was, he decided not to show himself to Sheila. Thank God, she had not seen him! He would go to Glencorrie, work hard for six months, make money and come back to Carlisle. Then –

He knew that he loved Sheila Cannon as madly and foolishly as he had loved her years ago.

Now he was on the road to the Highlands of Scotland, where the big waterworks were being built. It was now the latter part of August, the weather good, hot by day and mild by night. But the road was a lean one; too many unemployed had begged and stolen from the homes that fringed the highway. Game-keepers were awake all night in the plantations, a poached pheasant meant many days' hard labour. Farm servants were alert and armed. Hen roosts were death-traps, the pastures where the milk cows grazed by night were often fields of bloody adventure.

Still Moleskin plodded on. He was now well in the Highlands, far north of Glasgow, and bound for Glencorrie where the big job was in progress. This was the fourteenth day of his journey.

The sun disappeared, the stars slipped out and the smell of ripening corn and new cut hay filled his nostrils, the whispering trees settled to repose; far away a light showed in a home, a startled bird shot across the roadway chattering volubly . . .

"Where are you padding to, matey?"

A figure rose from the roadside of a man well over middle height, clean-shaven and dressed in the clothes of a working man, but more the appointments of an artisan than those of a casual labourer. A ruck-sack was strapped to his shoulders.

"Glencorrie, matey," was Moleskin's answer. "You're paddin' it there as well?"

"Yes, my friend, I am going there," was the answer, given with studied slowness. He looked sideways at Moleskin, and swung into his stride. "You haven't been up there before."

"Not me," said Moleskin. "Have you?"

"I haven't, matey," was the reply of the stranger.

"You're maybe not used to the work?"

"Maybe not."

"Close," thought Moleskin to himself, "and if he's not a swell down on his hobnails, ask me another. On the dead-end and lookin' for a job, likely?" he inquired aloud.

"Very likely." This was given in a tone suggesting that the one who gave it was not in a mood for confidences. "But the damned work leads nowhere," he continued. "The job will last for some fourteen months, or maybe more. Then it comes to an end and one is as poor as when one started."

"Aye, there's sense in that," said Joe. "But all the same, the belly has to be filled, and it can always make a good argument for itself: I've done a short tucker stretch for three weeks. and so I'm chancin' my arm on Glencorrie, for a wee while anyway."

"And after that?" the stranger inquired.

"Aye, after that, what?" said Moleskin with the air of one who was not willing to prophesy. "As I say, there is a good time comin', though we may never live to see it."

"Perfectly correct, my dear fellow," was the stranger's remark, and having spoken, he pulled a cigarette case from his pocket and held it towards Joe. "Have one of these. Only gaspers, but I find that I like them just as well as any other. Don't you?"

"I do," Joe hazarded in answer. The man's air and remarks, half-cynical and half-tolerant, nonplussed Moleskin. He did not know whether to hate him or like him. "You haven't a match on you?"

"A match? Oh, certainly," said the man. "Were you in the trenches?" he inquired when the cigarette was lit.

"Had a bit o' a whack at Jerry," said Joe.

"Simply a bit," laughed the man. "Ever had the wind up, had you?"

"Well, I wouldn't say as I hadn't sometimes," was Moleskin's answer. He spoke as if viewing the emotional feeling of fear from a distance.

"Yes, my friend," laughed the stranger, coming to a sudden halt and stretching an arm towards Moleskin. The fist was shut and stretching out from the angle where the forefinger forked from the

35

thumb was a nozzle of steel that reflected the night light in a dull metallic lustre.

Moleskin, considerably surprised, came to an involuntary halt and looked at the man. "Now shoot up your hands over your head!" was the sharp order of the stranger. "This is a revolver!"

Moleskin complied, holding his stick in one mighty paw, the cigarette which he had taken from his mouth in the other.

"What's the game?" he asked.

"Have you any money?"

"Two quid!" said Joe in a shaky voice. His hands shook; one lost purchase of the cigarette which fell to the ground; the other tightened on his cudgel. "The dough's in my boot. That's where I always keep it. You can have it – the whole damned lot. But don't keep that pointed at me!"

"Wind up!" laughed the man sarcastically, still keeping Moleskin covered with the revolver.

"Had the wind up," mumbled Moleskin. "But not no more!" he yelled, giving the man a sudden jab on the wrist with his stick. The stricken one gave a yell of pain, the revolver dropped to the roadway, and Moleskin had the stranger by the throat.

"Don't choke me, my dear f-f-friend!" spluttered the stranger, making a vain effort to unloosen the grip.

"I'll give you dear, bloody friend," was Joe's casual comment. "What was the game? Are you off your napper, trying to make your fortune by pinchin' from buck-navvies? Back there and let's have it out!"

He shoved the stranger back against the highway dyke, lifted the revolver from the road, made a cursory examination and found that the weapon was not loaded.

"What was the game?" he again inquired.

"It's not a game I would like to play every night," the stranger admitted, rubbing his neck. "You almost choked me. And I wanted to frighten you – for you own good."

"And now it's all off?" Moleskin remarked.

"All on," was the answer. The stranger drew his cigarette case from his pocket, put a cigarette in his mouth, then handed the case to Moleskin, with the remark, "You dropped yours on the road. We'll light up and talk of business as we walk."

For a few minutes they paced together in silence, Moleskin wary and watching his fellow traveller from the corner of his eye, the latter silent as if deep in thought.

"I don't know much about this Glencorrie job," said the stranger, breaking silence. "How many navvies are working there, do you know?"

"I dunno, but I've heard that there are about four hundred."

"How much have they to spend after they've paid for their board and lodging?"

"Not as much now as they had in the old times," was Moleskin's answer. "So much an hour is the ticket now; but once it was so much the job."

"We'll take it that each man gets two pounds a week as an average. What does he pay for sleeping quarters?"

"Ninepence a night, blanket doss, thruppence the cold kip," said Joe.

"What is the cold kip?"

"Sleepin' on the floor of the shack."

"Well, we may take it that they pay seven shillings a week for lodgings," the stranger resumed. "That will leave thirty shillings or more for clothes and food."

"Clothes doesn't cost much," said Moleskin. "We don't often buy them."

"But shirts, for example," asked the stranger.

"No man has more'n one shirt –"

"And wears it always?"

"Aye, till, like the old soldiers, it fades away."

"What do they do with their money, then?"

"They want it all for feeding."

"For feeding?"

"Aye, on the bottle."

The stranger smiled, eased his sack on his shoulder, and blew a puff of smoke into the air.

"If somebody made whisky for them, made it cheap, say at two shillings a pint, would they buy it?" he inquired, after a short silence.

"If they've the money they'll buy it; if they haven't, they'll pinch it. Are you goin' to make it?" asked Joe.

"I did not say so," was the man's answer. "One man cannot run the job on his own. It takes two at least, the distiller and the salesman. The distiller must work in a quiet place where nobody can see him. Glencorrie is wild enough; the nearest village is sixteen miles distant. But the question is: would the men tell the police?"

"Not them!" said Joe with emphasis. "We know nothin' in the favour of the cops."

"You don't like the police?" asked the man.

"Here, whoever the hell you are, what's the game?" asked Joe coming to a dead stop. "By the way you speak you weren't brought up on a shovel. You're askin' me this and askin' me that, wantin' to find out somethin'. What are you wantin' to find out?"

"Don't get excited," said the stranger. "I want to make moun-

37

tain dew for the navvies. I want somebody to help me, one that I can rely on, one that doesn't get the wind up when he sees a gun pointed at his head. It means money. You can make more in one night than the other men make in one week. If I offered you the job would you be afraid to take it?"

"Afraid!" exclaimed Moleskin with the sublime confidence of a giant whose strength is disputed by a child in arms. "I don't think I'll funk anything that you will face. I'll take the job, but if I find you up to anything dirty I'll – I'll skin you alive!"

"That's the spirit!" laughed the stranger, gripping Moleskin by the hand and squeezing it heartily. "We'll get along like a house on fire. My name is Tom Jones, the name of a foundling famous in fiction."

Moleskin paused for a moment before replying. He was not certain of his new acquaintance. Might he not be a spy? Possibly he wanted to find out Moleskin's name, and get him into trouble. He looked round at the wild deserted country, looking for the gin. But there was no trick, and one man was as good as another, or a little better if Moleskin were the one man.

"My name's Moleskin Joe," he said. "Reckon ye've never heard o' me. I'm what is called a come-by-chance, meanin' that I'd one mother too many to be decent. I've been a lag, a crook, an A.B. before the mast, a joint as can keep puttin' down tipple in the four-ale when my butties are on the sawdust and a bloke as knows that an inch of steel is as good as a foot of tallow. You've to take my word for some of what I say; other things you'll know to be true when you know me better, and the truth of what I say about steel and tallow my fists will bear me out in any hour of the day or night."

"Now we know one another," laughed the stranger. "And if we pull together we'll be able to make our fortune."

"Aye, aye," said Moleskin Joe. "There's a good time comin', though we may never live to see it!"

## Chapter Five

### NAVVIES    ...

Darkness had just fallen over Glencorrie, a wet grey darkness. All that day the glen had been filled with fog, rising high enough to cover the crests of the surrounding hills and hanging low enough to blot out the scurrying rabbits. Night coming, brought little change, the obscurity changed colour, but became no more intense. The fingers of an outstretched hand were invisible by day or night.

Though darkness had fallen, the glen was filled with the muffled sounds of labour. Those who wrought at the new waterworks were busy with their toil.

Here and there where naphtha lamps lent their red diffused lustre to small patches of gloominess, ghostly figures, ghouls of the solitude, could be seen digging, hammering piles and laying pipes.

Glencorrie, at any time and in any mood, was solitary. Civilization had not touched it unless the hunting season, when it appeared in the form of Man, with implements of destruction, barbed hooks and metal firearms to levy toll on fin and feather.

When, however, came one, an engineer, bearing chain, crossstaff and field-book, who determined three elements of a triangle, took stock of the valley area which this triangle contained, and calculated the amount of water which could be held upon its surface, the ancient peace of Glencorrie was broken.

Hundreds followed on the engineer's track, and started damming the lower contraction of the glen, until the Glencorrie Waterworks were well under way. Six months more and the job would be completed.

Among the workers the buck-navvies predominated. Some four hundred were employed there. They lived in rudely built shacks, run up from spare wood props, discarded girders, half-rotted joists and rails, and roofed with canvas purchased for a song from the Government Disposal Board. Astute gang foremen were generally the proprietors of these shacks.

The few amenities desired by the navvies were not within easy reach. The nearest hamlet, which to the workers meant the nearest public-house, was some sixteen miles away. No woman was ever seen in the place; a postman came twice weekly and was always accompanied by two policemen fully armed.

Despite its situation, however, Glencorrie had a certain rude orderliness of its own. The strongest man, or body of men, was boss, and all disputes were settled with the fists. Men died from violence and privation, and when they died they were shoved into the "tipper" and covered up with the merciful clay. Glencorrie was a place primitively savage, having neither a God, Church or a Gallows.

At the present moment the men were badly out of hand. Order was maintained up to a point, up to the day when the first illicit whisky was distilled and supplied to the workers. To get drunk often in the ordinary way was out of the question. The nearest public-house was too far away. In the beginning, it was a case of drought without the drink, demand without the supply.

But this altered when there came upon the scene a certain individual, name unknown, history uncertain and credentials unsavoury, who started an illicit distillery in the hills and supplied mountain dew, duty free, to the navvies. The reputable Moleskin Joe, whose first article of conduct was impeding the police in execution of duty, who vowed that the opinions of a man who argued with his fists were always respected, and who knew more of the conduct of His Majesty's prisons than was good for any human being, was fellow in practice to the distiller.

And so the navvies, getting too much of that which was not good for them, fought and drank and earned and spent and lived lives of mad, undisciplined devilry.

This state of unquiet did not appeal to Ganger Billy Davis, although inured to hardship, used to things mad and murderous, afraid of nothing that did not affect his pocket. But the old dog was the proprietor of Windy Corner. This, a shack, was once an army hut. It housed twenty-four human beings when under military jurisdiction, but now by skilful ordering and delicate handling, it housed five, where only one was housed before.

Though not the acme of comfort, it had a certain rude orderliness of its own. A bunk cost fourpence a night, sleeping rights on the floor with a blanket cost threepence, and without a blanket, twopence. The inscription: *Pinched from Ganger Davis,* written with a brush dipped in tar, showed on the blankets. This was sufficient security against theft.

Two men were appointed to watch over the well-being of the furniture. They would be designated "hut orderlies" in the army; in navvydom they were known as "chuckers out." They were experienced in the handling of boot and belt, and were the strongest men in the shack. One was Sid the Slogger, the other Tom the Moocher.

Sid and Tom had their work cut out for them, keeping order in Windy Corner. Two men trying to keep four score in control was, to say the least of it, too much of a good thing. Sid was the first to come to this conclusion and told Ganger Billy.

"But what's the damned good of money if I haven't time to spend it?" blurted the Slogger.

"See them that's spendin' it!" pleaded the old man. "It's all right for them when they're full up – but their heads the next mornin'!"

"But to hell with it! what about me?" cried the Slogger. "My two eyes are blacked, cos I've only two, my two ears thickened, cos they're all as I've got. Strike me stiff! if I put up with it any more!"

He went out, returned at midnight, and spoke in a voice thick

40

with liquor, that he could stand, blamed if he couldn't! stand up to any white-livered tyke in the shack, with one hand behind his back, tied if you like, and knock his double blinking eyes out!

Tom the Moocher (twelve shillings, hard silver, his weekly screw as orderly) endeavoured to knock sense into the Slogger's head, but in this knocking, started by two and taken up by the whole shack, three bunks were smashed to smithereens and several blankets torn. The stove overturned almost set the place on fire.

"Too damned thick is what I calls it!" Tom the Moocher told the Ganger on the following afternoon. "Gettin' bashed about like this for twelve shillin's a week!"

"I'll make it a pound a week," said the Ganger.

"Blimey! I should smile!" groaned the Moocher. "Not if you make it a pound a minute! This evenin' won't see me at the job!"

The evening came.

Ganger Billy sat in the shack, puffing a coloured clay, his red beard sticking out from his chin at an obtuse angle. In the dim apartment he looked his sixty winters, for at that age the life of one who has endured much is never counted in summers.

In the shack, hanging from the roof on a chain, was a naphtha lamp, under which, and at the only table in the apartment, sat a man in shirt sleeves counting money. This was Carroty Slatterguff, back again to his old grind and now nipper to Ganger Billy's gang. Carroty did all the odd jobs, cooking, running messages, and tool repairing.

"Six fives are thirty-five and four are thirty-nine, and that's two quid all but a bob, Doesn't seem right nohow!"

Carroty scratched his head, and looked at the money which lay on the table in front of him.

"Not able to make the tally, Carroty?" the Ganger inquired.

"I thought I had it all, but somehow I haven't," said the puzzled Carroty. "Six fives are thirty-five, and –"

"Let me give you a hand," volunteered the Ganger, approaching the table. Carroty drew the money in.

"No, Ganger, I've lost things in that way before. Six fives are –"

"Are not thirty-five. You're not sober. An old cadger like you, with one foot in the grave and the other in hell, should be ashamed of what you're doin'."

The Ganger spat to the ground and fixed a scornful eye on the man with the money.

"Are you not afraid of carryin' on in this way?" he asked.

"In what way, Ganger?"

"Gettin' us this duty-free whisky," the Ganger explained. "It has been goin' on now for four months, ever since Moleskin Joe

41

came here. It's a crying shame. No sooner do the men get their pay than they go and spend it on this devil distillery."

"They'd spend it, anyway," Carroty remarked. "If they didn't get it here, they'd hop to the towns, spend it in the boozer, and what they'd have left the smart women would get, and nine times out o' ten they'd finish up in broad arrows."

"The men that are makin' this will soon have broad arrows," said the Ganger grimly. "Nine months on a plank – the same as many better men got afore 'em."

"One dollar short," muttered Carroty, again mucking into his financial problem. "There are two more as have to pay, Pig-iron Burke and the Digger. I'll get what they owe, and add it to the credit side. They're always slow, payin' their just debts. Honesty! there ain't any here; and Moleskin will be in any minute!"

Rising to his feet he ambled towards the door in the rear. There were two in the shack.

"Carroty!"

"Aye, Ganger?" said the man looking back across his shoulder.

"Have you heard about the notice that the polis put up outside Dunrobin courthouse this mornin'?"

"I've heard."

"Fifty pounds it is that's offered for information that will lead to the conviction of the party that's makin' this tipple."

"It's not a party," said Carroty. "There are only two in it, Mole-skin Joe and Tom Jones."

"Have you put eyes on this cadger, Jones?" asked the Ganger.

"I have, and I haven't, so to speak," was the answer of Carroty. "I saw only the back of him and it in the dark, and only twice. Ah, Ganger, whoever he is he's a close one. Nobody's seen his face, barrin' Moleskin, and Moleskin's a quiet individual and never says much any time."

"Everybody has got a tight mouth these days," the Ganger grunted. "How much do they pay you to collect the money for them?"

"Can I speak as man to man?" Carroty inquired.

"Man to man be hanged!" roared the Ganger. "When you speak to me, you've got to speak as if you are talkin' to the Lord Almighty. Man to man! And a damned nipper too!"

"Human bean, I am, Ganger, for all you say!"

"Human louse!" jeered the Ganger. "How much do they give you?"

"Two shillin's per diem."

"Twill take a long time to make fifty pounds that way," said the Ganger meaningly.

"Well, I'm not goin' to make fifty in the way that you mean!"

42

shouted Carroty from the doorway. "I'd be struck stiff 'fore I'd turn on 'em! They've troubles enough as it is, with the sword of Dam-o-cockles over their head. I'm not the man to get 'em into trouble!" he said emphatically.

"Well, think o't, Carroty, think o't," persuaded the Ganger. "If they're caught, you'll be caught, because you're helpin' them. You're the one that collects the money. That'll mean two years' hard at least, and you'll have the same chance of weatherin' that as a wax cat in hell!"

"Couldn't be worse off there than here," said Carroty, ambling out into the fog. "Couldn't be worse off, no, nor half as bad!"

Ganger Davis sat himself on a wood-stump which served purpose as a chair, and stirred up the fire in the stove. Outside he could hear the Moocher hail sombebody in a thick voice which was evidence that the man was already drunk. The shift would end in another hour, then it would be a repetition of last night's scene, when a row that started at the card-table at ten o'clock finished out of doors at two in the morning.

Ganger Davis did not know what to do. The police were scouring the countryside for the illicit distillers, and a reward was offered. Fifty pounds! Enough to make a heart yearn, and quake. There were dangers to be feared if the Ganger got the practice stopped. The man who went between the navvies and their liquor was running into grave risks. Sober, the men of his gang were dangerous; drunk, they would stop at nothing.

"Two nights like last night," he muttered, grinding his teeth, "and the shack will be pulled to the ground. It must be stopped somehow or another!"

"All by yourself, Mr. Davis! Just passing; got lost in the fog. Didn't know where I was – and here I am!"

The Ganger turned round on his seat and looked at the speaker, Father Nolan, who had come to see his flock. The priest was, perhaps, a little over fifty years old, but smooth shaven and without wrinkles he looked younger. In repose his lips closed tightly over his even teeth and gave the impression of harshness, which impression was strengthened by the sharp intentness of his gaze, and his rather abrupt manner of speech.

"Didn't think you'd come in this night, Father," said the Ganger. "Won't you sit and warm yourself?" He shoved the wood-stump towards the stove and brushed it with his sleeve. "A mucky night, ain't it?"

"Mucky," said the priest sitting down, and taking a snuff-box from his pocket. "I got a car a bit of the way, but the fog got so very soft that I had to come off and walk the rest of the journey. And how is everything here?"

43

"Not so bad, Father, if the men would only stop drinking. Hishoo." The Ganger held himself stiff against a second sneeze. "This duty-free whisky is the curse of the place," he resumed. "Broken heads at night, thick heads in the mornin'. Hishoo! Before they got this they were natural. When they had a fight they always started with the fists, and maybe, when they got hot at it they would go in for a bit o' bootin'. But now," sighed the Ganger, rubbing his nose on his waistcoat sleeve, "a fight always starts with pick-handles."

"You've seen the reward the police are offering?" inquired Father Nolan.

"Only heard o't," said the Ganger. "But to get grip of a man in this out o' the way place takes some doin', and when it's a man like Moleskin Joe, it will take the devil out o' the black pit to collar him. He's not the man to take kindly to life inside quod."

"Still, it keeps him out of worse mischief," laughed the priest. "*He's* often been in before, hasn't he?"

"Aye, but never in the summer!" said the Ganger. "Some will go in summer and winter, but not Joe. He's particular in that way. And always was from the time I first knew him. If he only got started in the right way when he was a nipper, he'd be somethin' better than a navvy this day. If he had the education that my son had –"

"Oh, by the way, how is your son?" inquired the priest. "Have you had any word from him of late?"

The face of the Ganger lighted up at the question.

"Not for a good while now," he said. "But he's so busy, and his studies never come to an end. That's what he told me in his last letter. And the books he has to get!"

"They cost a lot?" asked the priest.

"Big money," said the Ganger. "Seventy-five pounds he wanted the last time he wrote to me, and fifty pounds the time before. And 'twas sent him the minute I got his letters. I've a good job here. I own this shack." He swept his hands with the assurance of a man of property. "He's my only child, and a gentleman, Father, a gentleman with education!"

"And when did you see him last?" Father Nolan seemed to be particularly interested in the old man's confidences.

"Two years and six months now, come Monday week." The Ganger placed his pipe on the table. "I went to his office in Glasgow and he was glad to see me. He had a nice snug room, with pictures on the walls, and a fire, Father, that lit up when he turned a knob. I never saw anything like it before. He was just the same as ever. 'I have only ten minutes to spare,' he said, and we sat there and began talkin', and before I knew, fifteen minutes were up.

That was a long time to give me and him so busy, wasn't it?"

"Yes, it was." Father Nolan's lips twitched ever so slightly and he fixed a queer, searching look on the old man. "You're fond of your laddie, are you not, Mr. Davis?"

"Aye, that I am."

"Very fond?"

"Very, very fond," said the Ganger. "Never can know how it is that I have a boy like him, such a gentleman –"

"A gentleman!" said the priest. His tone seemed to question the assertion. "Yes, yes, of course," he smiled, rising to his feet. "I've got to go along now to the engineer's place, to see if I can get a shakedown for the night. Tell the Catholics that I'm here, and that Mass will be to-morrow morning at seven in the usual place. And for Heaven's sake try and keep them from the drink for once in a time. There are a hundred or more of my flock here and last month only a score came to their duties and half of them were drunk. I think you're the only man here that never drinks."

"If I spent my money like some of them when I was a young man, what would my boy be this day?" asked the Ganger. "Nothin' better than the rest o' them."

The priest was silent for a moment as if he did not want to make any comment on the Ganger's statement.

"You haven't thought of becoming one of us, Mr. Davis?" he asked, looking at the Ganger.

"A Roman!" laughed the Ganger. Nolan had put the question to him many times and the foreman had treated it as a joke on all occasions. "To tell you the truth, I might as well be that as any other thing if it wasn't for the confession."

"Possibly you'll see better one day, and possibly you'll not," said the priest good-humouredly.

"Is that the state I find you in, Moleskin Joe?" asked Father Nolan, as the singer heaved in through the door. The singer was Moleskin, Moleskin with a month's growth on his jaw, a day's distillation, three two-gallon jars, in a sack on his back, Moleskin sublime, unconcerned, recking not of State nor Church, of the police, of the priest who had come to bring peace to the souls of such sinners as Moleskin Joe! Moleskin, however, was glad to see Father Nolan, who for a time had been chaplain to Joe's battalion in France.

"Holy hell! Father Nolan and is it you?" Moleskin exclaimed, dropping his sack of booze and gripping the priest's hand.

"Moleskin Joe!" the Ganger reprimanded.

"Well, what the devil am I to say?" asked Joe, pump-handling the priest's arm. "Me and him were old pals, Ganger. Over the blu-bloomin' top, and the best of luck and down wallop into the tipper. My holy blu – 'scuse my lettin' a few out! – but d'ye mind the night we went on the raid at the brickfields and you took the bay'net to help a man to God –"

"Moleskin!" entreated the Ganger.

"But didn't you, Father Nolan?" asked Moleskin.

"We'll forget all about that, Joe!" said Father Nolan.

"You, a man of God, playin' about with a bay'net like a soldier?" asked the astounded Ganger.

"God forgive me, I had to," was the priest's admission. "The Cross was of no avail that night."

"But you hadn't to come, Father," said the relentless Joe. "And you came 'cos you had the guts!"

The Ganger, utterly aghast, sat down and tapped his pipe.

"The next thing you'll do is offer Father Nolan some of that mountain dew!" said the old man in tones of disgust.

"Just what I'm goin' to do," said Joe, rushing to the sack, bringing forth a jar and uncorking it. "It's the best we've made yet." He poured some into a billy-tin. "The blend, Father, the blend! It is the stuff that'll make you do things that you've never done before, love them that you hate, hate them that you love, pray instead of swear, swear instead of pray. Come, Father, see what it does to you."

He thrust the billy-can into the priest's hand. The priest looked at it for a moment, then placed it on a form and sat down beside it.

"I want to speak to you, Joe," he said. "If you'll just sit down it will be much easier."

"I'm roostin'," said Moleskin, flopping on a form. "Now, spit it out whatever 'tis."

"When were you at your duties last?" Nolan inquired.

"Duties?" Moleskin inquired, a puzzled look overspreading his face.

"Your duties, Joe. Confession and Communion," the priest explained.

"Not since the war, Father," said Moleskin airily. "That gadget was all right then, but now, no cop."

"Eh!" the priest exclaimed.

"Well, you know yourself how 'twas then," said Joe. "Church of England parade too early, Jew parade cook-house fati-gew, R.C. parade cushy, tray bong, so I signed on as an R.C."

"You mean to tell me that you weren't a Catholic before the war?" The priest was aghast.

"D'you mean to tell me that it was any good being anything like that before the war?" asked Moleskin. "I lived my life in my own way and have pulled through. I've heard the parsons spout, but what they say carries no weight nowhere. No, Father, it's without sense. Tip that tipple into your gullet and you'll know that there's a good time comin' though you may never live to see it."

"No, Joe, you confirmed unbeliever, I'm not drinking," said the priest with a smile. "I'm not saying that you are a bad man, for you are not, and the only consolation I have for not asking you years ago if you were a Catholic born, is in the fact that the time you spent at Mass saved you from getting into mischief."

"Look here, Father," said Moleskin, springing to his feet. "I'll make a bargain with you and call it square. I'll be a Catholic again, for two months, if you drink up what's in the billy-can."

"Moleskin Joe!" reprimanded Father Nolan.

"Well, say three months."

"No, Joe, we've said enough about it." Father Nolan rose to his feet and went towards the door. "Perhaps to-morrow, when you're sober –"

"Father Nolan, I'm not boozed!" He stood in front of the priest, and a pained note was in his voice. "I haven't tasted one drop for the last five months, since I left the town of Carlisle."

"You were there five months ago?" asked the priest.

"Five months ago," said Moleskin. "Have you ever struck Carlisle in your travel?"

"Have just come from there," said the priest. "A small railway job where Ganger Sorley has some eighty navvies working. Know Sorley, Mr. Davis?"

"Aye!" snorted the old man. His face had the air of one fitted to pass judgment on a fellow craftsman. The judgment was held in the snort and was decidedly unfavourable.

"You were in Carlisle?" asked Moleskin tremulously.

"Yes, Joe, in Carlisle."

"Did you see anyone there that you knew?"

"Several," was the priest's answer.

"Anyone askin' about me?" Moleskin looked at the priest with eager questioning eyes.

"Not that I remember," said Father Nolan. "Is there anybody there that you know?"

"No. Yes. I mean no." Moleskin's face went suddenly red. The Ganger noticed it.

"A woman!" chuckled the old man. "A wench, a petticoat. That's what's troublin' Joe, the gadabout. Now, Joe, you were once speakin' about a wench to me. Who was she?" His brow wrinkled in thought, his gnarled fingers scratched at his rusty beard.

The thought process of the Ganger was interrupted at that moment by the entrance of Carroty Sclatterguff.

47

"You don't make it all yourself, Moleskin Joe?" asked the priest.

"I've a mate," said Moleskin. "It's him that does all the heady work, the mixin' and the blendin'."

"What's the man's name?" Father Nolan inquired.

"Ah, that's it," said Moleskin winking.

"But where is it made?" the priest went on. "Near here?"

"If everyone knew where it's made, I'm afraid the job would soon come to an end," said Joe. "Now, Carroty, empty this jar into something. I want it, when I'm goin' back. If I haven't the jars back with me, no whisky to-morrow night."

At one o'clock in the morning a slight breeze made its way along the foothills and the fog cleared. It was now an easy matter for Moleskin to get back to the distillery, where he and his mate laboured. With three empty jars in his sack he started on the journey, feeling for some reason very cross with himself. He should have asked Father Nolan for news of Sheila. The girl was a Catholic, and the priest would certainly have known her. But Joe had not the courage to put the question.

Ganger Billy would hear him ask; also Carroty Sclatterguff. And on the day following every man in Glencorrie would know that Moleskin was in love. And love – what was it? Weakness, of which no navvy should be guilty. The men went with women at times when they had money to spare. But that was not love. Afterwards they spoke of intimate relations, their speech a medley of shameful expletives and filthy suggestions. But the women were no better than the men; their language as immodest, their appetites as bestial.

With them Moleskin had never any truck. He dreamt of women, but of women so entirely different that he could never enter the charmed circle in which they moved. He was a navvy, on the lowest order of the social plane.

And then came Sheila Cannon, came and stayed, and was still filling his life as much as she did years ago. He was thinking of her now as he entered a little cutting in the shadow of the hills. The passage, a short narrow fissure between two rocks rising fifty feet sheer, allowed passage for one individual only. Moleskin was almost through when his foot caught in a rope. He fell to the ground. Immediately something as weighty as the rocks which he had just passed fell upon him; a hand caught his throat, another gripped his arm, three or four fastened on his legs, a jar fell and was smashed to smithereens. His eyes gaped at figures that suddenly peopled the night; he took in the gleam of polished buttons, the brown of faces and the smell of uniforms which he knew too well.

"Easy!" he grunted. "Easy. I'll come like a lamb!"

## Chapter Six

## THE CAVE

Had Moleskin Joe continued his journey he would have made his way into a combe, a precipice girt cul-de-sac that came to an abrupt termination at the base of a cliff, two hundred feet in height. Branching off at right angles from the cliff was a deep narrow defile overhung by hair-poised boulders.

At the termination of the gorge a dark cave burrowed into the earth and had within it the first necessity of distillation – a sufficient stream of water falling from a height. This dropped through a fissure in the roof and fell to the floor.

Near the entrance a slow peat fire burned in a circle of stones, and round this was an assortment of barrels, jars, and pails. The close atmosphere was filled with the putrid stench of warm grain, disused barm, smoke, soot, and sediment.

The place was filthy, the dull fire intensified the squalor of the oozing walls, filthy roof and the mucky floor. Black obscurity bundled itself into angles, recesses and unfathomable corners, as if cloaking something fell and hideous.

In this darkness a shade came forward, and entered the circle of firelight. The shade took on the form of a young man of thirty or thereabout – Moleskin's partner, Tom Jones.

Throwing a block of wood on the fire, he stood for a moment looking moodily into the dying embers, then, as if overcome with some emotion, he sat down on the floor, buried his face in the cup of his hands and sank into reverie. The fire blazed up and lit the cave and all the appurtenances of the work carried on there – a still, with its worm, condenser, and spigot; barrels of fermenting malt and quiescent wort; jugs of hop juice, sacks of grain, bottles of paraffin.

"Dammit!" grunted the man, raising his face from his hands and looking round. A dark flush overspread his countenance. In the light of the burning log his face was almost handsome. "Dammit! 'twasn't altogether playing the game!"

Tom Jones, otherwise Malcolm Davis, was the son of Ganger Davis, and the only child. His father conceived hopes for his son and sent him to a good school where he gained a scholarship. In due course the son went to a University, but there his ways were disappointing. The youngster was dilatory in his studies, even in the study of that in which he took more than a passing interest – chemistry.

He left the University with a paltry degree, but by virtue of a knowledge of chemistry, he obtained a minor post in a pharmaceutical laboratory. Davis worked here for three years, putting in barely the necessary number of hours, never early in arrival in the morning nor late in leaving at night – a worker with no zeal and no ambition. The father still sent the money for the son's books. Old Ganger Davis, filled with the simplicity on which live the sharks of society – sharks financial, religious and medical – paid and paid, and gloried in the paying.

In the early days of the war Malcolm obtained a commission in the army. His service in the field was without blemish, and without distinction. The war at an end, he came back to his post in the laboratory, but left in disgrace a few months afterwards. Cheques representing payments of debts had been dishonoured, his tailor, landlady, and tobacconist being amongst the creditors. The alias, "Tom Jones," was adopted on several occasions, and finally made permanent. Of this change of name the father knew nothing. He still addressed letters to Malcolm Davis, Esquire, Street So-and-So, thought by the father to be the boy's lodging, but was in reality a bucket shop – anyone's address on payment of a penny or two for each letter received.

"Tom Jones" had been necessary for many reasons, but principally to hide himself from his two wives. He had married twice: his first wife was a pretty golden-haired little nurse, who attended him when he came back wounded to a base hospital in France. He was sent to London; the girl followed, and in the summer of 1916 the pair were married. A fortnight's honeymoon was spent in Devon, and in that fortnight they found that they had very little in common. Marjorie prided herself on her musical accomplishments and wished her talent to be appreciated; Malcolm was tone-deaf and hated the piano. He was a cynic, she a sentimentalist; he read Goethe and Heine, she Corelli and Wilcox; he was interested in horse racing, and she considered betting one of the evils of civilization. The only bond between them was a physical one – the shortest lived.

At the end of the honeymoon they went their various ways – he to the trenches, she to her duties as a Red Cross nurse. Afterwards he heard that Marjorie was carrying on a mild flirtation with a medical officer named Taylor, who worked in her hospital. Time enough to see about that when the war was at an end, he thought. Anyhow – it did not matter a damn. He would act in the same way.

Towards the end of 1917 he came to England on leave, and in the mad, feverish moments of ecstacy which were those of young men reprieved for a moment from the gouged alleys of death and destruction, Malcolm met a girl and fell head over heels in love with her.

She was a Catholic working girl, intellectually far beneath him, morally far surpassing him. But her faith and innate purity kept her inviolable in the emotional epidemic of the period; her honour was proof against the blandishments of an officer's uniform. Davis, knowing much of the world, was prone to love and ride away. But this girl was different from any he had previously known. The intimate dalliance which he desired was denied him as a lover. He married the girl.

As with the first, he regretted the second marriage contract almost as soon as it was made, although the first few days and the few others which made up his leave from the battlefield had a certain piquancy of their own. Simple and unlettered, the girl nevertheless managed to be interesting for a time, but when the war came to an end Malcolm realized that from then on she would always be his – his company noon and night, waking and sleeping. He had to take her with him wherever he went, his house hers, his table hers, his bed hers. Then would come children – and these he hated. He had been caught in a snare.

Free from khaki, he lived with her for a fortnight in the town of Carlisle. At the end of that time he spoke to her:

"I'm going to Edinburgh," he said. "I've work to do there."

"A job, Malcolm?" she queried.

"I would not exactly term it a job," he said coldly. "It is a continuation of my studies in chemistry."

She felt that he was talking down to her. Studies in chemistry were far beyond her province. Apart from her book of prayers, she had not read a book in her life.

"And when will we be going?" she asked him.

"I am going alone," was his answer.

"Without me?"

"Well, what can you do?" he asked. "I must get rooms. You'll have to pull along by yourself for a while. I'll send you money."

"But when can I be with you, Malcolm?" she entreated. "I must be with you when, when –" she stammered, blushed, and was silent. The man cast a covert glance at her figure and noticed that the lines of the girlish body had lost a little of their maiden symmetry.

"Well, you cannot come with me now," said the man. "In a week or a fortnight; as soon as I can get a place ready."

He went away. For a while he sent money, not very much; but the young wife was able to pull along somehow. Then when his job came to a sudden termination, when he was flung out on the houseless world without prospect of reinstatement, he ceased writing to her.

The little spark of manhood which was his forbade him calling upon his father in the difficulty. When he worked there was always the possibility of repaying the old man one day. But stronger than compunction was his conceit, that conceit which debarred the young man from introducing his illiterate father to his stylish mates in the old days. Perhaps that prevented him from soliciting the old man in his present predicament.

His father, however, helped him in an indirect way. When very young, Malcolm came into touch with the navvies and got to know their ways and their needs. Why not bring the public-house to their doors? Malcolm argued. This was the idea in his mind when he encountered Moleskin Joe. Testing Moleskin as he did, and finding him a man fit for any emergency, he joined with him, and the two brought the pub (unlicensed) to Glencorrie waterworks.

For five months they had worked together. Davis was treasurer and distiller and remained in the confines of the cave. None of the navvies, as far as he knew, had ever set eyes on him. Moleskin was the man-of-all-works, especially the works that were dirty and difficult; it was he who scrounged the moorland for peat and kindling, the navvy habitation for pails and barrels; it was he who did the weekly journey to Dunrobin, purchased barley grain, oatmeal, meal seed, and induced carters to cart it to Glencorrie. Where the roads panned out and man was necessary as a beast of burden, Joe delivered the goods to the mountain distillery. Afterwards he traded with his mates, supplied them with the liquor they loved, and received payment. This money was kept in trust by Davis. At the end of the season, when the job would come to an end, profits would be divided between the two.

The police had got wind of the business at a very early date. Two Dunrobin officials, strong Highlanders, came and made inquiries. Of course no navvy had ever drunk mountain dew; they had heard of people making it, not in Glencorrie, of course, but in Wales. They remembered years ago when building the waterworks in Tonypandy. But to drink it? No! It never sat on their stomachs! ... And even when listening to the story, the police smelt breath flavoured with illicit tipple distilled less than twenty-four hours previously.

The police withdrew, and returned a few nights afterwards.

It was then that Moleskin Joe ran across them. What occurred on that momentous occasion was never known, but Dunrobin gossip has it that one man returned to the station without his tunic and the other without his trousers.

For a while afterwards the distillers lived in comparative security, but eventually the law appeared in stronger force, less obtrusive, but more deadly. New workers came into Glencorrie, men attired in the ancient appointments of the time-bitten pioneers, and obtained work. Moleskin Joe, when going back with his jars at midnight, found himself followed by two of these men. He had never trusted them, for though their clothes were fitting, their manner of handling a crowbar and shovel was not above reproach. Plying them with questions, Joe found that they knew little of the traditions of the trade – that they were, in fact, C.I.D. merchants. Moleskin handed them over to Sid the Slogger, Tom the Moocher, and others, and on the following morning they left for the nearest hospital and never returned again.

The State was not done yet, however. At the end of four months it sent its paid servitors to scour the glens and hills of the district. Policemen were suddenly found springing up from the most unexpected quarters. A navvy would go out in the evening for a pail of water. Just to boil up for a billy of tea, or bathe an aching foot. On his way back a hand would suddenly spring out of the darkness, fasten on his collar. The pail would be taken from him, its contents smelt and tasted by men in uniform.

Getting back to his shack, the yarn told by the navvy would lose nothing in its telling. Immediately his mates would go out, armed with picks and shovels, and spend hours in fruitless search. Coming back they would beat the man who sent them out on such a wild-goose chase.

Malcolm Davis heard of the happenings and was much troubled. He could carry on for six months more, to the finish of the job, if the police did not disturb him. By that time he would have some six thousand pounds in his possession. Half that would go to Tom Jones, half to himself. But he did not intend to give any to the trustful Moleskin.

Something had to be given to the uniformed hounds however. A bone, and what better than throwing Moleskin to them? Give Moleskin up, lie low for a fortnight, until all suspicion was over and then start again. This was the plan of Malcolm Davis.

The first move was successful. Moleskin was already on his way to prison. To-morrow Malcolm would leave the district, put most of his money in the bank, have a jolly good time and return to the still at the end of a fortnight. Then a few months' hard work, and by the time the police troubled again about the place the job would be near its end and Malcolm Davis in possession of a snug little fortune.

53

These were his dreams as he sat in the distillery, smoking endless cigarettes and now and again throwing wooden blocks into the fire. He was happy. The future stretched before him, rosy, resplendent; the past had no regrets.

He sat there entirely unashamed of any action committed. The women he loved and who loved him were past history. He thought of Marjorie, the golden haired nurse, of Sheila, the little workgirl. They no longer existed for the man.

The father who adored him was flouted, the mate who trusted him betrayed, and Malcolm Davis, smoking his cigarettes, was at that moment wondering which would afford him most enjoyment, a week in Paris or a fortnight in London.

"That is the only thing to be done," he told himself. "I've got to leave here for a while, and I think it has to be Paris. But I'm going to be careful –"

Where and when he had to be careful was never disclosed at that moment. He was looking towards the door, his eyes taking in vaguely the glint of wet stones reflecting the glow of the still-room fire. Something which might have been taken for a white stone, socketed in a dark niche of the defile immediately opposite, altered its location in space. It moved. Davis breathed hard for a moment, his eyes dilated and one hand slid quietly towards his pocket.

"It's nothing!" he told himself. His eyes were still on it, whatever it happened to be. It stood quite still now, like a rather bedraggled mask glued on to a wall of dark muslin. "It's all damned nerves!" he grunted angrily, pulling a cigarette box from his pocket.

At that moment the face moved, and came towards him. Davis gasped, and sprang to his feet, mesmerized. The eyes which he fixed on the face were dreadfully vacant. As in a dream he saw the face settling itself down upon the shoulders and body of a human being dressed in a waterproof coat.

"Well, Mr. Davis, is this where I find you again?" was the newcomer's question.

"Yes!" Davis stammered, still in a trance. "Who are you?"

"You don't remember me?" asked the stranger. "I'm told that I look very young for my years. But you, Mr. Davis, have aged a little since I saw you last." The speaker unbuttoned his waterproof and disclosed a cleric's uniform. "Know me now, Mr. Davis?" he inquired.

"I'm afraid I do not," was the distiller's answer. But he had in reality recognized the clergyman as Father Nolan, "Have you got lost, sir?" he asked.

"No, I haven't got lost," the priest made answer. "But I am

54

looking for one who has; for you, Malcolm Davis. Now, you know me, Father Nolan, the old priest who married you to Sheila Cannon four years ago."

"Married me?" asked Davis, feigning mystification. "Please sit down, and we'll discuss this matter." He shoved a block of wood towards the priest. "I'm sorry that I cannot offer you a better seat, but as you see, I'm labouring under certain disabilities here. You'll have a cigarette?" he suggested as the priest sat down.

"No, thank you," said Father Nolan, whose eyes were fixed on the younger man. "I seldom smoke –"

"Or drink?"

"Or drink."

"You're a wise man," said Davis, toying with a cigarette. He felt quite at ease with himself now. A parson! Anyway, he was glad Nolan had come. It would pass a few hours.

"I'll make a pot of tea," he said. "You would like that, wouldn't you, Father Nolan?"

"No, thank you," said the priest. "If we come to an agreement on the matter which has brought me here, I wouldn't mind having a cup of tea."

"Of course you wouldn't," Davis acquiesced. "Now, begin at the beginning and tell me how you got these ideas into your head and how you found your way here."

"I'll tell you all," said the priest readily. "In the first place I, in the year 1917, in the town of Carlisle, performed the sacrament of matrimony, over an officer in His Majesty's army, known as Malcolm Davis, and a girl, known as Sheila Cannon. The first was the son of William Davis, a foreman ganger, the other the daughter of Michael Cannon, then deceased. Do I make myself plain?"

"Yes, you do, Father Nolan," Davis admitted.

"A year ago, four years after the marriage ceremony, I went to Carlisle again and there I met Sheila Davis," the priest went on in a quiet voice. "She was very unhappy. Her husband had left her, and she had a little boy. She was out of work, a little hungry and a little ragged. Where her husband was she did not know."

"Why didn't she write to her husband's father?" Davis inquired. This was a feeler. Davis did not want his father to know.

"The navvy, like the bird of the air, has no address," said the priest. "The woman asked me to find out where her husband was and in my humble way I made inquiries. I got into touch with a pharmaceutical laboratory, a boarding house, a common lodging house, a navvy who knew this young Davis and saw him quite recently –"

"Ganger Davis?" asked the young man. His voice was calm,

but for some unaccountable reason, his cigarette dropped to the ground. The priest noticed this and pulled a cigar case from his pocket.

"Try one of these," he said. "I don't smoke myself, but some person has given me these. I gave Ganger Davis one a short time ago. He doesn't smoke them, but he kept it – for his son."

"His son?" asked Davis in a whisper. He had a sudden weak moment. He almost threw himself on the visitor's mercy to confess, let Father Nolan know. That is, if Nolan did not know already. He did know! The thought sobered Davis, and he straightened his back. "No thank you," he laughed. "I don't care for cigars."

For a moment there was a strained silence.

"And does the father know where the son is?" he inquired.

"He doesn't know, and there is only one way in which he never will know and that rests in the hands of the son. If the son goes back to his wife, stays with her and be all that a good husband should be, give up the evil course which he has taken –"

"Easy a moment, Father Nolan," said Davis. "This is a very interesting case. There is a lot to be said in favour of the wife, in favour of the father, but perhaps we may find excuses for the husband and the son."

"I am ready to listen to any excuses," said the priest.

"At the start, Father Nolan, you'll grant that war changes the outlook of most people?" asked Davis.

"Yes, God forgive us." Possibly at that moment the priest recollected his own misdemeanour with a bayonet.

"Now suppose an officer came back on leave from the trenches, that this officer had no home, that he was an educated man, that he had a feeling that it was ten to one against his living through the next six months of flying scrap-iron, that he had all the joy and urge of life, that he met a young maiden, and fell madly in love with her, that he would have gone to hell for her at that moment, that love to her meant marriage, what should he have done?"

"Get married to the girl if she returned his love."

"He did," said Davis, "and regretted it ever afterwards."

"But he should have considered this beforehand," said the priest.

"They never considered, not, anyway, at that period of the world's history." The face of Davis had not changed. "The life then, Father! Careless, unmoral, gallant. The sinful young men were the fashion then. Promiscuity, adultery, was exuberant life force seeking an outlet. Young men were going to die. Young girls gave them their bodies; old women gave them their blessing.

Medals for the war-babies! Free medical treatment for the prostitutes!"

"This young man?" the priest inquired.

"He came back," said Davis. "He found that a woman's piquant lack of polish, artificial allurements, and grammar, though a dainty relish for a month of love, is poor substance for a steady diet."

"And then?"

"For some people attainment spells the end of desire and this young man was one," said Davis in a cold dispirited tone as if the matter had no further interest for him.

"And if this man knew that the girl loved him very much, that she wept long and sorely for him, that in agony she bore a child which is his, that her heart sorrows for him still, would he not in pity, if not in love, go back to her again and make her happy?" asked the priest.

"But how can he go back?" cried Davis angrily. "He left her, his purse as empty as hers. For a while he was able to make a little and he sent her part of this. Then came poverty and ever since 'tis poverty, all the time –"

"But he is making money now," said the priest; "making it in an evil way, God forgive him, and why doesn't he send her some? Why doesn't he?"

"What do you mean, sir!" he stammered.

"Mean!" Father Nolan got to his feet and looked at Davis. "Mean, you dirty little shrimp! I mean, God forgive me for it, to give you the best hiding you've ever got in your life. I'll have that hand, too!" he grunted, catching the one that was sliding towards the hip-pocket. "Didn't know me, eh? You'll know me before I'm finished with you. If it wasn't that I respect your poor father so much, I'd have taken the police here; if it wasn't that I respect your wife so much, I'd take you to the police. Trying to get away, you squirming rat!" Father Nolan twisted him round a few times. Davis was as nothing in the priest's powerful arms. "Sit down there!" He shoved him on the seat, still keeping grip of his hands. "For her own safety and her own happiness you had better stay where you are, but every penny you possess is handed over to me now, and the money goes to your wife in Carlisle tomorrow morning!"

On the following morning a letter, accompanied by a postal order for twenty pounds, was sent to Sheila Davis. Father Nolan was the sender.

## Chapter Seven

## THE RETURN

In the fact that on that evening Sid the Slogger transferred a noggin of spirits, from mouth to stomach without moving his Adam's apple, that Pig-iron Burke swore for five consecutive minutes and never used the same swear word twice, that ten gamblers, sitting to their game of cards had ten pick-shafts in readiness for a row, that each player had at least one card up his sleeve, that Digger Marley concealed a pack and mixed it with the other cards to his own advantage, there was nothing unusual. These facts were the ordinary of an evening in Windy Corner.

"Sclatterguff, what the devil's keepin' you?"

Pig-iron Burke shouted from the gambling table to the crook-backed man, who was going round the apartment, a two-gallon jar under his arm, a pannikin in his hand, serving spirits.

"I'm trudgin' laboriously towards you," Sclatterguff grunted.

"Dunno how old Moleskin's gettin' on tonight!" said Pig-iron Burke, smacking his lips in anticipation of the drink that was coming.

"Dunno," said the Moocher, licking his lips.

"'Twas dirty, lettin' Moleskin be run in," Sclatterguff remarked. "'Twas all a made-up thing, that's what I say."

"What do you know about it?" asked Ganger Billy. "You're full up!"

"Full, I may be, but firm," said the man. "Joe's a scapegoat; that's what he is, a prawn in the game!"

"Then more a fool him to let the polis nab him," the Moocher remarked.

"As long as we get this duty-free what else matters?" Sid the Slogger addressed the shack.

"It's wrong!" shouted Sclatterguff, putting the jar on the floor and sitting on it. "I'm an old man, but I hate dirty work, and I don't like to think of my ole pal, Moleskin Joe, in the lock-up."

"Sentimental!" laughed Ganger Billy.

"What is Moleskin?" asked Sclatterguff with feeling. "A big child, and nothin' more. Who'll say no to that?" He was suddenly aggressive. Under the naphtha flare his face had the hue of dry time-worn leather. "I know more about Moleskin than most of you know. He was gone on a wench!"

"Eh?"

The eyes of the gamblers, sunk forward to within an inch of their favoured cards, as if trying to read the secret which their

58

turn up would reveal, swerved round and rested on Sclatterguff.

"Who's the wench?" asked Ganger Billy.

"A girl named Sheila Cannon," said Sclatterguff.

"The one that was almost drownded when the Hermiston Waterworks broke seven years ago, her that Moleskin saved! Is that the wench?" asked Tom the Moocher.

"That's her."

"Handsome piece of goods!" was Ganger Billy's dry comment. "I've never seen her since then."

"Moleskin lost sight of her when you did, and didn't see her either up to six months ago," said Sclatterguff. "Then he saw her in Carlisle goin' by on a tram-car, so he came up here!"

"Up here!" exclaimed Ganger Billy. "What the hell did he come up here for?" He tapped the bowl of his pipe on the stove, and looked at Sclatterguff.

"Moleskin hadn't a penny at the time!" said Sclatterguff. "He was broke, and once he had two hundred and fifty pounds. He made it all in the war, and he wanted to marry the wench when he got out o' the army. He didn't know where she was, so he set out to look for her. And one night, when he was in Sam Lighter's lodgin' house in Newcastle, somebody pinched his money, and what took place then was a terrible collusion." Carroty spat into the stove. "He put his back to the door and searched everybody. And there were tough cusses there, but none as tough as Moleskin himself. He didn't get the money. He got six months for kickin' up a dust. But when he saw the lass in Carlisle he came here to make a fortune by the mountain dew. He was goin' back to marry her. But see where he is now! Doin' three months' hard because he trusted his pal, that red-haired limb of the devil, Tom Jones."

"What had Tom Jones to do with it?" asked the Moocher.

"The polis were about here at the time, and Tom Jones knew that if one man was caught, the polis would be satisfied for a time, anyway, and he was right. They haven't come back here since then, and Jones is making the booze as prior."

"But they're on the look-out again," Tom the Moocher remarked. "The county police offer a reward for anyone that will give the booze merchant up!"

"Fifty pounds it is again," said the Ganger thoughtfully. "We're a score of miles from a boozer; we want our drop of tipple, and God keep the man that goes between us and it. If anyone does, I'll brain him, down him and gouge his eyes out."

Sid the Slogger hit the table with a calloused fist; the money danced, the cards rose and fluttered to the ground. "That's what I'll do!"

"That's what you won't do, Slogger!"

At the sound of a loud strident voice the gamblers sprang to their feet. Sclatterguff rose so hurriedly that he overturned the jar but was not conscious of the calamity. All looked at the speaker, a man of some thirty odd years, who had just entered. The newcomer was six feet or more in height, clean-shaven, magnificently built and not unhandsome. He wore an overcoat, and one of his hands was fastened on the collar of Sid the Slogger.

"Holy hell! it's Moleskin Joe! Where – where," he stammered in great trepidation, "where have you sprung out o'?"

Eyes glared out of the smoke laden atmosphere, one or two men stepped timidly towards the new arrival. Sclatterguff caught Moleskin's hand and felt it.

" 'Tis Moleskin!" he shouted. "I wouldn't go by his face, it's too clean. But I'd know him by his fist. Never saw anything more like a sledge-hammer in my life. My soul to the devil, but I'm glad to see you back, Moleskin Joe!" he laughed, hitting Moleskin on the back.

"But – but you're supposed to be doin' three months' hard!" The look which the Slogger fixed on Moleskin was vacant and helpless.

"Three months," was the newcomer's grim admission.

"But you were only in a month!" gasped Marley. "How did you get out?"

"Got your ticket?" the Ganger inquired.

"Got it," said Moleskin loosing his grip on the Slogger's shoulder. "But it took coaxing! I coaxed the warder to give me his coat and hat. My thumb was on his thrapple at the time – "

"Ah, well!" exclaimed Marley, who saw the solution of the problem before the others recovered from their suprise.

"Then the bloke at the gate asked me to show my pass as I was goin' out. I showed it to him," said Moleskin, making play with his fist. "Then I took to my heels with all the polis in Glasgow after me. The ones that chased me were unlucky, but not as unlucky as them that tried to stop me. And here I am now – and for the love o' Mike give me a pipe!"

Three pipes, loaded and lighted, were handed to the newcomer.

"But that's not the overcoat you left quod in?" asked Sclatterguff, fingering Moleskin's appointments.

"A little bit o' Heaven!" Moleskin remarked, sitting down and puffing mightily. "I had a change in Paisley. 'Twas a close shave that time!"

"Moleskin!"

Ganger Davis spoke.

"Well, old cock?" asked Moleskin.

"If I may tip you the wink, clear out't," said the Ganger. "There are too many polis about, too many." He fixed a startled look on the window. "It's not safe."

"There's not much in life, if it's always safe," was Moleskin's admission. He was almost hidden in the wreaths of his own smoking. "How many polis round here?"

"Thirty, if a man," said the Ganger.

"How many navvies?"

"Four hundred."

"Well, it's a mangy gatherin' of toe-rags," said Moleskin with the dispassionate air of one who looked on matters from a distance. "In the old days one buck-navvy sober was as good as three polis and drunk as good as a score."

"That's the game!" chortled the Slogger. "But what did you mean, Moleskin, when I said that I'd do anyone in that would give our tipple merchant up, and you said what you said? You're not goin' to help the polis, are you?"

"Me!" There was rebuke in the syllable, the chilling rebuke of a man, whose first law was the impeding of police in the execution of their duty.

"Well, what's the game?" asked the Moocher.

"This is the game!" Moleskin got to his feet, took off his coat and disclosed a convict garb worn beneath. He pointed his finger at a pannikin which stood on the table. "I want to settle up with the bloke who makes this, the bloke that got me into this uniform. That's all!"

"Aye," was the remark of the shack. "And what are you goin' to do?"

"When the polis were takin' me off that night, I found that one of them was an old butty o' my own in France in the old days," said Moleskin in a slow quiet voice. "He was a good fellow, and a great pity that he wasted himself on a job like a polisman. But anyway, he tipped me the wink that it was Jones, my mate, that gave me up. Course, the polisman didn't know that he was my butty –"

"And what now?" asked Sid the Slogger. "You're here and he's still on the doin's, sellin' it by the gallon. He got you out of the road, and the polis thought it would stop when they had you, and now your old mate has the free hand."

"What would you fellows do with him?" asked Moleskin.

"I'm not in your skin to know that," was the Ganger's answer.

"Now, if I'd do him in?" Moleskin propounded.

"You'll swing for it!" The Ganger's voice was grim.

"Well, I, for one, would as soon spend a minute on a rope as spend years on a plank." Moleskin spoke very slowly as if taking pleasure in his words.

"Then put this into you!" said the Moocher, handing Moleskin a full pannikin. "If you're wantin' to do a man in, I don't see why the devil I should spoil your game. I'm not the one to have a grudge again' you when you're takin' a thing so much to heart."

"Still up above in the cave, is he?" Moleskin inquired, bending his thumb towards the hills.

"Aye; still roostin' there," said Slatterguff. "Why're you askin'?"

"Was only just puttin' the question," replied Moleskin.

For a moment there was quiet, and outside could be heard the wind whistling on the hills, then came a sound as if somebody were knocking at the door. But none except Moleskin was conscious of this. Under the exceptional circumstances he was alert to every noise.

Tom the Moocher was on his feet, drowning the memory of gambling losses in song. As he sang the men disported themselves, some dancing to the measure, kicking at all inanimate objects within leg reach; two engaged in mock fisticuffs, but accidentally or purposely drawing blood. Apart from the two disputants nobody was particularly interested in the fight.

"Somebody's knockin'!" said the Moocher, coming to the end of his song. "Some potwalloper from Glasgow out o' a job!"

"The polis, maybe," said Moleskin, his lips tightening as he rose to his feet. Lifting a pick-handle he went to the door, stood to one side and pulled it open.

"Come in!" he called. "But if you're up to bleedin' mischief you'd better stay out!"

With hand taut on his weapon, he waited.

*Chapter Eight*

## CUNNING ISAACS

He who had been knocking came in, took two steps forward, one back, and with finger in mouth looked at the assembly. For a moment there was a great silence – wonderment coupled with awe. The one who stood at the door was a little boy.

His age might have been four, his hair, brown and curling, hung down in ringlets over a charming little face, pitifully pinched and drawn. Poorly dressed, his clothing was a mere gathering of patches insecurely held. He was bootless, but as if to

62

make up for this deficiency he wore two socks on each foot, each sock differing in texture and colour from its neighbours. These, having nothing to hold them up, curled down over the boy's ankles, and as the trousers, enormous in width, came no lower than the knees, the youngster's shins, white where the skin was taut on the bone, and blue where the flesh had more body, were a sad testimony to the cold night outside.

"Gawr!" exclaimed the startled Moleskin, "A nipper! Where have you come from?"

The youngster gazed at Moleskin for a moment, then looked to the floor again.

"Here, what do they call you?" The convict came a step nearer and put his hand on the boy's shoulder.

The youngster shook his head, without looking up.

"Now, nipper," said Moleskin coaxingly, "what does your daddy call you?" Again the boy shook his head.

"Well, your mummy, now?"

"Cunnin' Ithaac," was the astonishing answer.

"Hear that, boys!" roared Joe. "Cunnin' Isaacs! Ha! ha! And are you a cunnin' nipper?"

Isaacs nodded vigorously. There was no doubt about it.

"You're startin' early," said the Slogger, who was now so interested in the newcomer that he left his cards on the table, as well as a few shillings which he had made. That Marley pocketed the money was a fact not noted at the time. The boy nodded in answer to the Slogger's query, but shrank in terror when the questioner approached him, and when the Slogger stretched a miry hand towards him, the youngster rushed to Moleskin, gripped the convict's trousers and hid behind the man.

"Now, don't be feeard o' him, but tell us where your mummy is?" Moleskin patted the boy's head as he put the question.

"Mummy dorn away."

"Away? Where?"

"Dorn away," was the vague answer. "Wanted mummy. Then I wunned away. Was fwightened, vevy fwightened! Where mummy?" he sobbed, clinging to the convict's leg.

"Well, ask me another!" said the mystified Moleskin. "It's more than I know. But it's all right. She'll be back, if you just sit down here and warm yourself."

He caught the boy, carried him to the stove and placed him on a form before the fire. Tom the Moocher brought a pillow from the bunk, and held it out to Moleskin.

"Put that under the poor wee devil!" said the Moocher. "What age are you?"

"I'se vevy old," was Isaacs' reply. "And mummy's goin' to get me a hoss, a big white hoss!" he went on, with childish irrelevance.

"A big white hoss!" said the Moocher. "And your mummy will get it for you?"

"Now, settle down, and warm yourself!" said Moleskin hurriedly. "And I'll bet that you're very hungry."

"I'se vevy hungwy." The boy spoke with emphasis. "And mummy vevy hungwy, too." He rubbed his eyes as if on the point of crying.

"Now you're not to cry," said Sclatterguff. In his maudlin voice there was sympathy. "A man that's goin' to be a buck-navvy never cries."

The other members of the squad were now rummaging amidst their appointments, dragging forth articles of food from the secret recesses of confinement. Digger Marley produced a silver-plated teapot and brought it to Moleskin. The convict had just placed a billy-can of water on the stove.

"Make the tea in this," ordered Marley. "It's better'n the billy."

"Silver! Where did you pick this up?" Moleskin exclaimed, catching the teapot and scrutinizing it. "And what's this writin' on it? 'Station Hotel, Wigan.' H'm!"

"And here's a mug for the nipper!" said Pig-iron Burke, placing a delf mug on the form beside the boy. "Y.M.C.A.," he explained.

"Here, sit on my knee and I'll give you a nice ride!" Sclatterguff, not to be outdone, caught the child and lifted him on his knee.

"What are *you* stickin' yerself in for, Sclatterguff?" grumbled the Moocher. "Always comin' where you're not wanted! What d'ye know about kids?"

"Have kids as big as you if I knew where they were," said Sclatterguff, settling himself on the form, Cunning Isaacs on his knee. "Now, my wee laddie, you eat up and I'll sing a song to you." And without another word, Sclatterguff, who had a bit of a voice, even in drunkenness, let himself rip, to use his own words.

"Gawr! It's a long while since I've sung that," said the singer thoughtfully, and there was a note of sadness in his voice. "And you" – he looked at the boy whom he was dandling on his knee – "that's the song for you! There's the hoss, a white one, and you'll go to the town –"

"Polis in town," said the youngster. "Mummy not like polis. They tell her 'move on!'"

"There's be no polis in the town when you go, my boy," Moleskin remarked, handing a mess-tin of tea to Isaacs. "We'll go with you, and we'll put the polis into the river and sit on them!"

"Sit on them!" laughed the boy, taking the mess-tin.

"That's the style, Isaacs!" The delighted Moleskin handed him another sandwich. The child had three already, three of navvy pattern — a loaf in two slices with a chop between. "We'll make a man of you, a buck-navvy."

"Well, I suppose we'll have to give him up to-morrow to the polis," said the Moocher. "There'll be inquiries made and we've got to hand him over. I suppose the polis will be here in the mornin'."

"The polis may come, but they'll be damned lucky if they get back," roared Moleskin. "If his mummy doesn't come he stays here!"

"What's up your neck now?" asked Sclatterguff, looking at the escaped convict.

"Nothin' much, Carroty. But I don't want a nipper like that to go into the poor-house. It's another shuffle when a man goes in. He can go in for the night, and come out in the mornin'. But put a boy in, he stays — he sticks! It takes the guts out o' him. I was a poor-house brat and I haven't got over it yet."

"But what can we do with him here?" asked the Moocher.

"Well, I don't see anything wrong with us housin' him here," said Moleskin. "A bit o' a bunk and a bit o' grub, and that's all he'll want. Our sooveneer, Cunnin' Isaacs!"

"Aye, and you'll be Daddy Joe," said the Moocher with gentle sarcasm. "But, Daddy Joe, what will you do when the polis get hold of you? What'll you do when it comes to paddin' the hoof, on the dead-end with hundreds like you, not knowin' where to turn for bite or sup. Eh, Daddy Joe?"

"There's only one way of eatin', but there's more than one way of gettin' grub." Moleskin assumed an air of wisdom. "And, anyway, I've often fed myself for weeks, by walkin' in the dark and trippin' against chickens!"

"So you're goin' to take him with you?"

"I might do worse than that."

"And what about the man you're goin' to kill?" asked the Moocher.

"That won't take long," said Moleskin blandly. "But whatever else turns up, I'm not goin' to let Cunnin' Isaacs into the work-house. Isn't that the ticket, Cunnin' Isaacs?" he inquired, looking at the boy.

"Ticket, Daddy Joe," was Isaacs' startling reply.

"Oh, Lawr!" exclaimed Moleskin, fixing a shamefaced look on the inmates of the shack. "Now aren't you tired?"

"Vevy tired," said the youngster. "But must say pwayers. Mummy cwy me not say pwayers!"

"Well, I'm damned!" Moleskin exclaimed. For a moment he felt nonplussed.

Isaacs slipped off Moleskin's knees, ran to a bunk and knelt there. Like all boys' prayers, it did not occupy much time of his waking day. He finished, blessed himself and got to his feet.

"Now, come on, old son." Moleskin caught the little one in his arms. "There's only one thing to be done with nippers when they're tired. Come on, Ikey Mo!" He threw the child on a bunk, and tickled his ribs till the youngster crowed with delight.

"Now, cuddle up and ye'll be as snug as a bug in a rug," said Moleskin to the child.

"Who was it that was goin' to kill a man?" asked the Moocher in scorn. The man was jealous.

"Daddy Joe!" roared the shack in unison. The feeling of envy was not the Moocher's alone.

"Lookin' for trouble, some o' ye, ain't ye?" Moleskin inquired, glowering at the assembly.

"We're fond o' the kid as you are, Moleskin," Tom the Moocher grumbled. "Guess I'll take a share in him."

"And what about me, eh?" asked Digger Marley.

"I heard him knock first," said the Moocher.

"And who sung to him?" asked Sclatterguff.

"Aye, but who did he come to first of all?" Moleskin rose to his full six feet two, as he put the question. "Whose leg did he grip hold of" – he slapped his trousers as he spoke – "when he ran away from that hairy-faced lodgin' house smelt!" He pointed a withering finger at Sid the Slogger.

"Me love Daddy Joe!" came the little voice from the bunk and Isaacs peeped across his blankets at Moleskin.

"There!" said the big man, proud of the recommendation. "There, is that not enough for all of you?"

The child, with that swift play of thought which runs to subjects that have no palpable connection with anything that has gone before, lay back in his bunk, and looking up at "Daddy Joe" informed him that there was a big blister on his heel.

"A big blister, sonny?" Moleskin was all concern. "But don't trouble. It will be away to-morrow!"

"When will mummy come?" asked the boy, stretching himself out as Moleskin suggested.

"To-morrow morning as soon as you wake up, she'll be here. Now get to doss. And you" – Moleskin looked fiercely at the inmates of the shack – "keep quiet!"

Talk was hushed. The men, when they spoke, did so in whispers, and when they moved, changed their location in space on tiptoes. At the slightest movement, Moleskin, who sat on the

66

corner of the bunk, made violent gestures of disapproval. The boy's eyes were closed.

"Turn down the light, Carroty."

Carroty did as directed, and the shack was plunged into darkness. All sounds, all motion suddenly ceased, but here and there could be seen, when the eye became accustomed to the obscurity, the blurred outlines of seated figures and the dull glow of drawn pipes. The smell of the place, of damp wood, wet earth, rotten meat, decaying vegetable matter and rank tobacco, was heavy in the nostrils.

And in the midst of all this could be heard the voice of the convict. He was crooning the child's lullaby.

> *Two lovely black eyes!*
> *Oh, what a surprise!*
> *Got 'em for tellin' a man he was drunk ...*
> *Two lovely black eyes!*

"Dossin', Cunnin' Isaacs?" he inquired in a whisper.
"Dossin', Daddy Joe," said the youngster sleepily.
The song was continued softly:

> *Two lovely black eyes!*
> *Oh, what a surprise!*
> *Oh, what a surprise!*

"Dossin', Isaacs?"

There was no answer. Moleskin rose to his feet.

"Well," he remarked. "We've got him now, and what the hell are we goin' to do with him? And where has he left his mummy?"

*Chapter Nine*

THE OLD GRIND

Early the next morning the Glen showed itself to Moleskin's eyes. Westward the stars were bright over the hills, though the east had the first colours of the day. The air was fresh, and from afar came the sound of the gathering sea.

Round Glencorrie tarn, amidst the puddle piles, were the various implements of labour, cranes fixed and portable, carrying empty clay-crusted drums, a rake of muck wagons on the light railway, a feather of smoke already rising from the engine in front; claw-bars, crow-bars, huddles of iron, steel, wire and wood.

It must be confessed that the sight of the place in the early morning did not present a cheerful spectacle, though on the previous night there was a certain element of romance in the scene when Moleskin arrived there and looked upon the lighted shacks, the workers labouring in the halo of the naphtha lamps, and heard the broad jokes and loud laughter of the workers.

The second largest shack belonged to the ganger Macready, and it was to this shack that Moleskin directed his footsteps when the day cleared. Opening the door his nose was met with the exhalations begotten of night in a close sleeping place. There was nobody astir; all were still asleep, some in bunks, their territorial rights by virtue of the sum of fourpence paid to Macready. Others slept on the mucky floor.

Moleskin stepped across the shack to a bunk which one man had to himself. The other bunks contained three souls apiece, but Macready, for some unexplainable reason, was upholder of the one-man-one-bed principle and lost eightpence nightly on the whim.

"Macready!" Moleskin called, pulling down the sleeper's blanket.

"Wha-r-r-r!" grumbled the sleeper.

"Show a leg!" Moleskin commanded, pulling the blanket down a little further.

"What the devil are you pullin' at!" growled Macready, sitting up and fixing baleful eyes on the one who disturbed his slumber. "Canned every night the whole – Moleskin Joe!"

He put out his hand and gripped that of his visitor. Handshakes are uncommon amongst navvies. But the occasion demanded something superfluous.

"Carroty told me the story of your comin' last night," said Macready, his eyes still fixed on the visitor. "And he let split about a nipper that said his prayers, and your hymn singin', and 'Liar!' says I to Carroty, and 'Liar, you!' says he, the gin-gutted whelp, so I heaved him out. 'Twas at twelve o'clock, too. . . . And it is you?" he asked.

"To the nail of my big toe!" Moleskin admitted.

"Heave out't, you smelts," Macready roared, springing to his feet, and running along the line of bunks cleared them of their blankets. The sleepers, mother-naked, in shirts, or full working habit, grumbled into wakefulness. "Aye! what about it?" he asked, coming back to Moleskin.

"A job," said the ex-convict.

"Time?" inquired Macready.

"Never worked on time all my natural," said Moleskin. "Any piece work goin'?"

"Aye, Moleskin," said Macready thoughtfully. "There's a job goin'. There's an eighty-yard trench to be dug, for the pipin'."

"Ten yards off from the front of breastwork?" asked Moleskin.

"That's it."

"Depth?"

"Eight foot – but most of it mud!" said Macready.

"Aye! mud," laughed Moleskin. "We'll need more dynamite than shovel. One hundred and twenty pounds and I'll start. Somethin' in advance and new clothes."

"It'll have to be done in a week, and the price is fifty," said Macready.

"It'll be done in a week and the money is as I've said." Moleskin drew himself to his full height. "It's worth two hundred, that job. I'll go and ask the engineer what he's offerin'."

Moleskin of old had bested Macready on matters of finance, and the man feared him. Macready had really been offered two hundred guineas for the job, but wanted it done as cheaply as possible so that he could make a little on the transaction.

"A hundred and ten," he suggested.

"Twenty," said Moleskin.

"All right, and to the devil with you," was Macready's gentle acquiescence. "But you'll need a score of men."

"I'll do it with five!"

"Then you'll sweat!"

"We'll lather," said Moleskin. "I want a jacket, double breasted, a waistcoat, moleskin and ivory, a sweater, a cap and bluchers."

"Well, I'll see what I can do to oblige a pal," Macready muttered.

Going to a large chest which stood in the corner he unlocked it, threw the lid back, and pulled out a varied assortment of apparel, jackets and trousers, army and civilian, sweaters, waistcoats, singlets, pants, caps, socks and boots.

A certain amount of trading is carried on amongst the navvy fraternity. Those older in the craft lay in stores of food and clothing which they issue to the men on credit. The heel end of payday generally sees the men without a penny, and from a drunken sleep they often awakened skin-naked. Then the petty trader comes in and feeds, clothes at exorbitant prices.

Moleskin was now busy trying on a sweater. The broad-arrowed tunic lay on the floor at his feet.

"A jacket now." Moleskin spoke with business promptitude.

Macready handed him one. The buyer held it out at arm's length and surveyed it. It was decidedly sparse. He shook his head.

"Try this'n," said Macready, handing him another.

Moleskin tried the second one, buttoned it, pulled down the sleeves and squared his shoulders.

"Made for you, Moleskin, my boy!" There was approval in Macready's voice. "Your second skin! Born in it ye were!"

"Bluchers," Moleskin remarked.

"But there's nothin' wrong with them you're wearin," said Macready.

"Nothin'," Moleskin agreed, "but they're what I came out in."

He shed the slough of his servitude, and went out from Macready's shack in moleskin and ivory, kneestraps and bluchers, the traditional garb of the hard-horned navvy. Attired thus, he bore down upon Windy Corner.

Though verging on ten o'clock the child was still asleep and the navvies were only getting out of their bunks. Many of them had been out until three of that morning, searching for the mother, who, according to the child's confused statements of the previous evening, had come to Glencorrie. But who she was, what she was and why she had come to such a locality, was a matter of very vague conjecture. Women never came to such a place. The search in the darkness had been fruitless.

"She ain't much o' a woman, whoever she is, gallivantin' about the country, throwin' her kid on anybody as is fool enough to take care o't!" said Digger Marley.

Moleskin came across the floor and seated himself on the child's bunk.

"A reg'lar wash-out she is!" grunted the Moocher.

Moleskin looked up sharply.

"Who're ye speakin' about?" he demanded.

"Her that ran away and left the nipper here on our hands," said the Moocher.

Moleskin sprang to his feet, crossed the floor and looked down at the man.

"D'ye want to go out and do your work today?" he asked. "Or do you not want to go?"

"I should smile," said the Moocher, who looked a trifle uneasy.

"You'll smile on the other side of your mouth if you say another word against the nipper's mother," said Moleskin. "The same to you, Marley. If any of the two of you or anybody else says a word against her you'll not be able to do any work to-day, to-morrow – or for a fortnight. You know nothin' about the woman. You don't know who she is, what she's gone through – and kickin' a dog that's down is damned dirty work!"

"Hold yourself, Moleskin, hold yourself in," said Sclatterguff, who had already taken the precaution to move towards the door in case his advice was not followed.

The boy sat up in his bunk at that moment, looked round with unseeing eyes, and burst into tears.

"What's wrong, Ikey Mo, what's wrong?" asked Moleskin, running to him.

"Mummy," sobbed the youngster. "Want Mummy!"

The youngster fixed questioning eyes on the assembly. He was now really awake. Half a dozen tins of tea were held out towards him, and Sid the Slogger, pressing a finger on his own chin, muttered, "No whiskers," and blushed red as a schoolgirl when the admission left his lips.

"W'ere mummy?" asked the youngster, looking at Moleskin.

The ex-convict fed the child and cross-examined him. This required very skilful handling. Fifteen minutes elapsed and the sum total of the findings was: Mummy came to get him a white horse, he had a blister, mummy made him say prayers, he was on a tram-car and mummy paid twopence, and he had a banana.

"Why did mummy come to here?" asked Joe at the end of twenty minutes.

"Get me a white hoss."

"A white hoss – and – and –"

"A daddy!"

Moleskin whistled, and looked at Ganger Billy.

"That's it!" he exclaimed. "His daddy's here. How many married men on the job?"

"Scores!" was the Ganger's ready response.

"Do you think any of them is –"

"How the devil am I to know?" was the Ganger's answer. "I don't carry their marriage lines about with me."

One fact was now more or less clear. The child's mother had come to Glencorrie, and the father of the child was, or had been, in the locality. The only thing to be done now was to continue the search, find out what had happened to the mother and keep Cunning Isaacs until she was discovered.

"He's ours and it would be playin' it dirty on the nipper if we don't do all that we can do to make him as easy on it as we know how," said the ex-convict.

"We ain't goin' to gobble 'im up," protested the Moocher.

"And you'd better not," advised Moleskin.

"We're not bloody savages," the Slogger remarked.

"Ye've got to draw in on your language, Sid," muttered Moleskin. "Talk with words like them ain't for the ears of Cunnin' Isaacs!"

"And now," he added, his voice rising, "there's a job on for anyone as wants to work as the Almighty never asked a man to work in all his natural!"

"What is the nature of the operations?" asked Sclatterguff.

"Have you got rid o' them pains in your lummar regions?"

71

"They've utterly forsook me," said Sclatterguff.

"This job will give you them again," said Moleskin grimly.

"Pig-iron, Slogger, Marley, Moocher and Sclatterguff. That is five. Then I'm in, making seven!" Moleskin spoke thoughtfully and there was no trace of conceit in his voice. The men named gathered round him.

"What's the job?" asked the Moocher.

"Cock up her ears, till I spit somethin' into them. I've struck up a bargain with Macready about the pipin' – "

"Con-dew-it," mumbled Carroty.

"Hold your cack!" Moleskin shouted. "Eighty-yard trench in front of the breastwork, eight foot deep, hammer and jumper graft. A week for the doin's. A hundred and twenty quid for the gadget. Chancin' yer arms?"

"Six men for the job!" exclaimed Burke, and whistled.

"Pig-iron and Sclatterguff are out o't," said Moleskin. "They love work so much that they could lie beside it all day and look at it. I must get two others."

"I'm on it," said Burke.

"So'm I," said Carroty.

"That's settled then," said Moleskin. "Fair sharin' of the dough when it's over. I'm boss of the show. I give orders and I'm obeyed sharp. You've to run to it! If you fall don't take time to rise. Doss as if you don't hold with it. Grub as if it's a waste of time. Now to it, under weigh! Carroty, picks and shovels! Slogger, hammers and jumpers! Marley, dynamite!"

And so the work started. The men, usually careless and indifferent, seemed to undergo a transformation. A frenzy seized them and increased from moment to moment. They panted from their exertions, and though the day was sharp and bracing their faces were never dry.

"It's four o'clock," said Carroty on one occasion when they lay in the shelter of an atoll waiting for the dynamite to explode.

"Get a naphtha lamp, Slogger!" Moleskin ordered. "It'll soon be dark."

Under the torchlight they worked till nine.

"Carry on!" Moleskin commanded. "I'm goin' into Windy Corner."

"Grub?" inquired Marley.

"To put Isaacs to bed," was Moleskin's explanation.

They fed mightily at midnight, and set to work as soon as the last bite had crossed their lips. Moleskin, gifted with an enormous stock of energy, was indefatigable, and could speak, command while he worked. The others were silent, their muscles called on every atom of power that their bodies contained. All smokers, they had no recourse to pipes. Lighting was a waste of time; they chewed.

Their work saw the dawn in, the sun at meridian and setting. The stars came out again and sorted themselves in their eternal order. A naphtha lamp flared over the heads of the six workers, whose crowns were flush with the lip of the dug trench. The shack inmates were out watching the operations.

"Thirty-six and a half hours," said someone from the crowd. "Horse Roche did thirty-six and three-quarters."

Horse Roche, the noted figure of ancient history, was he who had handed in his check on the Somme battlefield.

"We'll go a quarter better," said Moleskin, and they did. Thirty-seven was their tally of hours.

That night, as on the previous night, they drank nothing. There was no drink to be obtained. Report had it that Tom Jones had packed up and gone for good.

"I must see into this bisness," was the comment of Moleskin Joe, and accompanied by Ganger Macready and a dozen others who wanted to see vengeance fulfilled, he went to the cave where the bootlegger carried on operations. The place was deserted. Tom Jones had gone.

"Must have heard of your gettin' out!" was the comment of Macready.

"Must have," said Moleskin in a despondent voice. "That's what comes of workin' too hard."

"Might as well have stayed in the lock-up, eh?" muttered Ganger Billy, who was one of the party.

"Ah! but there's Isaacs, ain't there?" asked Moleskin.

"Tom Jones hasn't broke the worm, burned the vat or done away with the still, so I think I'll try my hand at makin' the tipple I wasn't able to make a fist o'."

"But the blend, that's the thing," said the Slogger. "The knowin' how far to go and the knowin' when to stop!"

"I'll do it as good as any o' 'em!" Macready squared his shoulders and assumed the air of one who was fit for any project.

"But it ain't to be drunk at Windy Corner!" Moleskin, as if in answer to a challenge, squared his shoulders. Standing thus in the opening of the cave, his attitude gave one the impression of irresistible strength and power, and an inborn natural ferocity which he was keeping well in hand. "Not when the nipper and me's there!"

The next day the men were at work early and again the next. On the fourth day a tragedy happened. Pig-iron Burke was damping a charged bore-hole when a premature explosion took place. A flying rock hit his forehead and killed him.

"Poor Pig-iron!" said Marley, with some show of feeling. "Never saw one like him for slippin' an extra ace up his sleeve!"

"Had clever paws," said Moleskin. "Now, Carroty, you slap up a whack o' grub. There's the nipper comin' across to us. It's not a sight for him. Take him back to the shack, Slogger. Me and the Moocher will get a barrow. Marley, you dig the tippin'-hole."

Returning with the barrow, which they had cleaned for the occasion, the two men found their dead mate barefooted. Someone had stolen his boots.

"Pinchin' the boots off a stiff!" grunted the Moocher. "It's not above board!"

"No, it's not," was Moleskin's philosophic admission. "We ought to have took them off afore we went away."

Five-handed the work was continued; at noon on the sixth day the job was completed, and the workers were paid their wages.

Things were fairly quiet in Glencorrie, particularly in Windy Corner, where no whisky was drunk despite the fact that Ganger Macready was distilling with a certain amount of success. Tom Jones had disappeared and his whereabouts were unknown. The police visited the place no more.

*Chapter ten*

## NEW DUDS

From the start the stray child was everything to the ex-convict, and his coming had a great influence on Moleskin. The rugged man had changed, had become transformed in one night. He shed his old life, his manner of living. All that was life to Moleskin of old had become insipid and tasteless. Drink and cards were thrown aside, and the big man settled down to good honest grind. As soon as the first job came to an end he got a second, which, like the first, was paid for the work done, not for the hours laboured.

He was nurse to Isaacs, schoolmaster and guardian, and as guardian he strove to make Windy Corner fit for the little occupant. A shack containing Moleskin in the old days was generally one of the noisiest, but now Windy Corner was as quiet as a mission hall. Swearing was taboo, cards had to be played in a spirit of decorum, no fighting or drinking was allowed.

But it must be admitted that this curtailment of liberty was not favourable in all eyes. The wilder spirits of the assembly, faded away into shacks where discipline was not so strict and where

74

various individuals traded in spirits crude and raw, the more peaceable workers taking up their abode in Windy Corner.

Ganger Billy, who never gave unmerited praise saw reason to bless Cunning Isaacs. His furniture suffered no more from the rough usage of drunken men. The child served as a chucker-out, and fulfilled this duty without payment.

For the first few nights Isaacs cried for his mummy before falling asleep, but after a very little while he seemed to have reconciled himself to his new surroundings. In fact, this new life was much more interesting than the old. The world was filled with wonders.

From the beginning he was the pet and plaything of all. A whole job would come to an end when he appeared, pennies were given him, he obtained a heavy-shafted clasp knife from the Slogger, the Moocher would pull out his teeth for the boy to handle, then put them back in his mouth again.

None except Moleskin Joe questioned the authority of the tyrant, and this questioning occurred on two momentous occasions. The first was when Isaacs saw a dead crow lying in the reservoir and walked out to bring it in. He was discovered when his head and shoulders were only visible and the dead crow still some ten yards away from his reach. Moleskin brought the youngster out.

"What the hell have you been muckin' in here for?" The bit of propriety had fallen from Moleskin for a moment.

"Birrrd, tippin' hole!" was the explanation of the drenched monarch.

"Wanted to bury it, did you?" asked the ex-convict. "Lucky thing we hadn't to bury you."

He brought the boy to his shack, stripped him and wrapped him in the blankets while his clothes were left to dry by the stove.

"Never do it again!" Moleskin ordered. "If you get wet you'll get cold and kick the bucket."

Isaacs, realizing that there was something very serious in the escapade, promised Daddy Joe that he would never go into the water again. Seeing that Moleskin was somewhat mollified by the promise, the rascal turned it to account and asked Daddy Joe to make him tea in the silva teapot," and then fell asleep. When he awoke the tea was ready and the dead crow was lying on the bunk.

The second occasion on which Moleskin Joe exercised his authority was one more dire in its consequences. The youngster was discovered climbing the jib of a crane. Moleskin took him down, took him down quietly, so quietly that the youngster was frightened. What was going to happen? Isaacs had certainly fallen from grace. But what did happen was nothing really awful and it gave

75

the young savage intense joy. Moleskin went to the crane-man and inquired: "Was it you, you doss-house flea, that let the nipper go up there?"

"Wharr ye ridin' the 'igh 'oss for?" asked the man.

"Take that for doin' it!" said Moleskin, drawing a heavy left on the crane-man's ear. "And that for lettin' *him* do it, and that to keep ye from doin' it again!" The second blow differed from the first in that it was heavier, and the third had the force of the first and second put together.

"Do it again, Daddy Joe," ordered the nipper when Moleskin stayed his hand.

It must be recorded, that an event like this was sauce for the boy. He liked to see blows given and received, though the cause and outcome of a fight was of little consequence to him. The struggle was the thing. Moleskin was the best man in Glencorrie he knew, but for some reason or another he wished that Daddy Joe would fight more.

Sometimes the ex-convict would sit for hours with the boy on his knee, telling him stories of deeds on sea and land, of strange places visited, southern seas and islands, northern capes and frozen waters. The boy loved these stories and the bloodier the tale, the greater the interest.

One evening he asked the boy his mother's name.

"Mummy," was the answer.

"Would everybody call her mummy?" Moleskin inquired.

"No," said the boy. "They call her Seela."

"Sheila?"

The boy nodded.

Moleskin placed the youngster in the bunk and wrapped him up. Then seating himself in a corner, lighted by the naphtha lamp, he took up scissors and needle and continued a tailoring job where he had left off on the previous evening. A khaki uniform had been procured on credit some time before, and immediately afterwards followed a mysterious rite in which Isaacs played a prominent part.

The boy was measured to see if he were growing up. Marley did the measurement in tape and Moleskin tabulated the findings in figures. Afterwards a foot of selvedge was shorn from the tunic, the back panel removed and what remained was sewn together. The sleeves were docked and half the trousers' legs cut away. It was a period of hush, secret nods, meaning looks while the work progressed, and everybody with the exception of Isaacs knew of the job, which was now nearly completed.

What a strange thing that the name of the boy's mother should have been Sheila, Moleskin thought, as he busied himself with the scissors. He knew a Sheila, the girl who happened to be the only woman he had ever loved.

He recollected the time, years ago, when he had met her. Then came to him, for the first time, that desire for a woman, the need for her sympathy, her caresses. He recalled it all, how he was affected with the fever and fret of love-sickness. The days on which he saw her were days of brilliant love-colours, the shack in which she lived borrowed magnificence from the figure which it sheltered, the oil-lamp which stood on her table had the roseate hues of some romantic dawn.

On the following evening the work was completed. Windy Corner was crowded for the occasion; and many who had never entered the shack were there that evening.

Moleskin, wearing on his face the solemnity due to the event, drew a bundle wrapped in a red muffler from his bunk, and went to the form by the stove. Isaacs was seated there.

"Somethin' for you, Isaacs, you wee devil, you!" said Moleskin, placing the bundle on the floor. "Guess what it is. Three guesses!"

"My new suit," said Isaacs.

There was a dead silence. Sclatterguff, for some reason, took a step towards the door, but Moleskin's arm, with a great stretch, shot out and the retiring man was held.

" 'Twas you, you doss-house smelt." The scruff of the neck is a good hold for the one who forces another to do a pirouette. If Sclatterguff had been toothed like the Moocher his teeth would have lost grip during his forced revolutions.

" 'Tw – 'tw – 'twasn't me!" hiccoughed the unhappy man.

"Then who was it that blew the gaff?" thundered Moleskin and forebore to stay his hand.

"Dunno!" mumbled Sclatterguff.

"If you don't know who 'twas, then 'twas you!" Moleskin's ready logic was as pitiless as his arm.

" 'Twas Pig-iron Burke," said Sclatterguff, wallowing with that admission into unbroken shame.

"Hidin' behind a stiff!" snorted Moleskin, releasing Sclatterguff and turning to Isaacs.

"It is a suit, nipper," he said, unloosening the bundle and bringing it out. "Now try it on, my lad."

The trousers were donned, and had a certain relation to that for which they were intended, even though the upper rim of the waist rose to the boy's neck.

The jacket was put on, and the tailor eyed the infant Beau Brummel with a proprietary air.

"Isaacs, it fits you all right, as far as I can see." Moleskin trim-

77

med a few stray tails with his scissors. "Stand off a bit till I get a proper view o' you!"

The boy stood off a bit and squared his shoulders.

"Aye, aye, man, it's all right." The tailor was filled with admiration of his own handiwork. "Fits like a blister! Turn round till I see you behind."

For a few moments Isaacs performed many movements under Moleskin's directions, leant forward, and bent backward, to show if the stitching would bear strain, took three sharp paces forward to show the garb in movement, and stood at attention to show the suit in repose.

"Not so bad, nipper, not so bad!" said Moleskin, his eyes filled with the joy of an artist who looks at his completed work.

"Aye, it fits the nipper, fits where it touches," was the dry remark of the Moocher. "You're at the wrong trade with a shovel, Moleskin. A man that's able to do that with cast-offs, would be able to make a lady's costume from a cement bag."

"Daddy Joe, tailor," said the youngster with determination, "and Cunnin' Ithaacs vevy peepy!"

"Then it's bunk, Ikey Mo!" Moleskin lifted the child in his arms, and carried him to his sleeping place. "You squat down here and doss!"

"Cookies, Daddy Joe?" asked the youngster, as he was being tucked up. "I'se hungwy!"

Moleskin felt in his pocket and brought out a portion of sandwich.

"Put this inside of you," said the man. "It's very good."

"Don't like it," was the youngster's firm avowal. He was already spoilt. "Not good! Cookies!"

"Cookies! What's cookies?"

"Cookies last night!"

"What had you last night?"

"Cookies! Moocher me cookies, when you workin', Daddy Joe."

Moleskin turned a blazing eye on the Moocher.

"What game were you up to?" he thundered. "What is he to you, eh? Eh! Fillin' him with muck when I'm not about. What's cookies anyway?"

The Moocher had retreated discreetly, and now looked at Moleskin from the vantage point of the open door.

"They're a sort of scones with currants on them," the Moocher explained.

"And where did you get them?" asked Moleskin.

"At Dunsmore Farm —"

"Bought them?"

"Pinched them."

"Now, Isaacs, you go to doss," said Moleskin. "I'll have cookies for you when you wake up."

He again tucked the blankets round the boy.

"Four cookies, Daddy Joe?"

"Four, Isaacs."

"Moocher get some for me," said the little diplomat.

Long legs could have done the stretch between bunk and door in five paces; Moleskin did it in three and his hand fell heavily on the Moocher's shoulder, fell and gripped.

"Out!" Moleskin yelled. "Out and don't come in till he's sleepin'."

"What's wrong with you now?" spluttered the Moocher.

"Nothin', but get out!"

"Isaacs!" He sat down by the bunk and caught the youngster's hand. "Do you like that toad-skin, Tom the Moocher?"

"I do, Daddy Joe."

"Do you like me, Isaacs?"

"I do, Daddy Joe."

"Now, tell me this. Why do you like Tom the Moocher?"

"Cookies."

"You shouldn't eat them. He's a bad man!" said Moleskin.

"Bad man, nice cookies," the youngster mumbled.

"If you close your eyes and go to sleep, I'll get you cookies'," said Moleskin. "Now sleep."


*Chapter Eleven*

THE RIDER

Moleskin, having set his mind on procuring cookies for his little friend, lost no time in putting a hastily formed plan into action. The thought of the Moocher's ability to please galled the ex-convict. Isaacs had to be humoured, of course, but only up to a point. There was such a thing as overstepping the limit, and it had been overstepped on the cookie question. At the start Moleskin had the supreme place in the youngster's estimation, and the man looked with a tolerant eye on the Moocher's teeth. Now, however, the vantage ground was slipping under Moleskin's feet. Something had to be done, and in his own parlance, he had "to see about it."

Dunsore Farm was some five leagues away. To walk that distance was, of course, out of the question. The only thing to do was to ride it. The night was a good one, frosty and hard underfoot, with a moon, wasting a little, standing high over the hills and peeping down at Glencorrie.

The equine stock of Glencorrie was an assortment of skin and bones, and more bones than skin. All the hacks were patterns of superannuated weariness, long developed guile and natural viciousness.

Moleskin went to the stable and brought one out, possibly the worst steed of the collection. Its mane showed only in places, like grass on a neglected pavement, its back was so sharply edged that Moleskin, mounted, without a saddle, had some very confused thoughts of a blunt-edged razor.

"Seein' that there ain't no saddle, we'll go easy," was his thought. "So, whoa, bonnie lassie!"

"Gee up, Jenny!" he ordered, looking towards the cart-track which lay in the hollow below him. The animal took his order literally, geed up to the stable that stood on higher ground, and passing in, left the rider hanging by the cross-beam of the door, his eyebrow cut a little because it came in contact with that obstruction.

Moleskin let himself to the ground, procured a paling stake, and brought the animal out again.

"Now, Razor Bones, you effigy!" he apostrophized the animal as he elbowed it into the dyke. "It's got to be settled once for all whether you'r me's to be boss!" He mounted Razor Back and Razor Back made for the door.

"Not that way!" roared Moleskin, laying tongue to a few extra epithets. "Turn round!"

"Ye're up against it, Razor," Moleskin grunted. "At least, that part of you that's near the stable!" With this sound advice, he raised the stick in air, leant sideways for elbow room and lashed at the horse's buttocks. Up till that moment it had been quiet, but now it raised itself in air and endeavoured to roll the rider from his seat.

Moleskin saved himself in time. One hand closed like a trap on the tuft which told of an ancient crest, his legs were a festoon round the animal, and in later days, Moleskin, telling of the purchase he held, vowed that his heels met under Saw Bones' belly.

For a while raged a rough and tumble, the rider clinging, the ridden trying to throw. While he had grip of the mane, the night went well for Moleskin, for he who could grip and hold a live salmon between finger and thumb, had always housing when there was something to grip. But at some period axle-grease had fallen on the horse's mane. The tuft Moleskin gripped was slippery, his fingers came away.

Looking to the ground the rider could see the shadow of the struggle; the horse turning round, the rider gyrating and forming part of the shade that turned upon an axis within its own figure. Moleskin had one startling thought of a feather glued to a flywheel in the threshing mills of hell. His legs had lost hold, but his hand gripped something hairy and held.

His position was now quite unorthodox, he was looking in the wrong direction and held the tail.

The figure of a man showed in the near distance, and Moleskin slipped to the ground.

"What the ... capers are you up to?" came the voice of Macready.

"Found this effigy down at the shacks," Moleskin explained. "Was takin' him back to the stable."

"Ridin' him?" was Macready's polite inquiry.

"Trainin' him to box!" said Moleskin savagely.

"Landed ye one?" asked Macready, coming near. His voice was charged with consideration. "And he has his bit in his mouth, too. Did he put it in himself?" he inquired, caustically.

"Must have been left in when he was tied up," said Moleskin.

"I tied him," said Macready, examining the reins. "And I took his reins away to patch 'em up. Here, Moleskin, what's up? Tryin' to run down to Dunrobin to get a bottle?"

"That's it," said Moleskin, glad of any excuse. "But he's spirited," he added.

"Spirited!" Macready exclaimed. "You're the second man that's gone on his back. The first got shell-shock!"

"Any quiet ones in?" asked Moleskin.

"You're in a hurry to get the drink, aren't you?" Macready inquired.

"I am that," Moleskin lied.

"Then walk," was Macready's advice.

The joke, though stale, had the occasion to flavour it, and Macready, having made a hit, which in telling would lighten many a future evening, became generous.

"The other beasts ain't no bong, most o' 'em," he confessed. "But there's Jock, not a bad old stager. Take him, Moleskin, and I'll be waitin' for a sup when you return."

"He's all right," said the mounted Moleskin, when he rode away on Jock, the horse that liked his crook at the Dunrobin Whistle.

Moleskin's horse did the journey at a steady canter, and knowing his way, needed not the guidance of the rider.

At eight o'clock Moleskin skirted Dunrobin, which movement caused Jock to sink into a slush of drear depression. He who had cantered, now crawled, and did the rest of the journey at a pace that was funereal.

Moleskin rode a mile beyond the village, dismounted and tied Jock to a tree. The rest of the journey was done on foot. Fifteen minutes' brisk walk brought Dunsore Farm within sight.

"Now for the cookies," said Moleskin. "Three ways o' gettin' em'. Pinch 'em, bum em, or beg em. I'll try pinchin for a start!"

## Chapter Twelve

## THE CONCEALED BED

Dunsore Farm, the farm of Duncan MacWhapple, and many another MacWhapple, all of worthy stock, who had only lost tenure of the holding when losing tenure of another, that of which Death holds the title-deeds, was brilliantly lit up on the evening when Moleskin came to the place. It was really lit up for a visitor, who was not an escaped convict.

A lady was coming to the place, a Miss Smith, and a real lady, too, as Jessie, the wife of the farmer, strove to impress upon her two servants, Euphemia and Bessie. The old housewife had been in a flurry all day, something out of the normal, for in the ordinary course of life she was quite calm, quite cheerful and always brimming over with good nature. She was a good worker, up early, down late, milked a cow with the best of them and – never talked scandal.

In the summer when the Highlands were peopled by the city-bred, she kept woman boarders, "not ladies," but in what this definition abounded none could determine. However, the home she provided was such a good one that her same boarders came year after year, and generally in the summer time, of course.

But now a visitor was coming in the winter, and this visitor was a "lady." Why the term "lady" was applied in this particular case it was impossible to say. She was coming from London, in the winter, but on more than one occasion boarders came to Dunsore for the Christmas season.

Mr. and Mrs. MacWhapple went to Dunrobin station to meet their visitor, leaving instructions to the servants that the house should be lighted up against their return.

Euphemia, the elder of the two servants, and named Femy, for short, went too, on her own, just to have a first peep at the lady. She was not yet back. Betty, plump and pleasant, was in the

82

living-room of Dunsore farmhouse at the moment of Moleskin's arrival.

"Such goin's on!" she was saying, holding her arms akimbo and fixing a critical look on the fire. She made a face at the lamp that stood on the mantelpiece. "Must see that there's plenty o' fresh air in the room!"

With a snort of disgust she went to the window and opened it, then made her way to the kitchen, humming a song as she went.

At that moment Moleskin Joe came to the window. For a second he looked furtively in, then shoved his foot over the window sill and surveyed the room.

"Posh!" he exclaimed, sticking his hands under his belt and making a studied survey of the apartment. His eyes rested longingly on the table and its ornaments. Lifting a scone he smelt it, put it in his pocket and reached for another. "Not very big," he remarked. "But the very tack for Cunnin' Isaacs. The way some coves stuff their bellies and the way others haven't a bite. It's enough to make a man a Bolshy. I wonder how much I could flog this for?" he asked, putting a spoon in his pocket. "Hell!"

Hushed exasperation was in his voice as he looked towards the window. Outside in the moonlight the silhouette of the girl Betty could be distinguished. Her back was towards the window, her eyes staring into the distance as if looking for somebody. Pocketing another spoon, Moleskin went cautiously towards the door leading to the kitchen. As his hand rested on the knob a sound was heard outside the door at which he stood. Coming quietly back he slipped under the table. The second servant entered – Femy, a middle-aged woman with a shawl round her shoulders.

"Where are you, Betty?" she called, coming towards the table and surreptitiously gazing at its appointments.

"Here, Femy," was Betty's reply from outside. "Am lookin' to see if there's any signs o' them comin'."

"Aye, it's like you," said Femy crossly. "Standin' out there, when there's so much to do!"

Femy surveyed the table again, the empty plates and the places where the scones should be.

"Hey, lassie!"

"Aye?" inquired Betty, coming in by the door.

"Where are the scones?"

"I put them on the plates."

"Well, look at the plates and tell me what you see!" Femy's voice was asperse and firm.

"It's that damned cat again!" exclaimed the surprised Betty.

"And the spoons! Did the cat eat *them*?" asked Femy.

"What's wrong with them?"

"Nothin'. Only they're not there!"

"Not there!" said the girl in pained surprise. "And I'm certain I put them down!"

"You're goin' dotty, lassie," said Femy, shortly. "Lay the spoons down and get the cookies in!"

Betty did as she was directed and rearranged the table under the direction of the elder woman.

"And tell me, did you see her?" Betty inquired.

"Aye, didn't I." There was a world of meaning in Femy's voice. "And the whole countryside was waitin' at the station. First-class she came by, too. Such a waste of money!"

"And you got a sight o' her!"

"I saw her." There was dramatic intensity in Femy's tones.

"And what was she like?" Betty was bristling with curiosity.

"I wouldn't go as far as to say that she was beautiful," said the judicious Femy. "But for all that, she is a comely wee lass."

"And what kind o' clothes has she on her?"

"Good! But with her fur coat off, there's a lot of her showin'. Aye, this Miss Smith looks flighty. And what she is to Doctor Taylor, I don't know. Why is he bringin' her here?"

"For a holiday, he said," Betty remarked.

"A holiday in the winter!" Femy's upturned nose showed disproof of this statement. "There's more in this than meets the eye."

Bending to assort the table-cloth, Femy noticed a boot on the floor, and a portion of leg attached to the boot. Her thumb turned to the wall at her back.

"Wipe down them cobwebs, Betty," she ordered, looking at the place which her thumb indicated.

"Cobwebs!" said Betty indignantly. "I wiped the wall down twice this day."

"Do what you're told." As she spoke, Femy went towards the fireplace and pulled down a fowling piece which hung there. Holding the weapon at firing position, she aimed at the legs under the table. "Come out!" she ordered in a loud voice.

The legs did not move. Betty saw and uttered a shriek.

"It's a man! Ooh!"

"Come out!" Femy's voice was imperative. "We see that you're there!"

Moleskin dragged himself out lazily, got to his feet and went towards Femy, quite undismayed by the hard determined look in her eyes.

"Put your two hands over your head!" commanded the woman.

"What for?" inquired Moleskin. His voice was entirely free from guile.

84

"Because, if you don't, I'll shoot you!" The innocence of the man had entirely confused her.

"It's not loaded," said Moleskin, indifferently.

"If you get what's in that you'll be a dead man!" said Betty. Her hand was on the knob of the door, and being in a position of vantage felt that it was safe to say something.

"There would be three deaths then," said the man casually. "I'd be murdered and the two of you would be hung."

"Well, we'd chance it," said Femy stubbornly.

"It's the wrong end you're pointin' at me," said Moleskin.

Femy looked down at the weapon, and immediately Moleskin's hand shot out and fastened on the fowling-piece. With a dexterous turn he twisted it out of her hands. Betty shrieked, and ran into the kitchen. Femy, terror-stricken, gazed at the man, who fixed a look of interest on the weapon.

"Always get the tip of the foresight in line with the V of the backsight," he said, placing the butt-end of the weapon on the floor and gazing at Femy. He was rehearsing army instructions for rifle practice. "But for women it's different. They've to place the muzzle against the target, shut their eyes and pull the trigger with both hands. Here's your five-point-nine and hang it on the wall!"

He handed the weapon to Femy, who, viewing the action with suspicion, made no effort to catch the weapon.

"What did you do to it?" she asked.

"Nothin'," said the man. "But, if you want to murder me I'll load the thing for you."

Betty, who had been a listener and realizing that the man was not as dangerous as she had anticipated, returned from the kitchen.

"And I suppose it was you that took the scone I blamed the cat for?" she asked.

"I'm the cat," said Moleskin, placing the weapon against the table and taking two scones from his pocket.

"Aye! And the spoons?" asked the valiant Betty.

"These them?" Moleskin produced the spoons.

"Now off with you!" said Femy. "Put the spoons on the table and keep the scones."

"Thanks for buckshee!" said Moleskin, pocketing the cookies. "Are these," he asked, putting the spoons on the table, "silver?"

"No," said Femy. "Be off with you!"

"I'm off!" Moleskin went towards the window.

"Not that way!" Femy shrieked. "Go out through the kitchen. Have ye never been in a house before?"

"Never had a roof of my own," said Moleskin simply. "If ye

want to find me, my address is Number One, The Open Air. I carry all my property in my pocket and that burden has never given me a sore back."

"Take him out through the kitchen," Femy advised Betty.

"Can't. Tam Wilson's there," said Betty.

"The polisman!" Femy snorted. "Between polismen, postmen, and poachers you make a big fool o' yourself."

"A polisman?" Moleskin inquired. "One?"

"Aye, one," Femy informed him.

"One polisman can never stop me!" said he, taking a step towards the door.

"And if it's found out that we're feedin' navvies when the master's away, what will be said?" Femy took position in front of Moleskin. "You're one o' the Glencorrie men, aren't you?"

"I'm one o' the mob," said Moleskin.

"Well, if I can say anything of you men, from what I've seen, you'll not say 'No' to a wee drop?" Femy remarked.

"There's no record of me ever being such a fool." Moleskin was sure of this conviction.

"Femy!" Betty exclaimed, aghast.

"Even navvies, and them such thieves, must live!" said the warm-hearted Femy. "Never be too hard on anybody. That's what I say." She half-filled a glass from the bottle on the table. "Take this, good man. My father was a navvy!"

Moleskin took the glass, surveyed it with the air of one who is a judge, and drained it to the last dribble.

"Ha'a, h'm!" he grunted with relish.

"Now, hop it!" the woman ordered.

" 'Twas a nice sup, woman, a nice sup!" said Moleskin, handing her the glass. "And may you never be without it when you want it, and never want it when you are without it. And if ever you're down on the dead-end, think of this and it will give you comfort: There's a good time comin' though we may never live to see it!"

"I suppose you'll be a married man like most navvies," said Femy, with a laugh. "And you don't know where your wife is?"

"I'm not married," said Moleskin. "But I've the nicest boy you ever saw. Cunnin' Isaacs, I call him. Least that's what he calls himself. Not more than the height of my knee. And he likes the wee cookies." Moleskin touched his pocket.

"A wee laddie, did you say?" asked Betty. "And not married?"

"I'm not married, but I've got him," said Moleskin. "Just came into the shack one night like a stray puppy-dog! And he hasn't got nobody now but us, and we're keepin' it low, not tellin' anybody."

"But why are you tellin' me?" asked Femy.

"Well, to judge by what you've done, you wouldn't split on us," said Moleskin. "And he does like cookies," he added, with a grin that went to the hearts of both his listeners.

"Ah! I see," said Femy with an understanding smile. "Here, open your pockets!"

Moleskin did so and Femy filled his pouches with the desired eatables.

"Thanks very much, good woman," said Moleskin when the filling was finished. "Now I'm off to Glencorrie."

He went to the door, but again Femy's bulky form obstructed him. Outside was to be heard the rattle of wheels.

"You cannot go that way!" said the woman. "You'll run into them! Go out by the kitchen!"

"But Tam Wilson!" said Betty helplessly. "He's in there!"

"Why didn't you clear out sooner?" groaned Femy, wringing her hands. "What are we to do — what are we to do?"

"Put him under the bed," Betty suggested.

Femy rushed to the curtains that were hung on the wall at the back of the room. Drawing these aside she disclosed a recess containing a bed.

"Get in under here!" she called to Moleskin.

Moleskin did so and stretched himself out on the floor.

"Now, keep quiet as a mouse," Femy ordered. "When they've had their supper I'll let you out. And the next time you come here, it's the polisman I'll set after ye."

The curtains were drawn together and Moleskin was hidden.

"There, they're comin'," he could hear the breathless Femy saying. "What a house for them! What a house! Go to the door, Betty! When they rap, open wide and stand stiff as a poker, till they pass you by. Then shut the door without bangin' it. Don't speak till you're spoken to. That's what the auld woman got from her *Book o' Manners*. There they are! Run to the door!"

Moleskin wormed his way to the slit in the curtain and looked into the room. He was just in time to see Femy bolt into the kitchen as if her very life depended on it. Betty was at the door, her hand on the knob, her position one of strained attention. A hand could be heard fumbling outside, then the door burst open so briskly that Betty stumbled back a few paces, almost losing her balance. A woman well past middle age, dressed in bonnet and cloak, entered.

"You said that you'd given a genteel rap, m'm," said Betty in a hurt voice.

"So I did!" said the woman, who was Betty's mistress. She was apparently in great good humour. "But don't mind about that! She is very genteel, but the nicest, simplest soul you ever met. Just wait till you see her! Come in, lassie, come in!" she called, looked over her shoulder.

A girl whose age might be about twenty-five stepped across the threshold. Moleskin had a clear view of her. "A good-lookin' wench!" he thought to himself. His statement was a general one, without detail, but true as it was impulsive.

Miss Smith was of middle height, slim and lithe, with a wealth of brown hair, which fell in ringlets over her ears. Her eyes, liquid and dark, had in them a strange wistfulness, which somehow seemed to point to the fact that she was entering on some strange adventure, the results of which she feared. Moleskin, in some curious way, had a sudden feeling of pity for the girl.

"This is Betty, Miss Smith," said the mistress, pointing to the servant. "A brave worker, Betty, and a good lass under a cow!"

"Under a cow!" repeated Miss Smith. She was apparently mystified. "Did it hurt?"

Betty smiled. The incident of being under a cow had had no appreciable effects.

"You're all right now," said Miss Smith, shaking the girl's hand. "I'm pleased to meet you!"

"And I'm pleased to ken yourself, m'm," replied Betty, rising nobly to the occasion.

"Now, come along and see your bedroom, Miss Smith," said the old lady, conducting the stranger to the room on the right.

Betty's eyes followed them until the pair were out of sight.

"Whist!" she whispered as Femy came in. "I saw her. She's better than I thought. 'I'm pleased to meet ye,' she said to me, and 'I'm pleased to meet you, m'm!' said I."

"M'm! And her not buckled," Femy spoke in tones of withering scorn.

"That doesn't matter!" said Betty pertly. "She soon will be. Doctor Taylor hasn't taken her here for nothin'."

"Here, they're comin'," said Femy as a noise was heard at the door. She ran to the curtain and spoke through the slit. "You're to keep quiet, navvy!"

Farmer MacWhapple and Doctor Taylor entered.

"This is splendid," Dr. Taylor remarked, rubbing his hands gleefully. "Miss Smith will be quite at home here."

"Ah, if she only came in the summer," said the old man. "Summer here is lovely. And she's only staying for one week?"

"Just a week," answered the doctor. "She's run down a bit, and the air will brace her up."

"But it's always rainin'," said the old man. "You know that

yourself. The folk are born with umbrellas in this quarter. Ha! ha!"

"Aye, it's necessary!" laughed the doctor.

"But in the summer it's grand!" said the old man. "Last summer we had four here every week, but it's the first time we ever had visitors at this time o' the year."

Mrs. MacWhapple and Miss Smith returned.

"Now sit down and make yourself at home," said the kindly mistress. "Femy and Betty will attend to you. Ting that bell, when you want anything. It's a lonely place you've come to, and I often ask Doctor Taylor, how can he, a young man, come to such an out-of-the-way corner. Nobody ever comes to hereabouts – only the navvies."

"Wild unchristian savages they are," said the old man. "Escaped convicts, whisky makers, thieves and vagabonds."

"Who makes this whisky?" asked Miss Smith, with a show of interest.

"Nobody knows," said the old man. "I think they all take a hand at the making. There was one fellow called Moleskin Joe, that was thought to make it. He got sent to prison six weeks ago, and the polis thought it would stop then. But no; it went on just the same as ever."

"This man, Moleskin Joe, is he in prison now?" asked Miss Smith. She cast a meaning glance at the doctor as she put the question.

"Not now," said the old man. "He's got out."

"Now, we'll leave them to their supper," said Mrs. MacWhapple to her husband. "Miss Smith will be hungry after her journey."

The farmer and his wife left the room. The table was a circular one. Miss Smith and the doctor sat side by side and facing the eye that looked through the slit in the curtain. Betty brought soup and placed it on the table in front of the pair.

The doctor put his spoon in the soup, stirred it mechanically and looked at the woman.

"You're very quiet, Marjorie," he said in a half-bantering tone. "Afraid?"

"Yes," was her simple answer.

He put his arm around her shoulders and looked into her eyes.

"May I kiss you?" he asked.

"Yes, if you want to." Her lips trembled as if she were on the point of tears. The man drew his hand from her shoulder.

"Marjorie!" His voice contained an accusation.

"Yes, I understand you," she said. "But you promised–"

"I know I promised, but Marjorie!" He caught her hand.

"You must not, Dick; it's not right." The girl drew her hand away.

"Fie, Madame Propriety!" laughed the doctor in loving reproach.

"I know that I am lawfully conventional," said Marjorie. "But to one who has been brought up like me, ritual is almost as powerful as passion."

"More powerful."

"Perhaps."

"Marjorie!" The doctor drew himself up to his full height.

Marjorie looked at him, trembling, then with a strength almost stronger than woman's she clasped his shoulders and flung herself on his breast.

"Forgive me, Dick, forgive me!" she sobbed. "I didn't mean that. I'm wicked."

"Wicked, you little silly!" mumbled the doctor, kissing her hair. "What wicked things have you ever done?"

"It's not what I have done, but what I am doing," said the woman.

"The next thing you'll tell me is that you love him," the doctor remarked.

"But I married him," Marjorie made answer. "Of my own free will."

"And loved him?" the doctor insisted.

"I thought I did. He was going out to the trenches then, to die, maybe!"

"Oh, everybody's going to die, sometime or another," said the doctor. "I'm going to die, but I don't put that forward as an inducement when wanting your love."

"But it seemed so near then," faltered Marjorie.

"You're a strange soul." The doctor spoke bitterly. "A declaration of love needs a death-bed scene to make it palatable to you!"

"But there's such a thing as duty."

"And the law of duty which says that a contract between two is to be carried out by two." The doctor's voice rose a little. "But when one breaks the contract that contract stands no longer. Now, there's the marriage contract to which you were a party —"

"But has it been broken? Whist! —"

Betty came in with the second course.

"Broken from the very start," said the doctor, when the servant had withdrawn. "In the very first place this man, who is your husband, introduced himself as the son of Sir Mortimer Davis, who had been killed in a motor accident in Italy. Sir Mortimer was a widower and had one child — a boy. Malcolm Davis, or Tom Jones, as he calls himself now, claimed to be that child.

90

I have made inquiries. Sir Mortimer did exist, was killed in an accident – but the child died three months before. Davis insisted that the child did not die, that he was the child, taken in charge by an Italian peasant."

He looked hard at the girl, who was silent.

"He got the idea from a film – American sob stuff," snorted the doctor. "I have brought you here to see the father of your husband. He, as you will see to-morrow, is a ganger at this contract job, a good hard-working old man who has given every penny of his earnings to get his son an education, that son who married you, and bigamously married another girl some eighteen months afterwards."

"So you've insisted." The girl breathed short and there was anguish in the eyes which she fixed on the doctor. She apparently alluded to the man's last statement.

"And you don't believe?" he asked.

"But it's so hard!" she pleaded. "Maybe you've made a mistake."

"You speak as if you wish I had made a mistake," said the doctor, his voice rising a little. "And after all I've done. Not that you're not worth it, Marjorie. When I first met you in the hospital at Abbeville, when I saw you there in your nurse's uniform, so wonderful, I wanted to fly away with you somewhere, and then I found out that you were married to – to –"

He came to a sudden halt. The thought that another man had possessed her, had slept with her, jarred upon the doctor's nerves.

"It makes me mad to think of him, to think that –" He caught her hands, hardly daring to breathe the jealous thought. Moleskin, watching, thought of Sheila, and a feeling of jealousy against somebody unknown surged in his heart. "Tell me?" asked the doctor, "how long did he live with you? No, don't tell me. I cannot stand it. He was your husband. That is enough. He had you first. You understand."

"I understand," said the woman, suddenly realizing his meaning. "But was I to know!"

"Of course, you weren't to know," said the man. "I'm not blaming you. I took you for what you were. I asked no more ... I ask no more, but it is denied me, that which I ask. Have I not given proof of it? I've spent the time that I should have devoted to my studies, making inquiries, tracking down a man. I have given up a practice in the city to come to this hole, where I've seen myself travelling thirty miles one night to help a man into the world, and thirty miles on the same night in an opposite direction to prevent a man going out. And my recompense for this has been fifteen shillings."

"Poor Dick!" said the woman, pressing his hair with her hand.

"So there," he resumed. "I've sacrificed my time, my practice and, perhaps, my patients."

"Your patients?" she asked, gazing mistily at the man.

"Well, I've almost done so. And, by God, it's worth it, if the thought of what I've done will gain me what another gained by doing nothing whatever, not even dying!"

"You are so cynical!" she sobbed.

"Cynicism is all that is left to one who has made himself cheap," said the doctor bitterly. "I have made myself cheap, Marjorie. I've gone to the navvy shacks, have made myself friendly with Ganger Davis, just to find out everything about his son. The ganger likes me, Marjorie, takes me for a gentleman, one who can appreciate his son. And I" – his voice rose – "I'm a Peeping Tom. But to-morrow I will introduce you to old Davis, and he'll show you his son's photograph."

"I believe it now," sobbed the girl. "I believed it always."

"And you'll be certain," said the doctor, "When I show you your husband's mistress, a girl called Sheila Cannon, who is at present in Markonar Workhouse. What is this?"

One of the curtains of the recess came down with a rip, and before the doctor's words were well uttered it heaved towards the table, wheeled towards the door, turned the knob and made its way outside. Thunderstruck, the doctor and Miss Smith stared at the phenomenon. Both had a hazy impression of a pair of legs moving beneath the curtain. Something dropped to the floor. The doctor got to his feet and lifted that which dropped.

"A scone!" he said.

## Chapter Thirteen

### VISITORS

Ten o'clock of the next day saw Windy Corner in a state of great disorganization, which set in shortly after Moleskin's departure. Digger Marley and others had set themselves down to a game of cards, banker the game. Sid the Slogger, became banker and won much money. He was in luck's way and kept there until the moment when the Moocher's arm swept across the table and landed heavily on the Slogger's ear. This rather startling action was the impulsive manner of bringing a certain fact to the notice of the gamblers.

In a pack of cards there is only one ace of hearts. The Moocher was served this ace, and according to all rules of mathematics, no other player should have that card at that moment. And the Slogger had that card!

The trouble might have blown over if it were only a dispute between two. But it was a dispute in which all were concerned. Each player wanted his money back. If he got what he wanted others said that he had gotten too much, and the row started between two spread to others.

Things might have sobered down in their ordinary way if Ganger Macready had not come in at that moment bearing two jars of mountain dew destined for his own shack. Passing, he heard the uproar and was curious to see what it was all about.

The time was unlucky. Impulse led to thoughtless action. Fighting is a drouthy business and in a second Macready was surrounded, his bag collared, the jars uncorked, and the billy-cans filled.

At ten o'clock the next morning all who had drunk were asleep, some on the floor, a number in the ashes and a few outside in the open.

Cunning Isaacs was afoot and interested. He had seen the latter stages of the fighting and was so much excited that he had slept very little afterwards. If he slept he might have missed something! At the present moment he was working very hard, crooning to himself as he wrought, making a waterworks.

"What's he up to, Moleskin?" asked Slatterguff, pointing at the youngster. The old man was seated on a wood-block, caressing his ear. He, too, had been well in the wars.

"That's the waterworks that he's making," said Joe. "Where's the Ganger?"

"I don't know," said Carroty. "He's historical.

"He's what?"

"All nerves, half off his nob, vulgally speaking," Carroty explained. "He gave me sixpence too much when paying me last Saturday, and when the Ganger does that there's something wrong. I suppose it's that gentleman son o' his!"

"Where's the gentleman now. d'ye know?" asked Moleskin.

"Mystery," said Carroty. "Goin' to the dogs. I bet. It never does to try and make a navvy a gentleman. The breed that's brought up on a muck shovel will never know the prise o' a silver spoon."

"Have you ever seen him?" Moleskin queried.

"Once when he was a nipper, about that size." Carroty pointed at the busy Isaacs. "Like him he was too, but all kids are like one another. Here he comes, storming like an explosion!"

The Ganger came in.

"Are you hell-smelts gettin' up this day?" he shouted. "Do you want to work? Slogger! Moocher! The whole damned lot of you, come on! Get up!"

Half an hour's shoving, punching, and pushing wakened the men into sour sobriety and another half-hour was required to get them out to their work.

"Susan Saunders is here," the Ganger informed Moleskin when the shack was emptied of all except Moleskin, Isaacs, Slatterguff and himself.

"What the devil is she wanting?" Moleskin inquired.

"Followin' the waterworks," said the old man. "Got the sack wherever she was working, and footed it here to do our washing."

"Where's she stoppin'?" asked Moleskin.

" 'Bout half a mile away, on the other side of the glen, in that old hut that's used by the shepherds in the summer."

"Know the place," said Joe. "I must go over and see her, me and Isaacs."

"Already?" asked Slatterguff, winking.

"Well, I'm going out to my work," said the Ganger. "And you, Carroty, clear up the mess here, nail the bunks together, patch the blankets and make yourself useful, or by Heaven, if you don't I'll give you the freedom of the world without a character."

The three went out, leaving Slatterguff alone. The old man immediately set himself to work repairing the damage of the previous evening. He had righted the stove, lit a fire, when he became aware of a noise at the door. He looked round.

"Who the devil's this?"

There was occasion for surprise. A woman stood at the door, a handsome, well-dressed woman – a lady. The man, hypnotized, gazed at her, rubbing his hands against the legs of his trousers as if in a crude effort to make himself presentable.

A man made his appearance behind her. He was Doctor Taylor, the country physician. Slatterguff had seen this man before, and knew him to be a great friend of Ganger Davis.

"Nobody in?" asked the doctor.

"I'm here, sir," the navvy told him.

"Oh, yes," said the man. "Is Ganger Davis in here?"

"He's down at the works, sir," said Slatterguff. "I'll run and get him for you, sir."

"No, no, don't trouble," said the doctor. "I'll go and find him myself. And you, Marjorie, just stay here and warm yourself until I come back. I'll not be more than ten minutes."

He went away, leaving the woman. Carroty looked at her gingerly.

"Come and sit down," he said. He felt very awkward. "It's not what one would call much of a place for a lady. I'll just get a bit

94

of a fire to conflagarate in the stove. What's in it is nearly extinguished."

"It's really very kind of you to go to so much trouble," said the
woman, seating herself by the stove.

Carroty brought a murderous clasp-knife from his pocket, felt
its edge with his finger, and looked at the visitor.

"Know what I'm goin' to do?" he asked.

"I'm afraid I don't," said the woman, visibly shrinking.

"Considering as how I've got you here all to myself, so to speak,
what would you expect me to do?" As he spoke he commenced
sharpening the knife on his forearm. "Sharp," he added, "Sharp
as a razor!"

"What are you going to do?" asked the woman, in a hoarse, ter-
rified whisper.

"I'm goin' to make ye a pot o' steamin' hot tea," Carroty informed her. "In a silver teapot," he added, triumphantly.

He pulled a bunk-board from its position, cut several splinters
from it and threw them into the stove. The woman was reassured.

"But you're ruining the furniture," she said. "And I don't need
any tea."

"Not in a silver teapot?" Carroty remonstrated, with more than
a shade of reproach in his manner. "You've got ter. Lucky you've
come when the inmates are out o' the shack."

"How many stay here?" asked the woman looking round the
apartment.

"Eighty at a pinch."

"And are they all out?"

"Aye. Some workin' some gettin rid of their money."

"How?"

"Crookin' their elbows and tossin' a pot," said Sclatterguff,
raising an imaginary beaker to his mouth. He brought the silver-
plated teapot from a corner, filled it with water and placed it on
the stove.

"A beautiful teapot," remarked the woman tactfully. She had
noticed that Carroty laid great value on the article.

"Grand teapot." Carroty purred like a cat to the compliment.
"Got it from my father!" said the old liar.

"Indeed!"

"Aye, lady." He tickled the fire as he spoke. "Class, my per-
geniters. Money and land. But you wouldn't think that to look at
*me*, would ye?"

"Well, I don't know," said the woman, good-humouredly.

"Well, my downfall was, well, what's many another's –"

"Women?" asked the visitor, who was understanding her host.

"Well, I was young, you know, but 'twas never that." He was

95

in a confidential mood. "Strong waters, that's what was my down-fall. Dryin' glasses without usin' a towel, as the sayin' has it." He lifted the pot from the stove. "If a man's fond o' women this ain't the place for him."

"There are no married men here?" she inquired.

"Scores," said Carroty, dropping condensed milk from a tin into the pannikin.

"And their wives, where are they?"

"The Lord knows!"

"But how sad!" the woman exclaimed. "Not knowing where their wives are."

"Mark my words, lady; there is one thing that would be sadder, and that would be, the wives knowin' where the men are. Now put this down yer gullet." He handed the pannikin of tea to the woman.

"Thanks very much. It's beautiful," she said, taking a sip, and trying to look as if she liked it. "And who owns these shacks, the contractors?" she inquired, obviously making conversation.

"No, no," said Carroty. "It's like this, you see; it's a sort of private enterprise. The men with the money, like our Ganger, buys a hut, bed and beddin' and a stove, and charges us so much a night."

"Oh, yes," said the woman sipping from the pannikan. "This hut belongs to a man with money, and you pay for lodging here!"

"That hits the nail," said Carroty. "Ganger Billy's the man that has this establishment."

"Ganger Billy," the woman said. "Is it he, I wonder, who is such a great friend of Dr. Taylor. Mr. Davis is his name?"

"That's it," said Carroty. "Old Ganger Davis."

"And he often talks to Dr. Taylor about his son."

"Whose son?"

"Mr. Davis's son." The woman's face flushed for some reason, and she took three sips in succession. Carroty fixed a queer stare on her.

"So the Ganger has a son?" inquired Carroty, who immediately drew in his horns. Why had this woman come? he argued mentally. There were such individuals as women detectives (and he thought of the illicit distillers), as women members of the Society for Prevention of Cruelty to Children (and his eyes turned to the bunk in which Isaacs had slept). Better keep a close mouth!

"You don't know his son?" the woman inquired.

"Never heard of him," said Carroty.

"Possibly you're a stranger here?" she inquired.

"I may be," said Carroty. His voice was cold and it took little discrimination to make it evident that he did not desire to be questioned further.

The woman realized that she was proceeding too far. Outside could be heard the sound of the doctor's voice. He was speaking to some workers.

"I admire your caution," she laughed. "It's dangerous to be positive on any subject. But you make beautiful tea," she added, as the door was shoved inwards and Taylor appeared.

"Oh, you're all right, Marjorie," he said, going to the woman. "Making yourself at home, too," he laughed.

"Yes, thanks to my friend here!" She nodded to Sclatterguff. "A most beautiful cup of tea!"

"It's very good of you," said the doctor, putting his hand in his pocket and stretching the hand when withdrawn to Sclatterguff. But he, who was the son of a rich man, shook his head in refusal of the proffered tip, and went out, his head held very high, his pose that of a man who has got in some way a bit of his own back.

"Most remarkable!" laughed the doctor.

"Says his father was class," Marjorie remarked. "And a very rich man."

"And living up to it. We all have our little illusions, I suppose." The doctor's face grew suddenly serious, and he clasped the woman's hand.

"You must not," she entreated, gently pulling her hand away from his.

"Did you ask him anything about it, Marjorie?" the doctor inquired. He alluded to Sclatterguff.

"I did," Marjorie replied. "But he says that Mr. Davis has no son."

"Oh, yes," said the doctor, as if finding something to coincide with an opinion already formed. "They are suspicious. There, listen!" He held up his hand to ensure silence. From outside came the sound of a voice raised in anger.

"Now, you doss-house toads, get down to it and finish that maggoty scaffolding," the great Davis was shouting to his workers.

"That is he, Marjorie," said the doctor. "He's coming in."

Ganger Billy came in at that moment. He was grumbling incoherently in his beard, but seeing the two visitors he came to a dead stop and stared at them.

"My friend, Miss Smith, who has come with me," said the doctor to the old man.

"Well, 'tain't much o' a place to take her to; is it, doctor?" asked the Ganger, removing his hat, and putting the clay which he smoked in his pocket.

97

"Oh, it might be worse. Anyhow, it's always the fate of pioneers to live in places like this and take the rough with the smooth."

"The smooth and the rough don't blend here, doctor." The Ganger wiped a form with his hat as he spoke. "Now, sit down here both of you and make yourselves at home."

"Have one of these, Ganger," said the doctor, holding out his cigar case.

"Well, I'll not say no," remarked the old man. "I never smoke them myself, miss," he informed the woman. "But I keep them for my laddie. He's a gentleman, been to college he has, and he likes a cigar, a good one like this."

He took the cigar and wrapped it in the old red muffler. There were two there now.

"When did you hear from him last?" asked the doctor.

"Not so very long ago." The old man sat down, his tongue ready for narration. "But he's very busy. And the letters he sends me. Swell letters, miss. 'Dear Pater!' he always starts. Pater! I didn't know what that meant for a long time, and then Father Nolan, he's the priest here, told me 'twas Dad, in Latin. But somehow, miss, I'd rather him call me Dad. It's more homely."

There was something in the wistful old voice that made Marjorie draw out her handkerchief and flick her eyes, which had suddenly taken on a strange brilliance.

"Is the smoke goin' into your eyes, miss?" the Ganger inquired solicitously.

"Yes, it – it is." There was a catch in the woman's voice.

"Come and sit on this side of the fire, then," advised the Ganger, forsaking his seat. "The draught is pullin' the smoke your way."

Marjorie faltered a moment, then took the seat which the Ganger had vacated. Taylor could see her lower lip held by her teeth as if the woman were trying to stem a surge of rising emotion. He contracted his brows and a line formed between them like a note of exclamation.

"That's better, ain't it?" inquired the Ganger, looking at Marjorie.

She feigned a cough.

"Much better, thank you!" she choked.

"And what was your son's regiment," asked the doctor. "I've such a bad memory . . . I forget."

Speaking, he bent forward and drew a match along the stove. Stooping, he lit a cigar. His whole movement was awkward, as if he were doing something utterly detestable.

"Holmshires," the Ganger replied.

"Captain, wasn't he?"

"Ought to have been, if there were fair play," said the old man. "And grand he looked in his uniform. Maybe you'd like to see his photo, miss? This is him – my boy."

He took a packet from his pocket, brought forth a photograph and handed it to the woman. She looked at it.

"That is he," said the doctor. To the old man the remark was an assertion, to the woman a question. Marjorie nodded.

"And he hasn't been here since the job started?" Taylor asked.

"Well, you see, he's so busy day and night at the parm – parma – It's two long words and I can never get my tongue round them."

"The pharmaceutical laboratory," the doctor helped.

"That's it, that's it," said the Ganger jubilantly. "And aren't they long words! That's where he has his job, miss, or his profession as he calls it."

"Yes." The doctor buttoned his coat. "We're going now, Ganger. Miss Smith, who has just come up from London, is stopping here at Dunsore Farm for a short holiday. And possibly we'll run up again some evening and have another talk."

"It's not much of a place to come to," remarked the old man. "Always rainin'. When children are born here, they come into the world with umbrellas."

### Chapter Fourteen

### THE ANCIENT

Susan Saunders was in high good spirits, as she well should be. On the previous night she had come to Glencorrie, without a penny in her pocket and without a boot on her feet, and reported to Ganger Billy.

"It's old Susan Saunders!" exclaimed the Ganger on seeing her.

"It's me, Ganger," said she. "And not so old on it as all that. Any chance of me gettin' a job as washer-up?"

"There's no one here that wants anything washed, and there's no place where you can wash," said the old man. "You should have give up that work years ago."

"The washin' I do can be done easy." The old woman nodded wisely as she spoke. "All that I want is a shake-down, a fire, a kettle, and a roof over my head. There's a bit of a house across on the other side of the brae and can put up there. Give me a bite to eat, a bit of wood for my fire, a blanket or two, Ganger Billy."

"I'll see about it," said the Ganger.

He got a few men to tidy the ancient two-roomed shepherd's

cabin which stood on the face of the Glencorrie brae, lay a bunk, set a fire, and make the place a fitting abode for the ancient washerwoman.

When Moleskin came to her cabin she was singing. She was sitting by a blazing fire, a billy of tea in her hand. Moleskin looked at her, she returned his gaze and then her eyes rested on Isaacs.

"That your bairn?" she inquired.

"Not mine, Susan," said Moleskin.

"Are you certain he's not yours," queried the woman, still eyeing the boy. "Anyway he's a brave nipper," she went on without waiting for an answer. "Now, wee laddie, tell me what's your name?"

"Cunnin' Ithaacs," was the child's answer.

"What would you say to a wee sup of tea, Cunnin' Isaacs?" she quieried.

"T'anks," said the child.

"If I ask you to come on my knee and have a big thup will you come, my wee laddie?" asked the old woman.

Isaacs nodded, went towards her, but nearing her he hesitated for a second and looked back at Moleskin Joe.

"Very well, if you're afraid of me don't come," said the old woman, handing the billy-can towards him.

"He's always frightened of strangers," pleaded Moleskin.

"Well, flatten me out, if you're not a catch!" exclaimed the woman. The look that she fixed on Moleskin was filled with contempt. "You ain't his daddy, and the de'il out o' hell wouldn't call you his mummy. What are you?"

For the first time Moleskin felt that his position in regard to Isaacs was ambiguous, equivocal. If a man had asked him his rights he could have answered readily, but with a woman it was different. He stamemred some reply to the washerwoman, blushed, and became silent.

"A cradle-snatcher," was her comment. "And his clothes!" she added, looking at the boy. "Who made them for you?"

"Daddy Joe," said the youngster.

"Who's Daddy Joe?"

"Me," said Moleskin, going to the assistance of the youngster, who was becoming confused under this questioning. "I'm Daddy Joe, if you want to know. But I'm not his daddy. My name's Moleskin."

"I thought I knew you," said the ancient. "Gawr, if it ain't a long time since I saw you, ask me another. Put your mit there, Joe!"

She rose to her feet, held out a skinny hand towards him. Moleskin clasped it in his, and looked down at her from his great height.

"You haven't changed much, Joe," she remarked. "Hermiston; wasn't that where I saw you last? Hermiston! Ah! a good while since, that, Joe. Six years. They don't show anywhere except on the corners of your eyes. Wasn't it there that you pulled wee Sheila Cannon out o' the water?"

"There," said Moleskin. "Do you know where she is now?"

"Haven't seen her since then," the woman told him. "Don't know where she went to at all. And Sally Jaup – dead! Me. Well, I'm livin' still and ready for the washin' when it comes. And you!" she looked at Isaacs, who was rapidly emptying the bill-can that the old woman placed on the floor. "Come here and tell me all about yourself."

She sat down, with the youngster on her lap. He still held on to his billy, supping mightily.

"Who is he?" she asked, looking up at Joe, and Joe told the story of the youth's coming, dwelling at some length on the helplessness of the little nipper, and with the utmost diffidence on the means used in tailoring him. "But we couldn't do any more for the cuss," was his final assertion.

"Your eyes are runnin', Susan," said Joe, when the narrative was completed.

"It's the smoke, damn it!" said the woman looking at Isaacs. "Smoke goin' into *your* eyes, wee dearie?"

"Oo vevy good. Me like oo!" crowed the child. "Like oo; like Daddy Joe, like Tom Moosher –"

"Cut that out!" Moleskin growled.

"The first thing to do," said Susan, looking at Joe, "is to find out who he is, the second thing to find out is who is his mummy and to find out where she's slipped to. Maybe she's come here, and the polis caught her and took her away. They were about here at the time, weren't they, the devil roast them!"

"They were here," said Joe.

"If she's a woman at all, it would be hard for her to leave this wee dearie," Susan went on. "Some women, anyway; what are they?" She was silent for a moment. "I'll tell you what I'll do, Moleskin. I'll keep the laddie here for a couple of days and find out everything."

"But I've found out as much as anybody can find out!" was Moleskin's indignant outburst.

"As much as a man can find out," said Susan. "But if I begin, I'll start where you've left off. And it's no place to have him with them cadgers in the shacks. It's a sin to have him with them, boozin' and fightin' and swearin' and –"

101

"I know that," said Joe. "But I've kept the place in order since he's come to it."

"You must let him stay with me, if it's only for one night," pleaded the old woman. "It's me that should take care of him when there's no other woman about the place. I know I'm not what you might call a ... Well, Joe, say that you'll leave him with me for the night?"

"All right, he can stay with you till the mornin', but only on one condition."

"What's that?"

"That there ain't no washin', the washin' that you do!"

"I'm a decent woman when it's a kid like that," said Susan in a righteous tone. "And now, dearie, you're to stay here and I'll get the best of everything for you, sweets and jam —"

"You're not to spoil him, Susan." Moleskin's voice was dictatorial. He was already regretting having yielded to her wishes. "It's easy spoilin' them at that age."

He went to the door, stopped there for a moment, as if considering something, then came back to the middle of the room.

"Have a decko at the nipper, Susan!" he ordered, and the woman obeyed. "Like anybody you've ever seen?" he inquired.

"Nobody as I can call to mind," said the woman. "But at his age all kids are as like as two spits."

"Nothin' that puts you in mind o' Sheila Cannon in the cut of his face?"

"Can't see anything as makes me think it's her bairn," said the woman. "What puts that in your head?"

"Nothing much to go by. Only that she's a married woman —"

"Indeed!" exclaimed the washerwoman. "And who is the man?"

"Malcolm Davis."

"The Ganger's boy?"

"Aye."

"And him a gentleman!" The washerwoman sighed, as if regretting the depths to which gentility had fallen.

"But if he was the Almighty, she's too good for him!" snorted Moleskin. "Have you ever set eyes on Malcolm Davis? I never have."

"Long ago I saw him," said the woman, "and him only a nipper at the time. But the swell that he was! 'Thank you, Mrs. Saunders!' 'How dee do, Mrs. Saunders!' Starched collars, gold studs, silk hankies, gloves! Never saw a to-do like it in my natural. Did his old daddy ever shovel muck? Was his mummy ever anything better than a plain, common servant lassie? To look at him you would think he was the son of a king."

"Was he red-headed?" Moleskin asked.

"Carroty," said the woman.

"Right, my bucko!" roared Moleskin, lifting the child in air and holding him far above his head.

"Daddy Joe, more up!" chortled the kicking youngster.

"For God's sake, Joe, don't let him fall!" said the old woman, getting to her feet. "Let him come down at once, at once, Joe. You don't know nothing about kiddies!"

"You know nothin' about my arms! Eh, Ikey, my boy, eh Ikey!" Joe stood on tiptoes, laughing louder than the child which he bore.

"Joe, you big ugly devil, you, you'll let him fall. For God's sake take him down!" There was agony in the voice and tears in the red-rimmed eyes of the old trollop. Moleskin brought the child to the ground.

"Now, Ikey, I want you to do something for me, like a good nipper. See that bush!" Moleskin pointed through the open door at a stunted fir which stood on an atoll twenty perches away. "See it?"

The youngster nodded.

"If you run as hard as you can, run round that bush and come back here, I'll give you a penny," said Moleskin.

"What tricks are you up to, now?" the woman asked Moleskin when the child had departed.

"I want to speak to you," said the man, "about Sheila Cannon. She's in Markonar Workhouse. It was her that took the nipper here the other night, when she was lookin' for her man. I s'pose she fell or something, over the rocks, maybe, and the polis took her there. Nobody in the place saw her either comin' or goin', and Ganger Billy doesn't know that his son is married to her. And if that ain't her nipper – he's round the bush now! – I don't know whose nipper he is, What am I to do with him, Susan Saunders?"

"Take him to his mummy," said the woman.

"If I go to Markonar in broad daylight, I'll get run in," said Moleskin. "And Malcolm Davis, the boy's daddy, is here."

"What is he doin' here?" asked Saunders.

"Makin' whisky," Moleskin told her. "Has been makin' it for the last six months. And he got me into the lock-up, and I'm goin' to burst his head as soon as I meet him, and I've got the wee nipper and I like Sheila Cannon better'n any damned thing in God's world. I'd let her cut me to pieces and be happy. I'd –" he was silent for a moment; the intensity of feeling contorted his features – "I'd murder anyone that'd stand between her and me. And it's the devil's own stew whatever way you look at it, Susan Saunders," he concluded, as Cunning Isaacs, out of breath and red of face, entered the cabin.

103

## Chapter Fifteen

## SHEILA CANNON

The evening settled on Glencorrie. The moorland, which the short-lived sunshine had done little to thaw, was hardening again. The day's work ended, the tools of labour were stored away, and Windy Corner settled down to its games of chance and orgy of drunkenness. Now that Cunning Isaacs was away, the navvies would have peace in the place; they could do whatever they liked, swear, drink, fight, and give expression to their vital life force in whatever manner that liked best.

"If I was a young man last night some of you would die before your time," growled Ganger Billy. "See the damned shack, and the way you've left it! Broke to smithereens, the whole place, and all on account of the cadger that makes this whisky. And you, Moleskin – you came out of quod to kill the fellow, Jones, or whatever the devil you call him – and what have you done? Nothin'! You're afraid of him – that's what it is! Afraid of him to the bottom of your guts!"

"I ain't afraid." Moleskin, who sat on the corner of a bunk, spoke with the voice of one intensely weary.

"You're a drawn out fool, Moleskin," said the Ganger, rising to his full height and looking down on Moleskin. "Gawr! If they haven't made an ass of you, ask me another!"

"Spec they have," was Moleskin's admission.

"Who makes this tipple, that that dried whelp is serving out?" asked the Ganger, pointing a finger of scorn at Slatterguff. "Eh, who makes it, Moleskin?"

"Tom Jones," said Moleskin in the same spiritless voice.

"And you were goin' to twist his thrapple?" screeched the Ganger. "Bash his head in! ... Gawr, Moleskin, you couldn't bash in the head of a louse! None of you could!" His red eyes took in the whole compartment. "Fill up your dirty bellies, wreck everything! But face a man, not one of you could! But this night" – his voice became cold, hard, and precise – "the polis are comin' here, and I'm goin' to give them the wink, and let them know where this beautiful Tom Jones is carryin' on. And maybe half a dozen more of you will go with him, when he's taken off. Twenty pounds it'll cost me to make up the damage and ruin you caused last night!"

Moleskin got to his feet, and as he did so the Ganger gripped a pick-shaft and stood waiting. Despite his years, the old man would do battle with the youngest.

"You can try all you damned will, Joe!" he snarled. "But you'll have to walk on me stiff before you can crow over me. Come on, and do your damnedest!"

"Don't be afraid, Ganger," said Moleskin, sitting down again.

"I'm not," said the unbowed Ganger.

"Historical!" mumbled Sclatterguff.

"Have you ever seen this bloke, Jones?" Moleskin inquired.

"Will see him this night for the first time when he's handcuffed out o' Glencorrie," said the Ganger.

Moleskin Joe got to his feet again, and looked at the gamblers, who were of little interest to him at that moment. In fact, he was filled with a certain contempt for them, for their stupid little deceits, guiles and trickeries. Trying to make him believe that Jones had gone, while the man was still in the neighbourhood! He knew it all along. He knew more than most of them knew. With one word he could break an old man's heart that very moment, but he forbore to speak the word. The Ganger had evidently given information to the police, a mean crime in navvydom, but there was something to be said in favour of the old man. His property had been damaged on the previous evening, and those who had a hand in the wanton destruction were not prepared to use the same hand in repayment. And now he was going to give his son, his gentleman son, up to the police!

"Ganger, put that pick down and don't be a fool," said Joe. "They did kick up a shindy last night, but it could be worse!"

"Well, what the hell do you, that never had a penny, call worse?" asked the old man.

"It's not me to say anything about what I have or haven't, but I once had two hundred quid in my pocket, and it was pinched. Did I go to the polis about it?" asked Moleskin.

"What did you do?" inquired the Ganger. His hand was still on his pick-shaft.

"I dished out a few black eyes," said Moleskin.

"Did that get you your money back?"

"Not that time," said Moleskin in the equable voice of one who recited ancient history. "The black eyes wasn't given to 'em as pinched. But 'twas better'n goin' to the polis. . . . Now, Ganger, as man to man, I ask you not to have any truck with the polis. I know they're hangin' about the place. Some new hands as have come here, four to Macready's shack, two engineers, and one other bloke as is on the steam crane knows no more about navvyin' or engineerin' than a finger doctor knows about it. Polis in plain clothes, that's what they are. You know that, Ganger?"

"Well?"

"I hope you haven't tipped 'em the wink."

"I don't say I did, but if I did, what about it?" asked the old man.

"Nothin', bar this," said Moleskin. "If you did, it's dirty and the dirt will come back slop in your face. I'll not throw it, and these blokes here (they'll be drunk in a minute) will not throw it, but when it comes, you'll not forget it for the rest of your natural. That's a word of warnin', Ganger. Take it for what it's worth, and chew it if you can't smoke it."

With these words Moleskin made his way out into the night, conscious of a great emptiness which nothing could fill. Leaving the shack he thought of going to see Isaacs again; in fact, he had filled his pocket with cookies in the early part of the evening and these were intended for the boy's supper.

But now with the cool night air beating against his forehead he asked himself why he should go. It would serve no purpose. The best thing to do was to forget the boy, forget all that had occurred in the last month, in the last year, in the last six years.

But how could that be done? Memories, dreams, feelings had burned into the very essence of his being, rooted themselves in and were part of his life, more than that even. They were his whole intimate existence. They were the man himself, and would be until the day that he was no more.

He had known life, red and sordid, but never came to him a moment like this. On the previous night he had not slept a wink, that day he had not eaten. All was confusion, perplexity, mystification.

He had come to Windy Corner, an escaped convict, but a man with a purpose, and one straight road lay in front of him. He was going to thrash Jones, "kill him" was his remark at the time, but there are moments when extreme anger is extravagant.

Then Isaacs came. His way cut across Moleskin's, obscuring all objective. Then came the conversation overheard at Dunsore. All certainty was lost, an entirely new measure of facts arose and subjugated the man. He was lost. What was he to do?

He walked across the spongy wastes, knowing not where he was going. Overhead the stars winked mockingly, and the moon, standing high, had taken on a deathly pallor. Round the man was a desert, bleak and blank, having neither the movement of life nor the essence of death, that movement by which man lives and that essence which makes time palpable.

He asked himself questions, still walking at a steady pace and taking no heed of where he was going. Before he met Sheila Cannon (he still called the woman by her maiden name) at Hermiston he saw his path, had his road clear in front of him, his customary jobs and customary dissipations. Even when in the army, life was easy for the man, the job had its limits, its regulations, but these, for the time, were bearable enough. The routine and discipline had in them movement and a measure of change. Above all there was little necessity for thought. There were no problems.

But here he was confounded. The future leading into darkness, standing in air like an uncompleted sap, bristled with difficulties. What was to be done?

Sheila was married! How could one get beyond that? He loved her! But what was the use? And the boy was hers. And Malcolm Davis! As he thought of him, Moleskin ground his teeth. "I could twist his dirty thrapple," said the man.

He found himself near Saunders' cabin. All the time his steps had been in that direction, though the whole journey was done instinctively, governed by no cohesive reasoning. To find himself there did not surprise Moleskin. His was the position of a dreamer in an untoward position who takes no cognizance of the train of events that led up to it.

He stopped a moment at the door of the miserable shieling. How hopeless it looked. Even at night when the moonlight tones rough edges, when the slimy rock shows a lustre it never bears in the raw day, when a filthy puddle gleams as if gold were hidden in its clammy depths, when no outline is ruggedly defined, no depth without mystery, no prospect without allurement, Susan Saunders' cabin showed a sordid housing for a human being.

Its one four-paned window was without three of its panes, the squares in which the glass was once set were stuffed with rags. The door was open; a naphtha lamp hung from the roof, a fire blazed on the hearth. Round the lamp and fire a thick vapour, drawn from the damp floor, walls and roof, curled, blocking out all objectives.

Standing at the open door, Moleskin gazed into the intensified fog. Somebody was seated by the fire, somebody who was neither the washerwoman nor child. The person was a young woman, wearing a shawl which hung round her shoulders. Her face, white and timid, was turned towards Moleskin.

Hypnotized he took a step towards her. He had seen such a face, such a figure, somewhere before. The woman's dark brown wavy hair, starred with the congealed vapour of the room, circled a face fair to look upon.

Although overcast with brooding sorrow, there was in her look and posture, in the lines of her body to which poor clothes seemed to add charm, in her oval countenance, soft large eyes, full lips and delicately rounded chin, a grace, and grief and anxiety added a certain dignity to the grace already there.

The woman was Sheila Cannon. Resting on her lap and nest-

107

ling in against her shoulder, was the child, Cunning Isaacs. The boy was asleep.

The man and woman gazed at one another for a full minute without speaking, and for some reason or another, Moleskin took off his cap and put it in his pocket.

"Sheila Cannon, isn't it?" he asked, without coming nearer.

"It's me, Joe," said the woman.

"I was just comin' by, and seein' the light, I thought to myself, I'd just come in, and I didn't expect to see anybody, and I'm off now. No offence meant, but you see, I was only passin', so to speak. Good-night to you!"

After speaking thus, Moleskin pulled the cap from his pocket, and stepped backwards.

"And is that all you've got to say to me, Joe?" she inquired in a whisper.

"Well, you see, I'm goin' on a night-shift, and they're waitin' for me to come at once," the big man explained. "And it was to see Susan Saunders that I came here. Where is she?"

"Joe!"

"Aye?" He took an undecided step towards the speaker, then stopped. "Anything I can do for you at all? ... If there's anyone as says anything against you, tell me his name."

Having made this straightforward assertion, and drawn a deep breath, he felt more at his ease. Sheila cast a look, half beseech-ment, half fear, at Moleskin. He saw her lips quiver and at that moment felt that he wanted her more than ever.

"I know you would, Joe," she said. "You've done everything for me. If it wasn't for you, I wouldn't be here this night, and if it wasn't for you, maybe, my wee Malcolm wouldn't be safe this very minute." She kissed the sleeping child. "Joe," she inquired, "why won't you come and shake hands? I would come to you, if I wasn't nursing him. And I've put a long journey past me, miles and miles of road and hill, Joe. But you're backward, like you al-ways were."

"Course, you've done a long journey," said the man, awk-wardly catching the woman's delicate hand in his mighty paw. "And I didn't expect to find you here at all. Are you in trouble, Sheila Cannon?"

"Not in trouble now," she said, with a bright smile. "But I was in sore trouble, Joe. I came up here long ago, maybe it's not so long, but it seemed years, and I fell into a brook and there was a fog and it was the polis that got me, and when I came to, I was in Markonar 'firmary. Malcolm wasn't with me, and when I asked the sister for him she said I was wanderin' in my head. And so I stole away and got here this night."

"Walked all the way from Markonar?" asked Moleskin. He still held the woman's hand.

"Not all the way," said Sheila. "I got two lifts on carts and then on a motor-car with a gentleman and a lady. A sweet lady, Joe, and she was so kind. And now I've Malcolm, and Susan Saunders was tellin' me how good you were to the boy. How is it that some people are so good, Joe?"

"Don't know," said Moleskin. "Haven't met them, the ones that's so good as all that!"

"But the lady, Joe," said the girl. "I never met her afore and she wanted to know if I was in trouble and when I told her that I was, she wanted to help me. And then yourself, see all that you done for me?"

"What did I do?"

"You'll not be sayin' that you've forgot the Hermiston Waterworks, Joe?" asked the woman.

"Not me to forget it," said the man in the unsteady voice of one who was boiling within. "I've never forgot it. But, maybe, you did, forgot words you spoke as soon as you spoke 'em. It's a long while since that and you were only eighteen, but you don't look a bit older now."

"But the heart is older," said the girl very sadly.

"Your face and head give the lie to it: not one wrinkle, not one white hair." He dropped her hand and looked at her. "But you're cryin'," he said.

"I'm not at all," she answered, her words a choking gasp.

"It's a funny thing us meetin' in this way," said the man. "I didn't think I'd meet you again. And it's on the books that we'll not cross each other no more. But now that I've the chance I want to tell you somethin', Sheila, somethin' that if I had had the learnin' in my head and a smart twist o' the tongue, I'd have told you years ago, when the water burst at Hermiston. You remember it, don't you?"

"Will I ever forget it?" asked the girl.

" 'Twas in the evening," said the man, reminiscently, "and you were takin' supper to your father. But, maybe, it's not the same to you as it was to me. And do you know why?"

"I'm sure I don't."

"Well, I'll tell you, Sheila, leavin' all aside, and the wee bit o' help that I gave you –"

"If it wasn't for yerself, I wouldn't be here now," said the girl.

"Well, I'll grant you that if you like." The glance he fixed on her was so steady that her eyelids fell. "What always comes to my mind when I think of it, Sheila, was you on the banks o' the cuttin' when the waters were runnin' loose like the mills of hell, puttin' your two wee arms round me shoulders, and your lips very close to mine and sayin', 'Moleskin Joe, you're the best man in the world!' And you kissed me. But you've forgot it all, as I said, for why should you keep it in mind? You were eighteen, and who wants to die at eighteen. Life at that age is worth a kiss on the grubbiest face. And you would forget it afterwards. You did forget it!"

"I did not!" Sheila's eyes gleamed with a strange light. A blue mistiness seemed to settle round her hair, and in the tremulous light of the guttering naphtha lamp her face had taken on a deathly pallor.

"Even if you did another maybe didn't," said the man. "I didn't. And often it is since that evenin' and me in many a place, often in a doss-house, with fightin' goin' on, maybe it would be rest on my bunk thinkin' of wee Sheila – and maybe it would be in the trenches with Jerry's scrap-iron tearin' at the parapet, and I would think, in my own way, of a kiss that I once got, and didn't give back because I was a rough rung of a man, that was no hand with the women and had no soft talk to hold them."

"It's not everyone like yourself, Moleskin Joe, that would go lonely long without a woman and havin' talk like that to hold her!" said the girl with a coy smile.

Moleskin suddenly became self-conscious.

"I have been talkin' through my hat," he said, with an awkward laugh, shaking a little as if his passionate outburst had robbed him of energy. "It's years ago that I ought to have said that. But I've said it to myself often since then, gettin' into trainin' so to speak, to be able to say it to you when I met you. And if a man can't do a job well after years of trainin' he'll never be able to do it! Sheila!" he reached forward and caught her hands. "Sheila, I love you better than anything in this world, up and down, or out of it!"

A rapturous smile spread over Sheila's face, but died away almost as soon as it came. She pulled her hands away and looked up at Moleskin, and her eyes became suddenly moist.

"Oh, it's terrible, Joe, it's terrible to hear you speak like that. You mustn't, you mustn't!" she sobbed piteously.

"But I will!" Moleskin's voice was tempestuous. "I lost you once. You went away then, and I looked up and down, padded the hoof from doss-house to doss-house, on the look out, but never lucky. Then a war broke out, and 'twas come and fight for your country. All the country I had was under my finger-nails, but I went to fight. Then I had a look round again, when the row was over, but the world's a big stretch, and you're not much size after all. And maybe you didn't want me, any way," he concluded sadly.

"I did want you, Joe," sobbed the girl. "I did want you badly. That's the terrible thing."

"Is that the truth, Sheila?" asked Joe, wondering.

"True as death, Joe. Don't ask me anything more, but leave me. Now, Joe, please."

"Leave you on your own?" asked the man.

"On my own!"

"You've nobody with you?"

"Him," said the girl after a moment's hesitation. She pointed at the child.

"Then I'll stay with you!" said Moleskin, reaching out his hands to hers again.

"You mustn't, Joe. Please don't!"

"But you've said —"

"Don't think evil of me, Joe, even if I've said what I've never confessed to any soul before, hardly to my own," the girl pleaded. "I love you, Joe, God forgive me, I've always loved you since that night years ago, and maybe before that. That's why I don't want to be with you now." She paused and her dark liquid eyes looked up at his. "It's too late. It's all over now, all over!"

"Why should it be all over?" asked the man. "Come with me! I want you, Sheila, more than anything in this world. Let us set off, together —"

"Don't speak like that, Joe," she entreated. "I cannot come. There's a reason —"

"Don't tell me the reason," said Joe, sullenly. "I don't want to hear. You are married. But *my* Sheila is not married! If she is I don't want to hear about it. I've only once seen a woman — a slip of a girl — with man's eyes, and I don't want her to be anything but what I've made her out to be. Maybe you aren't her —"

Moleskin stopped dead in his utterances, as a noise was heard outside, and he turned a startled face to the door.

"There's someone comin'," said the girl. "You must go away now, Joe." She held out her hand to him. "God be good to you in everything and everywhere!"

"In everything; in murder?" asked the man, catching Sheila's hand in both his own.

"God help us! what are you sayin'?"

"Everywhere: on the gallows?"

Sheila shrank under the intensity of his gaze.

"You look scared," said Moleskin harshly. "I've come here, not expectin' to meet you. I've come to kill a man. And then, when one kills a man," he spoke slowly as if taking pleasure in the words, "he is a murderer, and you know what happens. He dances on the air, wearing a new cravat, a thin one, thinner than your arms, but every bit as tight!"

As he spoke he put his hand on her hair, and looked down at her, at the delicate contour of her chin, at the whiteness showing through the V-shaped opening of her blouse, at her tumbled breasts and the child sleeping on her knees.

He wanted to say a great deal to her at that moment, to tell her of his life, his adventures and sorrows, the jealousy that tortured him, his love, his desire for a kiss, for a million kisses.

"Joe you must go. There's somebody comin'," she said suddenly. "It's Susan, I think."

"All right, I'm off, Sheila! But once – will ye?"

"What?" she asked, looking up at him.

"Just the same as at Hermiston," he muttered thickly, and without waiting for her reply he bent down and kissed her full on her lips.

The next moment he was gone.

*Chapter Sixteen*

## THE PRIEST

On that evening Father Nolan came to Glencorrie on one of his periodic visits. The gig hired at Dunrobin came as far as the mear of Glencorrie. When there the driver refused to come any further.

"If I take the pony downhill on this road and in this frost it'll be a broken leg for't and a broken neck for one of us," said the driver.

"And quite unnecessary when I can walk," said the good-humoured priest.

He took his way across the braes of Glencorrie. The night was sharp, bracing, and good for walking. In the distance a star-flecked leaden blue expanse told of the waterworks. Now and again a breeze rose from nowhere, flipped him coldly on the face and passed.

After a while Susan Saunders' cabin rose out of the night, the light within showing a yellow smudge on the darkness. A workman came round the gable end of the cabin, puffing a pipe and spitting.

"Somebody living here?" asked the priest.

"Aye, Father Nolan," was the answer. "Ole Susan has come back again. Thought she had kicked it, I did, but she didn't. The worse they are, the longer they live."

112

The man trudged down the brae. Father Nolan went to the cabin door, and almost collided with a mighty-boned individual coming out.

"Up to her old tricks," the priest muttered, looking in. "Are you in there, Susan Saunders?" he called through the smoke.

"Who's that?" asked a frightened voice.

"I heard Susan Saunders was here," the priest replied. "But that's not her voice. Who are you?" He could see a woman seated at the fire.

"Sheila Davis, Father Nolan."

"Eh!" the man exclaimed, coming in. "Sheila Davis. Of all people in the world, you! What are you doing here, child? In this place!"

"Won't you sit down, Father?" Sheila asked. "We haven't any chairs, but there's a wood-stump. Just pull it in to the heat."

The priest sat down, stretched his legs to the fire, all the time keeping his eyes on Sheila and Isaacs. The man's face was tanned brown, deep wrinkles showed in a forehead beaded with sweat.

"Now, my child, come tell me all about it," he said, wiping his forehead with a mighty palm. "The last I saw of you was in Carlisle, and I told you that I would see your husband if I could. I saw him, as I've told you in my letter, when I sent you the little sum of money that I had some difficulty in getting."

"I never got a letter at all," said the woman.

"Didn't get my letter!" Nolan exclaimed. "Then, if you hadn't the money, how did you get here?"

"Walked. I couldn't pay the rent, and there was no work to be had –"

"My poor child!" exclaimed the priest.

"It's poor wee Malcolm more than me," said Sheila, bending over her child and kissing it. "But he's a grand wee fellow. Never would cry at all. And you've seen my man?" she inquired.

"I have that," Nolan told her. "He has been hard on you, the way that he's left you, but if you can let him see you now, with the little child, he'll come to you again, and the three of you will settle down together, forgetting all the past and be as happy as the flowers in May. He didn't know his own mind at the time he left you. That was the army. It spoilt a lot of young men. But now they're settling down, and when I bring the two of you together to-morrow –"

"I don't want to see him again!" said Sheila.

"But you've come to look for him!" A look almost of bewilderment showed on the face of the priest.

"I hate him, Father, I hate him!" said the girl, in a sudden burst of anger.

"My child –!"

"I don't want him, Father." She bent her head and spoke in a low, almost inaudible voice. A thousand facets of light gleamed from the tears that filled her eyes, and she looked very beautiful at that moment.

"But you surely have not forgotten how kind he was to you when you were married. You were happy together. You've told me so yourself. When worry comes you've got to put your trust in God, my child," said the priest. "And He will see in His own good time that your husband comes back."

"God's time is very slow in comin'," said Sheila with a bitter laugh. "Even if my man does come to me crying and repentant, will he cry off the years that are standing against him? Will his tears blot out our days of hunger and hardships. No, God Himself can't blot out the past!" the woman exclaimed, rising to an ecstasy of passion. "For myself, I can forgive him, but for the child never."

The priest felt embarrassed and gazed from under his brows at Sheila. There was a moment of tension, and the night breeze could be heard beating against the open door.

"Father?" Sheila spoke in a whisper.

"Yes, my child."

"Another man has asked me to go with him, and" – there was a momentary pause – "and I'm goin'."

"Another man!" The priest fixed a stern look on the woman. "And who is this other man?"

"Moleskin Joe."

"Moleskin Joe!" the priest exclaimed. "Well, child, it was Providence that brought me here to-night to save you from that man, from sin, my child! Moleskin Joe! Well, of all men –"

He was silent for a moment.

"I know him. I've seen him here. He has just gone out, hasn't he?"

Sheila nodded.

"I know him; saw him in France," the priest continued reminiscently. "Yes, yes. A bad Christian, but a good fighter."

"Fighter, Father?" Sheila asked the question mechanically.

"Fighter," said Father Nolan. "I saw him fighting. We got into a scrape where the Cross was of no avail, and, God forgive me, I had to use a bayonet."

"Wasn't it a sin, Father, for you to use a bay'net?" asked Sheila. Despite the simplicity of her outlook, she was quick to work an advantageous moment to her own purpose. "If *you* sinned, how do you expect –"

"But you don't understand, my child," said the priest. " 'Twas

114

different with me. The occasion, the circumstances, a matter of life and death – and one does not think!"

"If one doesn't think, it's no sin!"

"Well, my child, it all happened on the spur of the moment. It could not be avoided."

"Can love be avoided?" asked Sheila.

"Oh, that's another matter!"

"Why?" Sheila asked warmly.

"Another matter – for you, my child!" The priest got to his feet. "In the first place you are a married woman. That's generally enough to keep any woman straight, it doesn't matter what her creed is. But, as you know, marriage in our Holy Church is not only a contract – it is a sacrament! You have to be faithful in thought, word and act, my child. If not, mortal sin, and you know the penalty!"

"But, Father, will you speak as yourself to myself, not as a priest?" asked the woman. "Am I doin' wrong? It's not all my fault. He has been hard, bitter! Thrown me aside and hasn't given me a penny piece for years. I've had to starve, work my fingers to the bone. In health I've had worry always, in sickness no consolation. Is it a sin, Father, to look for a little happiness?"

"Not at all, if it's not evil happiness. But the greater happiness is that of the next world which will be yours if you bear your troubles with a brave heart and noble spirit. We all have our crosses, some heavier –"

The priest suddenly realized the hollowness of the stock phrases when he looked at Sheila. Irony showed in her eyes. Possibly he had made a mistake, wrongly suspecting that Sheila discovered the artificiality of his argument when he himself became aware of it.

"You're still speakin' as the priest, Father," she said.

"When it is a matter of your own immortal soul I will speak as a priest." He was over emphatic. "I have got to justify myself before God and I cannot say to you: 'Go your own way! Marry a dozen men, if you want to. Be a bigamist, which is wrong in the eyes of the earthly law and means prison; be an adulteress, which is wrong in the eyes of God, and means damnation! Then you have your son. Is he nothing to you?"

"He's everything to me!" She looked down, shuddering, and buried her face in her hands.

"Then, if you do love him," said the priest, "you've got to act so that when he comes to the years of discretion, he will say that you were everything to him that a mother should be. Forbear, my child, forbear. It is not too late, even now, but you've got to go no further. Remember 'tis not the length of the step that

115

counts at the start, but the direction. . . . Malcolm Davis is your husband. You are bound to him, not for so long as it suits your convenience, but till death, my child, till death" – he struck the table with his fist – "for good or bad, for better or worse. That is the letter of the law, the law of God. . . . And are you not a Catholic, my child?"

"Maybe I would be happier if I wasn't," she said.

The girl was a fervid Catholic. Her moral outlook and religious ideals were those of a million other girls of the same faith, which has as its groundwork, submission to mandate and belief in miracles. Progress had not confounded Sheila, old ideas, termed new, were to her unknown. Her creed was a simple one, and the articles of her faith were as barriers of steel which she would not dare to break. The earnest, simple, self-sacrificing woman had, up to then, accepted them with unquestioning assurance.

But at that moment she felt as if her long spell of passive endurance had come to an abrupt termination. She did not want to talk any more.

"And who has this place?" asked Father Nolan. "This cabin was not occupied when I was here before." He had done his duty as far as lay in his power, and was now ready for conversation on general subjects.

"Susan Saunders," Sheila told him.

"So old Susan is living yet?" he inquired. "It's years since I saw the poor soul. And, my child, she's not what one would call a very good companion for you!"

"Of course, she's not good!" Sheila spoke angrily. "Worse than Moleskin Joe is, if it comes to that. When I came in here this night, Father, without a home, with nothin', she says, 'That's for you!'" Sheila pointed to the shakedown huddled against the wall. "'But where will you sleep?' I asks her. 'I'll go to the navvies and they'll give me blankets,' and out she goes, barefooted, and she'll be back in a wee while. And it's a cold night out, barefooted. Moleskin's not much good either. He one time was nearly drowned savin' me at Hermiston. But, maybe, his life wasn't worth much, nor mine, if it comes to that! Father, it's a lot you, maybe, know about sins and rules and laws, but I'm thinkin' that you know very little about people at all."

The momentarily rebellious slave became suddenly conscious of what she was saying, and stopped terror stricken. Gentle, meekspirited, she had never dared to question authority before, and now, with the feeling of resentment suddenly checked, a dimness came over her eyes, her temples throbbed, her hands fell white and limp over her child.

116

"Leave me, Father," she whispered. "Come to-morrow again, any time afore you go away!"

"Right, my child, I'm going," said the priest. "But you're looking pale. Have a sip of water! Is there a cup? No. Yes, here's a tin!"

"What am I to do?" she whispered. "Have I to go to him?"

"Well, well, well!" mumbled the priest. "It's your duty, of course, but – but – we'll talk about it to-morrow when you're feeling better. I'm going along to the shacks and I'll send Susan here if I meet her. It's time for you to be in bed, my child!"

When the priest had gone, she kissed her child. It was Moleskin Joe who had made the little suit. Susan Saunders had informed her of the fact. And through that suit, Sheila seemed to get possession of the tailor, to absorb him without being aware of it. She could see the navvy's big clumsy hands sewing the seams together – with a packing needle. She could see his eyes fixed on the work, his gestures, his patient handling. Perhaps he knew that the child was hers.

And he loved her! He said things such as no man had ever said to her before, or if they were said they had never such an effect on the woman. There was something about him so intense, so primitively passionate, that she was carried away. The moment he entered she divined his passion in the way that women can. His agitation on seeing her, the awkward withdrawal, the precipitate avowal, the kiss, all told of an overpowering love.

"I'm not doin' wrong in thinking like that," she whispered to herself, half-fearfully, half-defiantly. "He has been cruel to me, bitterly cruel." She alluded to her husband. "If he did not want me he ought to have writ me one letter and told me. Then I would be free. But to leave me to myself for years the way he did. When I think of the way I cried, the way I suffered! And not a word from him, not a line, nothin'."

Shaking with sobs she looked down at the child, caught him in her arms and covered his face with kisses.

## Chapter Seventeen

### IN THE NIGHT

Malcolm Davis had at last decided to leave Glencorrie for good. The place was becoming uncomfortable in more senses than one. Police in plain clothes, working as navvies, might at any moment swoop down upon him. Contractors, engineers and gang foremen, putting their heads together, were determined to put a stop to the liquor traffic. Even Ganger Davis had avowed his intention of helping the police.

And to add to these, certain indiscretions of his own youth were marshalling themselves against him. His legal wife was in the neighbourhood. He had seen her that morning leaving Windy Corner. One thing he did not know, however – Sheila Cannon's visit. He believed her to be still in Carlisle. Father Nolan's visit was a week overdue. The priest knew the cave and there was no reason why he should not come to it again.

It would be better to clear out now, go to London and start business as a bookmaker. Having at the present moment some two thousand pounds in hand, Malcolm, viewing the theory of Chances and Recurrences from a new angle, was bent on making a fresh start and becoming wealthy. The future spread out in front of him, auspicious, golden-hued, the dream of Alnaschar.

The time was nine o'clock in the evening. He stood in the cave where the darkness was bundled, intensified. On the floor the dying embers of the distillery fire gleamed like glow-worms. Two jars of whisky stood at the man's feet, waiting for Sclatterguff who would come directly and take them away.

The sound of somebody approaching was heard. Davis walked quietly backwards into the dim obscurity of the cave, treading his way softly through the opacity, his ears strained for sound. He could hear the cumbrous scrambling of the one who was nearing the entrance, the slippery shuffle of feet losing and regaining purchase of the wet stones which filled the alley outside.

Suddenly a lighted peat fell through the structure that rimmed the fire and a shower of brilliant sparks rose in the blackness. Davis had a momentary view of the place, the wet walls, the glaucous floor, the thin stream of water falling from the roof and glistening like a silver snake. Davis still continued his journey, one hand stretched into the gloom that he was piercing. His fingers touched a rock, he felt his way round it and stopped when the entrance of the cave was lost to his view.

A man came in, stood for a moment near the fire, and lit a pipe. Davis peeped round the corner of his hiding place, but not before the match was extinguished. All that he could see was the pipe glowing and the visitor stooping down, gathering wooden blocks from the floor and throwing them into the fire.

In a moment they were ablaze and the watcher was again able to take stock of his surroundings, of the dark cavern with its black corners, serrated projections, gloomy roof, glistening floor. The man who had just entered was visible. He was the ancient Sclatterguff, who had come for the nightly allowance. Until quite recently, Davis hid himself when the old man visited the cave. The jars were then placed by the fire, Sclatterguff carried them away, but before leaving, placed the money on the floor. Now, however, the distiller showed himself when the buyer made his appearance. To Sclatterguff, who did not recognize him as the Ganger's son, he was "Tom Jones."

"So it's you, Carroty?"

"God! what were you hidin' there for?" he faltered. "I thought it was old Nick. And my 'eart!" he said, striking his breast. "I'm all a-shake, with the polis here, there and everywhere."

"I thought you weren't coming to-night," laughed Davis. "What kept you?"

"I'm the only man in Glencorrie that would come up here," said the old man. "It's the polis, dozens o' 'em, and all in plain clothes."

"Looking for me?" asked Davis.

"Well, they don't say as much. Butter wouldn't melt in their mouths by the look o' them. But these new men that have come here within the last five days, nobody trusts them," said Sclatterguff shaking his head. "One fellow came the day 'fore yesterday and he had two shirts. That was a bad sign. No navvy ever has two shirts, so he was tipped into the water."

"Drowned?" asked Davis.

"No, he could swim." There was a tinge of regret in Sclatterguff's voice. "But the worst of it is, that some of the men are sidin' with the polis. That's what navvies never done 'fore this. Trade Union, that's the cause of it all. I saw the time when you looked for a job all that a ganger wanted to see was the spread o' your mit and the width o' your shoulders. Now, it's your Union ticket they look at, damn them."

"Well, there are your two jars, Carroty," said Davis.

"The same charge?" asked Sclatterguff. "Seein' that you're rollin' in money, shouldn't you give me an extra dollar for comin'?"

"Good God, man, isn't it cheap enough!" laughed Davis. "I work eighteen hours a day, and expenses have gone up 50 per cent."

"But look at *my* risk," said Sclatterguff. "Goin' down to the glen, *I* may run into the polis. Say a dollar for myself?"

How Davis would have answered this proposal was never known, for at that moment a hand fell on his shoulder. Davis turned and found himself looking into a strange face, and behind that face were two others, three in all.

"Tom Jones?" asked the owner of the gripping hand.

By a deft turn Davis freed himself and shot out, mixing with Sclatterguff, who, having recognized three of the "new hands" in the faces blossoming from the obscurity, was as eager as Davis to make his escape. Together the two men stumbled down the defile, slipping over stones, tumbling against boulders.

A figure rose from the ground and gripped Davis, but with the despairing strength of a man thoroughly frightened, he closed with the figure, rolled with it down the defile, broke free and took to his heels again.

The first shock over, his mind brightened immediately, and he considered the situation as he ran. He had to get out of the valley and the only exit was the fissure in which Moleskin Joe had been trapped weeks before. It was the only way to get out. The combe, safe enough in the darkness, was a trap in daylight. He had to get out, and what a fool he was not to have gone on the previous evening, he thought as he ran. Behind him he could hear the shouting of those who followed.

He came to the fissure. The moon shining through, looked him full in the face, and gleamed evilly on the icicles which hung from the sharp-edged projections of the pass. The man's eyes sought the ground looking for the snare. But there was none. He shot through into the freedom of the moonlit night.

He crossed the one bridge that spanned the outlet of the reservoir and rose towards the shacks. Once beyond these he was free. Even as it was, he now considered himself out of danger. The bridge was some fifty yards to rear and the pursuers had not reached it yet.

Passing Windy Corner he sobered his pace to a walk. The place was lighted up, but within all was silent as if nobody lived there. They were waiting for the whisky, he thought, and smiled wryly. It would be a long wait. In the adjacent shacks a greater liveliness manifested itself. He could see moving forms in the lighted doorways, hear the sounds of swearing and singing and smell the odour of frying meat.

Two men came towards him, navvies, one with his cap pulled down over his eyes and both smoking.

" 'Night!" he said passing.

"Tipple here yet?" asked one, Tom the Moocher.

"Dunno," answered Davis.

"Here, who're yer?" asked the second man, Sid the Slogger, stopping and facing Davis. "Don't know your voice!"

"Don't know me, matey?" asked Davis with a laugh.

"Don't, but damned soon will," said the Slogger, and as a preliminary to the acquiring of this knowledge, fastened upon the coat collar of the runaway.

"Glue yerself to'm!" advised the Moocher. "We don't want the damned job run by the polis."

"I'm not a policeman!" blurted Davis.

"Who're ye, then?" asked the Slogger, holding fast while waiting the reply.

"What's the damned good o' askin' them what they are!" the Moocher growled. "They're any damned thing if they get off with it. In with you here, and we'll see the cut o' your face!"

Having spoken, the Moocher, aided by Sid the Slogger, shoved Malcolm Davis towards the naphtha lighted shack that was known as Windy Corner.

From the outside Ganger Davis was watching them. All that evening the old man was in a state of high nervous tension. He had given the police information regarding the cave. He knew where it was although he had never been in the place. In their drunken moments the men had been unwise and spoken foolishly. The Ganger had taken stock of their conversations, and reported the talk as he heard it to the officials of the law.

"And why the hell shouldn't I," he told himself. "Another drunk fortnight and every damned penny I've made, my shack, my blankets, my bunks, will be gone. I trust they hang this cadger, Jones, when they lay their paws on him, the devil's whelp!"

And this was the night! A few of the police had gone to the cave in the afternoon. Jones, not in residence then, was out seeing to the delivery of the stores. The carters still brought the various ingredients to Glencorrie, depositing them in some secret dump on the uplands, and from there Jones transferred them to the distillery.

The Ganger was on tenterhooks, waiting for news. He had been to the engineers' headquarters. The engineers were in the know, but up to the present they had heard nothing.

He dawdled across the slope towards his shack. As he drew near, he could see Windy Corner, plastered silver where the moon shone on the ice already formed there. The shadow of the building sloped off at an obtuse angle, and the light from the doorway formed a square in the night's greyness. The moment was one of quiet; the sound of running water leaving the reservoir intensified the silence.

Somebody crossed the lighted doorway, walking easily. In some dim way the Ganger fancied that he recognized the figure, but made no effort to place it. He heard it questioned by the Slogger.

"The damned Slogger!" muttered the old man. "He's drunk again!"

"We don't want the damned job run by the polis!" came the voice of the Moocher, who was now scuffling with the stranger.

"And he's boozed too!" said the Ganger. "Thank God, it'll all stop to-night!"

121

The Moocher and Slogger hustled the stranger towards the entrance of the shack. The scuffling silhouettes showed against the lighted door.

"Is it to be wreckage and ruin again this night?" asked the Ganger dolefully, bearing down upon the trio like a fox stalking its prey.

## Chapter Eighteen

### HUSBAND AND WIFE

Had Doctor Taylor a patient for every square mile under his charge, his practice would be a large one; even if all his patients paid sufficient to get him petrol for his car and the merest fee for his professional assistance he might be able to save a little.

When, on the afternoon following his visit to Windy Corner, he was informed that his services were required some leagues away in the moors beyond Glencorrie, Doctor Taylor brought out his trusty car.

"May I come with you?" asked Marjorie.

"If you desire," he told the woman. "The road is all right as far as Glencorrie, particularly if the frost holds. Afterwards it is mostly moorland with bundles of faggots for bridges, hills that take a tank to climb going up, a grapnel to hold coming down, and roads – footpaths that change with the weather. No, I think you had better not come."

"But I would like to come," said Marjorie.

"Very well," said the doctor, after a moment's thought. "It is freezing hard already and we'll have the moon coming back."

On the temporary cart track leading to Glencorrie they saw in front a woman going in their direction, Sheila Cannon walking very slowly, as if extremely weary.

"I didn't think that many women came this way, Dick," said Marjorie.

"There are always a few to be found about these places," the doctor replied. "But they are not always the best of the sex."

"We must give her a lift on the car," said Marjorie. "She looks tired."

"H'm!" The doctor's snort was non-committal. "If I know anything of these she'll feel more at home walking. And then your clothes, Marjorie!"

The road was difficult at this point. The car crawled, and the strange woman stood by the roadside until it passed. Marjorie's

122

eyes rested on her when passing and noticed the woman's poor garb and the sad expression on her face.

"Poor soul!" she whispered to the doctor. "We must give her a lift."

The car came to a halt.

"Are you going far?" Marjorie called back.

"Glencorrie," was the answer of the woman.

"Come along, and we'll take you part of the way."

"Thank you kindly. It's very good of you," she said clambering into the car with a weary sigh of gratitude.

"Do you live about here?" asked the doctor.

"No, sir. I'm a stranger."

"But it's no place for a stranger," said the man. "You have friends at the works, of course?"

"Yes, I have friends," said the woman, and was silent. It was evident that she did not want to speak of these friends whoever they were. The doctor started the car again.

"It's cold, isn't it?" asked Marjorie. She wanted to say something more than this mere formality, but did not know exactly what to say.

"It's very cold indeed," the woman answered. "But when one's travelling it's not so bad. It's only cold when a person sits down."

"Yes, it's cold then," was Marjorie's comment. "Your father works up there?" She noticed that the woman wore no wedding ring.

"No, lady, I've no father. He's dead, God rest him! It's my man, workin' at the waterworks, that I'm goin' to see." The poor woman's glance was so frank and confiding that Marjorie could have kissed her.

"Have you walked far?" she inquired.

"A good way, indeed."

"Will you be staying for a long while at Glencorrie?"

"Maybe I will and maybe I won't," said the woman. "It all depends on one thing and another."

When the car turned at right angles to the glen, she got off.

"You haven't so very far to go now," said the doctor. "Two miles will get you to the works. There are not many women there."

"When you're coming back again, through Dunrobin, if you come that way, call at Dunsore Farm. It's near the village. I will be very glad if you come in and have a cup of tea with me," said Marjorie. "Ask for Miss Smith. That is my name. And yours is?"

"Sheila Davis."

"Eh!" was the doctor's involuntary exclamation. "You were up here before?"

Sheila blushed and a frightened look came into her eyes.

"I never was at all," she said nervously. Her eyes got moist; she rubbed them with her hand. "Thanks to you for the lift," she said to the doctor. "And yerself, too, lady, thank ye!"

Without another word Sheila took the cart track to the glen. In the near distance the track was clearly defined, but further along it became indistinct, and ultimately in the far distance, where the first plateau stopped and the ground sloped to a second, the track merged into the waste and twilight and could not be followed further by the eyes that followed Sheila Davis.

"It is she?" whispered Marjorie.

"Of course it is," said the doctor. "To her, as to ourselves, he is a curse!"

"Where has she come from?" Marjorie inquired.

"Markonar Infirmary," said the doctor. "She looks very ill. Possibly she has stolen away, and walked the whole journey. Some men are lucky," he added bitterly. "She trusts and even yet you cannot bear to distrust." He was silent for a moment. "On the way back we'll call at Glencorrie and see what is to be seen," he continued. "The police are there in force, in plain clothes, and he will possibly be arrested. He's needed for several misdemeanours. We'll see this out to the bitter finish."

Later that evening the pair entered Windy Corner shack. The place, hot and stuffy, with a big fire flaring in the red-hot stove, had not a single soul in residence.

"Now, you warm yourself, Marjorie," said the doctor. "I've to attend to the car for a moment."

He went out. The woman sat down and stretched out her hands to the stove. Outside it had been very cold. Feeling had practically gone from her fingers, her feet were icy. Now with the sudden return of warmth she had a spell of delicious agony.

Five minutes passed; the nerves had become quiet and the pain had worked itself out. The doctor had not returned. When he did, what was to be done? Nothing possibly would happen. Dick had brought her here, taken her all the way from London to see the husband who had deserted her years ago. The husband was living with another woman, or, at least, had bigamously married another.

She had seen that woman in the early part of that day, and recalled now the wistful pain-drawn face, the large soft eyes so frank and confiding, and felt very sorry for her.

From the night came the sudden sound of scuffling. Struggling figures showed outside the door, reeled sideways, backwards, then, as if directed by some fresh impetus, they heaved through the doorway. There were three of them, all navvies as far as Marjorie could judge. She sprang to her feet in terror.

Malcolm Davis was thrust into the shack, powerless in the arms of his strong-limbed escort. In his eyes now was a hunted and frightened look.

After the trio came the Ganger, crouching, open-mouthed. In his eyes, which showed pink in the lamplight, was the mystified look of a lurcher that has accidentally nosed a hedgehog. At the sight of the pair, the hunter and hunted, Marjorie, who had risen from her seat, sank back again upon it, deathly white, her mouth half-open, as if with a suppressed cry of terror.

Malcolm Davis stood for a moment in the centre of the shack and gazed at Marjorie, then turned round to fly, and saw his father. The captors released their hold of the man.

"My laddie!" the father stammered in consternation.

"Malcolm!" Marjorie exclaimed, getting to her feet again.

"You here, Marjorie?" asked Davis. He spoke jerkily while assuming the air of one who, having come to the end of all resources, tries to make the best of the occasion. "You've arrived in time for the killing, anyhow. The police have been on my heels for weeks, and now they're round the place, dozens of them, and I'm cornered. But it doesn't matter!" he cried exultingly, as if pleased to be done with it all.

"What have you done?" asked Marjorie.

"That's not the question, woman," said the old man. "If they're after you, you've got to escape. Now, under one of the bunks, my poor laddie. I'll see that nobody comes in here."

Lifting a pick-shaft from the floor, he went to the main door and stood there on guard.

"Marjorie!" Malcolm spoke. He came in a few steps, and standing in the centre of the floor, looked at the woman. The Moocher and the Slogger edged towards the door.

"Yes?" Marjorie's reply was icy.

"I heard you were somewhere about," said the man. "But where is Doctor Taylor?"

"Doctor Taylor!" she repeated, confused. The Moocher went out. The Slogger waited, interested.

"You need not be afraid," leered Davis. "All sin, just as you and I have done –"

"You have no right to speak to me like that," said the woman coldly.

"No, not as a husband, I'll grant," was the man's admission. "But as a lover –"

"Lover!" the woman exclaimed scornfully,

"Yes, as your lover," said the man calmly. "A lover that damned his soul for you, a lover that truckled to your state of life, that hid his history, because it was not worthy of your up-bringing, who made a history, invented a pedigree, lied, thieved, broke laws, human and divine, because he loved you."

"Loved me! What about the woman, Sheila?" A new note was in her voice, the note of jealousy.

"'Twas an error, Marjorie," said the man. "But I strove to hide it. For all men the happiness of the future depends on a hidden past. And it happened at a time when the world was off its head, when all were mad and every sense of responsibility gone."

The Ganger looked round. The old man's eyes were unnaturally bright, with the brightness of agony.

"Now, laddie, get under a bunk and cover yourself up," he whispered. "There's somebody comin'."

"Let them come!" said Malcolm, sitting down wearily. "I don't care. I'm utterly sick of running over the hills like a hunted hare!"

The Ganger rushed to a bunk, one near the ground, and turned up the blankets. "Under this, my laddie!" he ordered hysterically; "and you'll be safe as the flowers in May. They'll not look here. If they do look they'll have to stoop down, and" – he looked at the weapon which he carried – "and they'll stoop further than they think!" he shouted.

"I don't mind if they do get hold of me," said Malcolm nonchalantly.

"Dinna be a fool, laddie," said the old man tearfully. "I'll give you the whistle when they're comin' and you just scoot in under the bunk! My own shack, paid for in hard money. They daren't come in, no, they daren't!"

Babbling incoherently, he went back to his original position at the door and waited pick in hand. Even as he took up the position he whistled, and at the same moment called out "Who's there?"

"You keep your wool on!" came the reply from the night.

"You, Moleskin!" said the Ganger angrily. All men were subject to suspicion. "What the hell are you hangin' about for?"

"Anybody in?" asked Moleskin.

"Spyin' for the polis?" the Ganger grunted. "Shunt off. You're not gettin' in here this night!"

"What the devil's up your neck now?" was the gruff inquiry of Moleskin, as he gripped the Ganger's weapon and quietly thrust it aside. He entered, looked at the Slogger, the woman, then his eye rested on Malcolm Davis, and he went towards the latter, came to a stop and confronted the man. Standing upright, white and foolish, the shivering Davis stared blankly at the ex-convict.

126

"Tom Jones, or Malcolm Davis, or whatever the hell you are, you're about the dirtiest sneakin' cur o' the devil I've ever run against," raged Moleskin. "Don't speak to me, but shunt! Your wife, one o' them" – he looked sideways at Marjorie whom he had recognized, and a dark flush overspread his face – "your wife has asked me to give you a hand and clear you out of this fix, and cos she's asked me, I'm goin' to do't, but shunt 'fore I forget myself. There are no cops on the bridge. Get across it and you'll be safe."

Moleskin ran to the door at the rear, opened it, came back to the dazed Davis, gripped him by the coat-collar and shoved him out. He closed the door after the man and bolted it.

"All's above board for'm now, if his legs are as clever as his head," he said to the Ganger.

Things occur in moments of turmoil with astonishing rapidity. Even as Moleskin spoke the door at which the Ganger had been standing was flung open, and a stranger entered. In his hand he carried a revolver. He was a new man who had come to Glencorrie that day, looking for a job.

"Who's this fellow?" he inquired, indicating Moleskin and addressing the Ganger. The Slogger edged out.

"What man?" the Ganger vaguely inquired.

"It's Malcolm Davis!" said the stranger, raising his revolver and covering Moleskin. "Hands up!"

"Keep your blasted wool on!" Moleskin advised, sticking his hands in his pockets and eyeing the man with an air of amused tolerance.

"Take your hands from your pockets!"

"If you're goin' to shoot, shoot and be damned to you!" Moleskin shouted. "Maybe I ain't the man you want!"

"Who are you, then?"

"You're the man at the wheel, and it ain't your job to go to the fo'c'sle for dead reckonin'," said Moleskin. His voice was calm, but to Marjorie who watched fascinated, tense alertness was evident in the navvy's bearing.

"Malcolm Davis!" said the Ganger suddenly. "That's not him, polisman. You're on the wrong hoss this time!"

"A rope!" came a welcome shout from outside. "Has anyone got a rope in there?"

"That's Sergeant Shirley!" was the stranger's involuntary exclamation, as he brought his revolver down.

"There's no rope here," said Moleskin sarcastically. "We could rig up a gallows to oblige you, but we ain't got a rope."

"A man has fallen in the water under the bridge!" somebody said, speaking near the doorway.

"H'm! they're always fallin' in," said the Ganger petulantly. "Let him swim!"

"He's caught in the current. He's drowning," came the same voice from a distance.

Ganger Billy, followed by the stranger, rushed out. Moleskin looked at the woman, who was on her feet.

"Have you ever seen a drowned man pulled out after gettin' crunched on the rocks?" he asked.

"Never!" Marjorie gasped. "Is somebody drowned?"

"Dunno, but stay where you are and don't come out until all's over!" he ordered, and with these words he went into the moonlight.

For a moment Marjorie stood with her head sunk forwards as if deep in thought, then went towards the door and looked out. She stood there for a moment shivering. Apparently afraid, she came back and looked through the window. Outside sounds of voices were to be heard, loud at first, but gradually sinking into a confused murmur and dying away.

Leaning against the window, her fur coat toning with the wall, she was practically invisible in the smoky atmosphere. The guttering lamp hanging from the roof swayed lazily; a coal fell from the stove and broke on the floor. At the sound the woman turned and found she was not alone. The doctor was in the room behind her.

"Nobody in since I left?" he asked.

"Nobody." Her voice was a whisper. "We'll go now, Dick."

"Well, of all!" he exclaimed. "If we keep putting it off like this, we'll never arrive at any conclusion. We must speak to the foreman, Davis, and the woman, Sheila. We must get to business at once. I'll go out again and look for the old man."

"He has been here," said the woman.

"But you said —"

"And he has been here, too."

"Who is he?" asked the doctor.

"Hey, Doctor Taylor, you're wanted outside at once!" shouted Digger Marley, rushing into the shack. "There's — there's —"

"Yes, my man, what is it?"

"There's a bloke as is kickin' it, outside! He fell in and him on the run, and lorblimey! the way that his head was cracked again the rocks is somethin' awful. I've seen many a bashin', but if this ain't —"

The doctor ran to the door, came to a halt there and looked back at the woman who was following him.

"You stay where you are, Marjorie!" he ordered in a peremptory tone.

"But, Dick, listen!" Marjorie remonstrated.

"Do what I say! It's not a sight for your eyes."

"Very well, Dick," she responded meekly. "Who was it?" she faltered, turning to Marley. There was a tense look on her face as she waited his reply.

"Well, 'twas like this, and if I may say so, he's done for," the Digger answered. "Have been in the army, I have, and saw things like it more'n once. 'Twas a bloke, and he was runnin' from the cops, the polis, to make my meanin' plain, and he tripped again a rock and down wallop he went into the water. It has a run, the water out there, and it leavin' the dam, beggin' your pardon. Well, one o' us, Moleskin Joe his name, jumped in and tried to pull him out. 'Twas a tough job, but he did it. Not that we didn't give Joe a bit o' a hand. 'Twas a hell o' a job all the same, beggin' your pardon again. To hold on again the rush – "

"Was it one of the workmen who fell in?" Marjorie gasped. "Was the man who ran from the police one of the workmen?"

"He'd too much in his head to be a navvy," said Marley. "He's the son of Ganger Billy. Least that's what some o' them are sayin' outside."

"It is he!" she suddenly shrieked, bursting into tears and running to the door. As she went out she had one fleeting impression of an ancient face, a rusty beard and staring red-rimmed agonized eyes, passing her in the doorway.

The face was that of Ganger Billy. He came escorted by Susan Saunders. The old woman, feeling that something untoward was afoot that evening, had not returned to her shack with the blankets which she had wheedled from the old man. Curiosity, which was stronger than compassion, had not permitted her to leave the locality of Windy Corner.

The Ganger came into the shack feeling his way as if sight had deserted him, and eventually, getting to the form by the stove, sat down there, a huddled and broken man.

"Now, my beauty, what are you doin'?" the managing Susan inquired, looking at Marley, who had not left the room. "Is there any drink about? Get it at once and give it to me, you old Dodderer!"

Marley fished a billy-can from a corner, left it on the seat beside the washerwoman and withdrew precipitately.

"Now put a drop o' this into you and you'll be all right," said the woman, lifting the billy-can and holding it towards the Ganger.

"I knew it was all over as soon as I saw his face," he muttered, looking vacantly at Saunders. "I've seen too many done in in my time not to know death. The doctor didn't need to tell me. Death never tells lies." He paused a moment and groped in his pocket,

129

as if searching for his habitual pipe. "My own wee laddie, wee Malcolm!" he muttered.

"Your laddie?" asked Saunders. "Was it the truth?"

"Aye, my boy," groaned the Ganger.

"But it was Tom Jones," said the old woman.

"I don't know why he changed his name," said the Ganger. "But he had his reasons. My boy! Malcolm, my boy. Aye, Malcolm, my laddie, you look a fine bit of a wee soldier!" the old man rambled. "All the books you have to read, and I bought them all for you. Now, come and tell your old daddy what you're goin' to be when you're a big man! A gentleman? That's it, my boy, that's it! I'll be mummy to you and I'll be daddy to you, and I'll make you a gentleman! ... The polis after you!" he screeched hysterically. "Them! When you were an officer they saluted you! Dead! It's a lie, a damned lie!"

He got to his feet, groped again in his pocket, and stared at the old washerwoman without seeing her. She looked at him with a furtive, frightened glance, the tears streaming from her rheumy eyes. Suddenly he staggered backwards against the table and sat down again utterly stricken.

Saunders sprang to her feet, grasped the billy-can, which contained a few dregs of that which was responsible for the tragedy, and held it to the old man's lips.

"Now, put this inside you and it'll buck you up," she advised him.

"I don't want it, woman, thank you all the same." The Ganger got to his feet and made for the door. "I'll not be spoon-fed while I've my grinders. Aye, aye!" He stopped as if considering. "It's cold out there. Wouldn't let a dog lie out, not even a dog!"

Delirious he went to the door, made his exit and became one with the night.

Moleskin, dripping wet, entered at the same moment, and was immediately followed by two policemen. One was the individual who had been there before.

"Moleskin Joe!" called this fellow. "We want you, my man."

Moleskin went backward towards the door on the rear, his eye fixed on the two who advanced upon him.

"You forgot all about this door," said Moleskin playfully, pointing his thumb over his shoulder at the door behind.

"Have I, indeed?" asked the man. "I'm not as big a fool as you take me to be!"

"Eh!" was Moleskin's involuntary ejaculation.

He looked round to see a massive individual filling the open door. The moment was one of precipitate action, and the ex-convict was not wanting. He made a sudden rush at his enemy's

130

feet, and as the person stooped to seize him, Moleskin applied a wrestling grip, cross-buttocked the plain clothes policeman and sent him flying over his head into the shack.

"Didn't think o' that'n, did you?" Moleskin inquired looking back from the door.

In the space of a second he had disappeared.

## Chapter Nineteen

## THE JOURNEY

Doctor Taylor's car was making its way along the cart track leading from Glencorrie. The doctor drove. Marjorie sat beside him, curled up like a little kitten, part of her face only visible.

For a while there had been silence. In fact, not more than a dozen words had been spoken since the car left Glencorrie, and now some three miles of the journey were completed.

Marjorie, with head a little inclined, was watching the doctor with attentive eyes.

"Should I have left?" she suddenly inquired.

"There was nothing more to be done," said the doctor. "You could not stay there all night."

"But his wife!" began Marjorie. "And the inquest —"

"You're not in England now, dear one," said the doctor. "There is no inquest held here, in Scotland. We've a procurator-fiscal instead of a coroner. He makes inquiries, but the sergeant (Shirley was his name, I believe) will state the case to the procurator for this district (I know him well), and the matter will be set right."

"But I should not have left," persisted the woman.

"My dear —" the doctor began. "Who the devil's this?"

He pulled the car up with a perk, just as a man who obstructed the way stepped nimbly to one side and gripped the side of the vehicle. Marjorie, who was nerved up to a high state of tension, uttered a shriek.

"What the devil are you up to?" demanded the doctor, looking at the man.

"I hope I've not frightened the lady," said Moleskin Joe, who was the culprit. "You see, it's like this, doctor. I wanted to speak to you, but I haven't what you might call the free foot. The polis are chancin' their arm on me, like, and I've a lot to do. You see, it's all because — because — I don't know how to set about tellin' you, but if — Well, if it was man to man it would be easier, not that I mean —"

He looked at the woman and was silent.

131

"Please go on," said Marjorie, who saw that he felt awkward in her presence. "You said to-night that Sheila Davis was a friend to you. And as far as I could gather she was more than a friend to you."

"Well!" exclaimed the surprised Moleskin. "I never thought that a woman had so much in her as to see through a thing like that. Old Ganger Billy used to say that a woman starts to learn where a man leaves off and this is the first time I've ever saw truth in it."

"You're Moleskin Joe?" asked the doctor. There was interest in the man's voice.

"Well, if I am, I don't shout about it," said he.

"Congratulations!" The doctor caught Moleskin's hand and shook it heartily.

"Co'gratulations!" the mystified Moleskin repeated. "What! What's that?"

"Surely you've not forgotten what you've just done?" asked the doctor with a laugh.

"Well, we all did our best and if the man" – he looked at Marjorie – "the gentleman handed in his check for good 'twas nobody's fault."

" 'Twas a great pity that his life was not saved, after such a gallant effort," said the doctor.

"Was it?" asked Moleskin, looking in the doctor's eyes and losing hand-grip.

"Of course it was, my man. A man has only got one life –"

"One's enough sometimes and more than enough. But do you mean what you say?"

The two looked at one another. Marjorie sat back open-eyed and stared at Moleskin.

"Mean what?" asked the doctor nervously.

"Does Sheila Davis know?" As he put the question Moleskin glanced at Marjorie.

"I don't understand you," said the doctor. "What are you trying to get at?"

"Sheila Davis has been told nothing," said Marjorie.

"Well, you know what I'm tryin' to say," Moleskin endeavoured to explain. "If she doesn't know, it's all right."

"Well?" The monosyllable was a hint that the conversation might proceed.

"I think a lot o' her, Sheila Davis," was Moleskin's simple admission.

"Ah! In love with her?" asked Marjorie.

"Put it that way if you like. It's all the same to me. Now I want to ask you a question." He turned to the doctor. "Did you mean

132

it when you said it was a pity that Malcolm Davis went for good?"

"Certainly."

"Well, all that I can say is, that there ain't much for *you* to be sorry about."

"What do you mean?" asked the doctor angrily.

"Keep your wool on," said Moleskin quietly. "I heard what you and her (he indicated Marjorie by a turn of his thumb) was sayin' to each other the other night at Dunsore!"

"Eavesdropping?"

"Eh?" Moleskin was mystified by the word.

"You were listening to something not intended for your ears!" said the doctor, pulling a car-lever. The hint was not lost on Moleskin.

"I'm hangin' on, freezin' to the gadget till I spit out what I'm goin' to say." Moleskin's hands tightened their grip on the vehicle. "I went to Dunsore to see if there was any chance of pickin' up grub for a wee nipper that I had, so to speak, that wasn't my own, that was, so to speak, not my own, but was – But you'll know what I mean, m'm?"

He looked at Marjorie. He had placed great reliance on the woman, who had become infallible in his eyes. She knew everything.

"You got the food, not for yourself, but for somebody else. Isn't that what you mean?" asked Marjorie, looking at him.

"That's it," said the jubilant Moleskin. "It's Sheila's nipper that I was chancin' my arm on. He wanted cookies, and I went to Dunsore and got 'em. And then I had to hide when you came in before you were expected. And I heard what you said. That's all. My cards are on the table."

"Well, what do you want me to do?" asked the doctor.

"It's what I don't want you to do; that's the thing," said Moleskin. "You're not to tell Sheila that Malcolm Davis, his right name, is not her husband. That won't hurt you. Don't tell her that I had anything to do with pullin' him out o' the water. If you help me in this, I'll eat out o' your hand, doctor, but if you don't, by God, I'll –"

"We'll do everything that's possible," said Marjorie.

"Everything," said the doctor. "I'll try at once to get her a home somewhere. I've a friend that will see to it. The boy will have a chance of getting a good education –"

"A good education," said Moleskin doubtfully. "I can't see how it does much good." His thoughts were on the father of the child.

"It's not always a failure," said the doctor. "And now, what are you going to do?"

"Three months," was Moleskin's admission.

"Why?" Marjorie gasped.

"Well, it's like this," said Moleskin, his eyes on the woman. "I've a great notion of Sheila. My head's in a fog about her. I wouldn't stop at nothin' that she wants, for see, I did all I was able to save Malcolm Davis when I could have twisted his thrapple, the dirty sneakin' cur o' hell. 'Twas done because Sheila wanted him. If he was a live man now, I wouldn't be here, talkin' like this, for three months' hard ain't to my likin'. But I'm chancin' my arm on't. If I do three months, it'll mean a clean sheet and maybe then Sheila will listen to me."

"But why three months?" asked Marjorie, who did not understand.

"Was in for three, but done a slide," Moleskin explained. "So now I'm off!"

His fingers slackened and he withdrew a pace.

"But you're drenched," said the doctor. "If you come along with us I'll get you some dry clothes."

"My duds are dry now, thank you all the same," said Moleskin, slapping his trousers. Frozen stiff, they stood round his legs firm as wooden cones.

Without another word he moved away. The car lurched forward, jolting over frozen snag and hummie. The doctor's eyes were set on the road in front, his friend sat back in her seat, her mind filled with varying emotions, in which Moleskin Joe and the doctor played a prominent part, perhaps the most prominent part of all being played by the rough uncultured buck-navvy.

Would Dick do as much for her as Moleskin Joe did for Sheila Davis? she asked herself, but was afraid to ask him the question. Still, why should she not inquire? She saw Sheila's eyes again, the long lashes, the magnificent dark-brown hair. "Yes, I'll ask him," she whispered desperately. Her hand trembled on his elbow and he bent his head slightly towards her.

"Dick?"

"Yes, my dear." The car jolted and she pressed her head against his shoulder.

"Would you –" she paused.

"Yes, dearest?"

"Would you – would you mind if I went to the funeral?" was her question.

"Certainly not, my little girl." He put one arm round her and manipulated the steering wheel with the hand that was free.

She leant against him, shaking with sobs. The tears welled from her eyes, but she found no solace in her weeping.

## Chapter Twenty

### TWO WOMEN

Barefooted and bent under her burden of blankets, Susan Saunders was on the road back to her cabin. During the excitement at Windy Corner she was not above taking advantage of the occasion, and thieving a pair, she added them to her stock.

"Well, well, people will be dyin', and people will be marryin', and there's not much good in makin' trouble for folk," she told herself as she neared her cabin. "After the sickness that was on her, the poor wee dear, I'm not goin' to tell Sheila the way her man died. It'll be a relapse, maybe, if she knows. And the devil's sendin' that he was, he should have died long agone."

The cabin door was open. The naphtha lamp guttered, the fire was a mere heap of white ashes, the apartment had still the damp, mouldy odour which tells of a place that had not been lived in for a long time. Sheila sat by the fire, the boy lay in the blankets asleep.

"I was frightened, Susan," said Sheila, looking up at the old woman. "I thought, maybe, you got lost!"

"Folk like me never get lost," laughed the old woman, throwing her bundle to the floor. In the misty atmosphere of the cabin she looked very old and worn. "And how are you feelin' on it now, Sheila, dear."

"A wee bit tired, Susan, but I'll be all right in the mornin' when I wake up, thanks to yourself and everybody that's been so good to me."

"And he's sleepin', the wee rascal?" asked the old woman, pointing at Isaacs.

"Aye, indeed, and he's sleepin'," said Sheila. "Closed his eyes as soon as I put him down. It's grand to have him with me again! Hungry I was for him, Susan, and me with nothin' to look at at all but the walls and the rain fallin' outside against the window panes. And wasn't Moleskin Joe the good man?"

"Nothin' wrong with Joe," said Susan. "Rough he may be, and tough he may be, but he has the heart. 'Daddy Joe,' the nipper calls him."

"Daddy Joe." Sheila blushed as she repeated the words. "Even and him sleepin' he called for Daddy Joe."

"Well, I don't wonder at it," said Susan. "Joe is a good fellow – strong as a horse. That's what I liked in my young days, strong men. The grip they have. But I don't think they're like that nowadays."

"I'm not so sure," said Sheila, smiling as if at a happy memory. "Won't you sit down, Susan?"

"We've all had our experience," said the old woman as she threw a piece of wood on the fire. "But there's one thing that we always forget, and fools we are for the same, us women that cannot be young for ever. 'Make the best of it while you are young,' is what I say, for all of us find, some day, that there is no good to be gained by waterin' last year's crops." With a sigh the woman gave weight to this ancient aphorism.

"I'm always waterin' last year's crops," said Sheila sadly.

"More fool you, lass." Saunders was asperse. "Keep your eye on the bright side of things, even when you're sitting in the ditch as the saying has it."

"But if there's no bright side?"

"I know what you are wantin'," said the old woman, sitting down by the side of Sheila, and putting her hand on the young woman's brown head. "A good cry. That eases the heart."

"I'm not goin' to cry." Sheila looked up at Saunders. "I've done it so often and it has never been any good to me."

"Then laugh."

"I can't do that either."

"Neither hot nor cold," said the washerwoman. "That's the fault with folk nowadays. Nobody knows what to do. They're afraid to go one way, afraid to go another. Follow your heart. That's the great secret of the world. That's what makes the birds to sing. Sheila, dear" – the old woman kissed the girl's hair – "follow your heart. Have Moleskin Joe! He's as good as many and better than most."

"Who told you about him?" asked the startled Sheila, gazing with fearful eyes at the washerwoman.

"He was sayin' things to me," said Susan.

"What was he saying?" Sheila asked.

"Just what any man would say if he caught it bad."

"Caught what?" asked Sheila. "I don't understand."

"Caught what we are all lookin' for from the time that we twist the first curl in front of the lookin'-glass, to the time when we will say our prayers, knowin' that the washin' we've hung out to dry is our very last. It's love, the love that all have sometime in their life and what Moleskin Joe has for you!"

Sheila nestled in against the old woman's side, sobbing. Saunders put her arms round the young shoulders.

"Aye, you're cryin', lass," she said in a tone that was almost one of triumph. " 'Twon't hurt, for it never does. Now," she asked, "what's to be done about it?"

"About what?" asked Sheila.

"About Moleskin Joe. He loves you. And you love him."

"I love him! Who said so?" Sheila inquired in a nervous whisper.

"Years ago you had more than a notion of him at Hermiston," said the old woman. "On in years I may be, but I wasn't blind, thank you, at the time. I could see you tidy up your hair, and put a finish to your dress whenever you went out and there was a chance of meetin' him. Sally Jaup and me wasn't as blind as you thought us." Susan looked at the young woman, dropped a wrinked eyelid slowly, until it rested on her cheek. "And yourself," she inquired sharply, "have you the same notion of him yet?"

Sheila was silent for a moment.

"I have, Susan!" she suddenly exclaimed. "But what's the use at all? What can I do, anyway?"

"What does your heart tell you?" Saunders inquired.

"It tells me to do something that my faith forbids. In the eyes of God, I'm married, and will be married while my husband's alive."

"He'd do you good, only in dyin'," said Saunders. "Years away from you and never sent you one penny to help you! And why have you kept waitin' for him all this time? Why? Why?"

"Him!" Sheila indicated the sleeping child.

"Him! Why him?"

"He's our child," was the young woman's simple explanation. "Malcolm's and mine."

"Malcolm, Malcolm, always Mr. Malcolm!" said the old woman brutally. "My dear child, what do you see in him? He's no good! You are only wastin' your time runnin' after him. It's ten to one that you'll never set eyes on him again. Down at Windy Corner they say that he's skedaddled."

"But, maybe, I will see him again," said Sheila. "And, anyway, he's my husband."

"It's the way always with girls," said Susan philosophically. "They never take advice, but make mistakes and get married, most times to the wrong man, and they are always fools. Now, if you take my advice, ye'll nab Moleskin. With the right woman he'll get on. And you're the right woman. Moleskin likes the nipper. He'll be daddy to him. If the polis are after him, what about it? He'll give them the slip!"

"The police after Moleskin?" asked the girl. "Why is it at all?"

"Did he not tell you?"

"He didn't."

"He was supposed to do somethin' that he didn't do, and he got three months' hard," Saunders told her. "He escaped and now he's on leg-bail. I'm sorry for poor Joe."

"Why did they put him in when he didn't do anything?" asked Sheila.

"It's the way of the world," said the old woman. "What would get a cat off would hang a buck-navvy. . . . He's a good man, Joe, and if that isn't a gentleman any day of the week ask me another. Go with him, take Cunnin' Isaacs, and work out your own salvation, lassie."

"It's not so easy, Susan."

"I know what's holdin' you." The old woman got to her feet. "It's because your church says that a marriage is sacred. But a marriage like yours is not, never was and never will be. It's a sin against God and woman. Follow your heart, lass, and have courage."

"I wish I was strong enough to do that. Or, maybe" – she paused in thought – "maybe, it's stronger not to."

The old woman looked at the window. In fact, she had been casting surreptitious glances at that quarter of the house for some time and not without reason. Something dark and resembling a tuft of heather had been moving outside the pane, now rising up as if wanting to get higher, and again sinking out of sight, as if afraid of being seen. It did look like a bunch of heather, if heather grew to such magnitude and found purchase like the ivy against the walls of a house.

Now it rose to a higher altitude, and at its base something white showed, and in the whiteness was set a pair of eyes. The old woman moved to the door, stood there for a moment, then went outside. A man withdrew from the window, walking backwards towards the gable wall. Coming to a stop, he beckoned to Susan.

"What do you want, Moleskin Joe?" she asked, going towards him.

"Whist!" he whispered. "I want to speak to you, Susan."

"What about?" She also spoke in a whisper.

"I want to have a talk with *her*," said the man, moving backwards.

"What have you to say to her?" asked Susan following.

"Does she know?" asked Moleskin, coming to a halt. They were now twenty yards distant from the cabin.

"I'ven't told her."

"She'll be told soon," said Moleskin. "There are always people ready to run with bad news. But it won't be so bad if she hears it to-morrow after she's had a good night's sleep."

"And to think o't!" moaned the woman. "She's not married at all."

"She is," said Moleskin.

"She's not and never was –"

"She was; years ago.'

"That ain't true, Joe," said Saunders.

"What's true doesn't matter a tinker's damn," growled Moleskin. "It's what we believe to be true that matters. Sheila's sure that she was married, and if I get anyone sayin' that she isn't I'll twist his thrapple. To have it that Malcolm was her man is everything to the lass, everything that's straight and above board. And all she done was on account of her nipper. That's why I tried to give Malcolm Davis a leg over. Sheila wanted him, and I done my best."

"Even the polis say that they never saw a thing like it, the way you jumped in –"

"The first time they ever said a word in my favour," muttered Moleskin. "Now, Susan Saunders!"

"Well, Joe?"

"I'm goin' to chance my arm on a three-month stretch," said Moleskin. "Seein' as how I gave them the slip, it'll mean that my one month done will go for nothin'. It'll be three, and I'm goin' to give myself up."

"Don't see why as you oughter," said Susan.

"It's like this," Moleskin explained. "Here's me, not much good anyways or anywhere, only in a scrap and a boozer. And there's her, too good for anything. She's gone through hell for that nipper o' hers; he's all in all to her and because of him she wouldn't slip the painter that tied her to Malcolm Davis. It's more than I can get the hang o' why she ran after him."

"Thought she was his married wife," Susan mumbled.

"Take it at that," Moleskin resumed. "But if she finds out that he was married to another wench before he met her, it'll break her heart. So I've figured it out this way, Susan. She'll hear that he's kicked it, tomorrow. When he's put into the tipper, take her and the nipper to Doctor Taylor, and he'll get her a place, and Isaacs will go to school. That's what the doctor told me. If she gets away from Glencorrie, she'll be as good as made. . . . Is she in here now?" He pointed at the cabin.

"She's there, Moleskin."

"I would like to have a word with her 'fore I give myself up. On the quiet. I mean by that, with nobody listenin' to what we are sayin'."

"All right, you go in," said Susan. "But don't spend all night over it. It's too damned cold for anything! And me without a boot on my feet!"

## Chapter Twenty-One

## THE PARTING

She sat by the fire, that now burned brightly, and awaited the return of Susan. But Sheila's thoughts were not on the old woman. Sitting there she called up the image of the man who had won her heart, seeing him as he was, kind, simple and intense, strong when dealing with others, but pliable in her hands, ready to yield to her moods and desires.

"Joe, I want you, I want you," she whispered, and even as the words left her lips she uttered a cry and started to her feet. Moleskin Joe was standing at the door, outlined against the night, the moonshine and the molten-silvered moor.

"It's yourself, Joe?" she asked, gazing at the man, who stood still, timid and afraid.

"Come to see how you are!" he mumbled. "And to see if the nipper's well." He looked at the sleeping child, then at the mother, so pale, fresh and beautiful.

"I can never thank you for bein' so good to him," she said. "Sit down and we'll talk. There's a lot of things that we must talk about."

He sat down, resting his hands on his knees as if ready to spring to his feet in a moment. Sheila looked at him, her deep eyes filled with tears.

"I would listen to you for ever," said the man in a thick whisper. "For there never was anybody like you, Sheila."

"You love me?" she asked gently, and waited, hungry for his answer.

"Love you, Sheila!" was his vehement exclamation. He got to his feet. "If –"

"Please sit down, Joe," she said. "I shouldn't have spoke to you the way I did this evenin'. I am a wicked woman, with no control over me tongue. Wicked, Joe. Wicked!"

"Wicked!" Moleskin exclaimed, laughing. "Well, if you are wicked, I've never heard or seen a good woman in all my natural."

"It was wrong of me to speak to you in that way," she insisted.

"What was wrong in it, lass? Nothin'. I've never been as happy in all my days as I was since then. You told me you loved me and is there anything better in the world?"

"Ours is the wrong kind of love," said Sheila simply. She was suddenly afraid.

"I'm a blunt barge o' a man, but I see nothin' wrong with it," Moleskin remarked. "There can't be."

"But ours is." She found solace in self-castigation. "I'm to blame for it all. If I had only not come at all!"

"Why? What makes it wrong?" he asked huskily.

"Him!" said Sheila, pointing at the child.

"Oh, him!" Moleskin exclaimed. "Well, it beats me how he can have anything to do with right or wrong."

"He holds me to my husband."

"Doesn't look as if the nipper holds him to you," Moleskin snorted.

"But it's for his sake that I mustn't do wrong, even if I want to," said the woman.

"Easy job, him, Sheila," said Moleskin, to whom in his great simplicity everything was quite clear. "He needn't stop you. I'll work for him. Honest to God I will. I won't ask you to do a hand's turn. I'll not let you work. You're so wee, lass, so wee. How were you able at all to bear all your hardships?" he asked, and the eyes he fixed on her were full of wonder.

"There's a strength to bear everything," was Sheila's enigmatic assertion.

"I would be able to help you in everything, and the nipper into the bargain," said Moleskin. "Don't you think I would?" he asked.

"I know you would, Joe," said the woman. "You'd be a better father to him than ever his own has been. But there's more than that to it, Joe. I don't know much about what they call the law, but I do know this, that after a mother has borne her child, gone through the tortures of hell for it, loved it better than her own life, if she finds a good man willin' to do what its own father ought to have done, the father can come along and say the child is his and take it away and do whatever he likes with it. And I can't lose Cunnin' Isaacs!" she cried, bursting into sobs.

"But catch me lettin' anyone come and put even a finger on him. If you just –"

"Don't, Joe, I ask ye!" she entreated. "Whatever you say to me I've said to myself over and over a hundred times this night. I've beaten myself, cut my heart to tatters!"

"Poor Sheila!" Moleskin whispered. He was again on his feet. "If it wasn't for the nipper, would you come with me?" he asked. His hand touched her shoulder. "Give me the straight answer, Sheila."

"Don't ask me, Joe. Don't don't!" she entreated.

Moleskin trembled. He pulled his hand away and gazed into her eyes, and a great feeling of pity throbbed through him. The glaring naphtha light slanted across her face and buried itself in the folds of her bosom. He could catch her with one hand and put

141

her in his pocket. So small, so helpless, and he wanted her more than anything in the world! He had come in to tell her something, very simple, but now hardly remembering what it was, he had nothing to say. Again his hand touched her shoulder, and she looked up, half-beseeching, half-trusting.

"Sheila, you do love me?" he asked, suddenly catching her in his arms and kissing her lips.

"I love you, Joe, love you better than anybody in the whole wide world." Speaking, she nestled in against him. "I have never loved anyone only you. You are a big simple dear, but you're not to do this. You mustn't, you mustn't!"

"One more!" he pleaded.

She clasped him impetuously with a force beyond that of a woman's and kissed him.

"Here's one more!" she said, "and another and another. And now" – she thrust him away from her – "I hate myself. Go, Joe, go away at once. Leave me! For the sake of everything, leave me! God forgive me! God forgive us both!"

"But what are we to do?" asked Moleskin, gazing helplessly at the woman. "But we can go away, me and you and Isaacs, and no one will know."

"One will know," said Sheila.

"Who?"

"You're not a Catholic, Joe?" she asked.

"Never was anything on the prayer gadget till I got into the army," said the man. "Then I was an R.C. Couldn't make fist o' the issue, but I liked the chaplain bloke, Father Nolan, a real corker crossin' the top!"

"Father Nolan?" asked Sheila in surprise. "Do you know him?"

"Know the fellow!" Moleskin cried, "I think I do! He comes here once a month to shout the odds. Do you know him?"

"He's the priest that married us."

"Church of England for me the next war," said Moleskin, voicing a verdict beyond appeal. "But why do you ask me if I'm a Catholic, Sheila?"

"Because, if you were, you wouldn't ask me why haven't I the free hand. In the church one is married for life. I gave my word to a man and I'm his till death. It's wrong havin' you here; it's sin, a dark sin."

"I'm goin' away, Sheila, in two minutes," said Moleskin in a slow, studied voice. He seemed to have got his bearings at last. He pointed his finger at the blankets which held Isaacs. "Will I be right in sayin' that if you hadn't him, you'd come with me?"

Her eyes, filled with unfathomed thoughts, looked steadily into his. She wanted to be thoroughly sincere; her nature had always found it difficult to be otherwise, but to be frank at that moment, in answering Moleskin's question as her heart bade her answer it, was a sin in the woman's eyes.

Before her stood the man whom she loved, whom she had always loved, a man of flesh and blood, intense, magnetic. But about him were grouped other figures, shadows without substance; her husband, the priest, her long-dead mother, and a thousand other ghosts, upholders of a fervent faith and the age-long tradition in which her being was moulded. And these called to her saying: "Beware! Go no further!"

"No, Joe, I wouldn't," she said with a resolute suppression of emotion. "It's too terrible to think of, God forgive me!"

"If your man would die, before me, would you come to me then?" he asked.

"I would, Joe," was her simple admission.

"Then I'll wait," said the diplomat, and a smile showed on his face. "I'm goin' away for a while, but I'll come back, Sheila, whenever you're free, and then, married or single, saint or sinner, I'll have you if I've to go to the pit of hell to get you. Give me your hand on that, Sheila."

She caught one hand in both her own. Only the man faced her, the spectres faded into the obscure distance and vanished.

"Say somethin', Sheila! Say you love me. Was there ever anything like this?"

"Never in the whole wide world!" she whispered, kissing him.

Susan, who had been shivering outside the door for the last ten minutes, coughed noisily as a polite preliminary before entering. The two lovers drew themselves apart.

"Dear me! dear me!" said the old woman coming in, beating her hands together. " 'Twould freeze the toes off a steam navvy. And you are a pair to leave in the house, with the fire half out. And you, Moleskin, what's the good of you. Mischief always wherever you are, damn you!"

There was a certain good humour in her coarse raillery, and in her eyes a knowing look as if she understood all that had happened in the last few minutes.

"It's always the way when it comes to kissin'!" she laughed, shaking her grey hairs. "No time for anything else!"

"Susan, I don't know what you mean at all," said the confused Sheila in a whisper.

"The red on your cheek gives the lie to your tongue," said the merciless washerwoman. "Where are *you* off to now?" she asked Moleskin, who was edging towards the door.

"He's goin' away, Susan," said the young woman, sinking her face in her hands.

"Only three months away 'twill be," said Moleskin. There was gratitude in the eyes he fixed on Sheila. An extraordinary lightness rose in his breast, a radiance through which joyous thoughts and sensations surged like swallows in a clear sky. "And the sooner I'm off the sooner I will be back!"

"Then hop it," commanded the matter-of-fact Susan. "Don't hang about the door makin' a song about it!"

"I'm off," said Moleskin. "Good night, Susan."

"Is that the way you take yourself off?" snapped the old woman. "Give her a kiss afore you go. God! the fools that are in it nowadays. Kiss the lassie, dammit! Kiss her!"

She caught Moleskin's arm, pulled the big man towards Sheila.

"Can't do no more!" she said. "It's never done by proxy. But I'll look the other way!"

"Little Sheila, I love you!" said Moleskin, catching her hands.

"Joe!" she whispered, sinking into his arms.

The old woman poked the fire with a wooden stake, performing the action noisily as if to drown all other sounds. Sparks flew up the chimney, a burning splinter fell on the hearth and she kicked it back with her bare foot.

"Will he ever come back again?"

Susan looked round at the speaker. Moleskin had gone, and Sheila was alone.

"Now into bed with you!" ordered the old woman. "I'll give you a can of tea as soon as you're lyin' down. Back again, eh? Twelve weeks from now he'll be back with you and in six months the two of you will be married!"